OT

標準作業療法学　[専門分野]

高齢期作業療法学

第4版

■ 監修
松房利憲　長野保健医療大学・名誉教授

■ 編集
新井健五　介護老人保健施設ミドルホーム富岡・副施設長
勝山しおり　長野保健医療大学リハビリテーション学科作業療法学・准教授

■ 編集協力
山口智晴　群馬医療福祉大学リハビリテーション学部作業療法専攻・教授

■ 執筆（執筆順）
新井健五　介護老人保健施設ミドルホーム富岡・副施設長
勝山しおり　長野保健医療大学リハビリテーション学科作業療法学・准教授
山口智晴　群馬医療福祉大学リハビリテーション学部作業療法専攻・教授
荒木祐美　前橋市こども未来部こども支援課
佐藤由子　介護老人保健施設うららくリハビリ室・室長
津奈木和貴　熊本機能病院総合リハビリテーション部作業療法課
西　聡太　介護老人保健施設清雅苑リハビリテーション部・副主任
松浦篤子　荒尾こころの郷病院リハビリテーション科・主任
髙井沙織　医療法人パテラ会月夜野病院リハビリテーション部
土屋謙仕　長野保健医療大学リハビリテーション学科作業療法学・准教授

医学書院

標準作業療法学　専門分野
高齢期作業療法学

発　　　行	2004年 6 月15日	第1版第1刷
	2008年12月 1 日	第1版第5刷
	2010年 3 月 1 日	第2版第1刷
	2014年10月 1 日	第2版第6刷
	2016年 1 月 1 日	第3版第1刷
	2022年12月 1 日	第3版第8刷
	2024年 1 月 1 日	第4版第1刷©
	2024年12月15日	第4版第2刷

監　　　修　松房　利憲
編　　　集　新井　健五・勝山　しおり
編集協力　山口　智晴
発　行　者　株式会社　医学書院
　　　　　　代表取締役　金原　俊
　　　　　　〒113-8719　東京都文京区本郷 1-28-23
　　　　　　電話　03-3817-5600(社内案内)
組　　　版　ウルス
印刷・製本　三報社印刷

本書の複製権・翻訳権・上映権・譲渡権・貸与権・公衆送信権(送信可能化権を含む)は株式会社医学書院が保有します.

ISBN978-4-260-05327-3

本書を無断で複製する行為(複写,スキャン,デジタルデータ化など)は,「私的使用のための複製」など著作権法上の限られた例外を除き禁じられています.大学,病院,診療所,企業などにおいて,業務上使用する目的(診療,研究活動を含む)で上記の行為を行うことは,その使用範囲が内部的であっても,私的使用には該当せず,違法です.また私的使用に該当する場合であっても,代行業者等の第三者に依頼して上記の行為を行うことは違法となります.

JCOPY 〈出版者著作権管理機構　委託出版物〉
本書の無断複製は著作権法上での例外を除き禁じられています.複製される場合は,そのつど事前に,出版者著作権管理機構(電話 03-5244-5088, FAX 03-5244-5089, info@jcopy.or.jp)の許諾を得てください.

＊「標準作業療法学」は株式会社医学書院の登録商標です.

刊行のことば

　21世紀に持ち越された高等教育の課題を表す重要キーワードとして，"教育改革"という4文字がある．このことは初等・中等教育においても同様と考えられるが，きわめて重要な取り組みとして受け止められている．また，大学入学定員と志願者数が同じになるという"全入時代"を数年後に控えた日本の教育界において，"変わる教育"，"変わる教員"が求められる現在，"変わる学生"が求められるのもまた必然の理となる．教育の改革も変革もまだまだこれからであり，むしろそれは常に"今日"の課題であることはいうまでもない．ただし，改革や変革を安易に日常化してしまうのではなく，それら1つひとつを真摯に受け止め，その結果を厳しく評価することで，教員も学生も一体となって教育の成果を体得することこそ重要になる．

　このような状況下にあって，このたび「標準作業療法学 専門分野」全12巻が刊行の運びとなった．これは「標準理学療法学・作業療法学 専門基礎分野」全12巻，および「標準理学療法学 専門分野」全10巻の両シリーズに並び企画されたものである．

　本シリーズの構成は，巻頭見開きの「標準作業療法学シリーズの特長と構成」の項に示したように，「作業療法教育課程の基本構成領域」（指定規則，平成11年度改定）に基づき，『作業療法学概論』以下，各巻の教科タイトルを選定している．加えて，各領域の実際の臨床現場を多様な事例を通して学習する巻として『臨床実習とケーススタディ』を設け，作業療法教育に関連して必要かつ参考になる資料および全巻にわたる重要キーワードの解説をまとめた巻として『作業療法関連資料・用語解説』を設けた[注1]．

　また，シリーズ全12巻の刊行にあたり心がけたいくつかの編集方針がある．まず注意したことは，当然のことながら"教科書"という性格を重要視し，その性格をふまえたうえで企画を具体化させたことである．さらに，前述した教育改革の"改革"を"学生主体の教育"としてとらえ，これを全巻に流れる基本姿勢とした．教員は学生に対し，いわゆる"生徒"から"学生"になってほしいという期待を込めて，学習のしかたに主体性を求める．しかし，それは観念の世界ではなく，具体的な学習への誘導，刺激があって，学生は主体的に学習に取り組めるのである．いわば，教科書はそのような教育環境づくりの一翼を担うべきものであると考えた．願わくば，本シリーズを通して，学生が学習に際して楽しさや喜びを感じられるようになれば幸いである．

　編集方針の具体化として試みたことは，学習内容の到達目標を明確化し，そのチェックシステムを構築した点である．各巻の各章ごとに，教育目標として「一

般教育目標」(General Instructional Objective; GIO)をおき，「一般教育目標」を具体化した項目として「行動目標」(Specific Behavioral Objectives; SBO)をおいた．さらに，自己学習のための項目として「修得チェックリスト」を配した．ちなみにSBOは，「〜できる」のように明確に何ができるようになるかを示す動詞によって表現される．この方式は1960年代に米国において用いられ始めたものであるが，現在わが国においても教育目標達成のより有効な手段として広く用いられている．GIOは，いわゆる"授業概要"として示される授業科目の目的に相当し，SBOは"授業内容"または"授業計画"として示される授業の具体的内容・構成に通ずるものと解することができる．また，SBOの語尾に用いられる動詞は，知識・技術・態度として修得する意図を明確にしている．今回導入した「修得チェックリスト」を含んだこれらの項目は，すべて学習者を主体として表現されており，自らの行動によって確認する方式になっている．

　チェックリストの記入作業になると，学生は「疲れる」と嘆くものだが，この作業によって学習内容や修得すべき事項がより明確になり，納得し，さらには学習成果に満足するという経験を味わうことができる．このように，単に読み物で終わるのではなく，自分で考え実践につながる教科書となることを目指した．

　次に心がけたことは，学生の目線に立った内容表現に配慮したという点である．高校卒業直後の学生も本シリーズを手にすることを十分ふまえ，シリーズ全般にわたり，わかりやすい文章で解説することを重視した．

　その他，序章には見開きで「学習マップ」を設け[注2]，全体の構成・内容を一覧で紹介した．また，章ごとに「本章のキーワード」を設け，その章に出てくる重要な用語を解説した．さらに終章として，その巻の内容についての今後の展望や関連領域の学習方法について編者の考えを記載した．巻末には「さらに深く学ぶために」を配し，本文で言及しきれなかった関連する学習項目や参考文献などを紹介した．これらのシリーズの構成要素をすべてまとめた結果として，国家試験対策にも役立つ内容となっている．

　本シリーズは以上の点をふまえて構成されているが，まだまだ万全の内容と言い切ることができない．読者，利用者の皆様のご指摘をいただきながら版を重ね，より役立つ教科書としての発展につなげていきたい．シリーズ監修者と8名の編集者，および執筆いただいた90名余の著者から，ご利用いただく学生諸氏，関係諸氏の皆様に，本シリーズのいっそうの育成にご協力くださいますよう心よりお願い申し上げ，刊行のあいさつとしたい．

2004年5月

シリーズ監修者　一同
編集者

［注1］本シリーズの改訂にあたり，全体の構成を見直した結果，『作業療法関連資料・用語解説』についてはラインアップから外し，作業療法士が対象とする主要な対応課題である高次脳機能障害の教科書として，『高次脳機能作業療法学』の巻を新たに設けることとした．　　　　　（2009年8月）
［注2］改訂第3版からは，"標準作業療法学シリーズ"の特長と構成" に集約している．（2015年12月）

第4版　序

　2004年に初版を発刊してから，20年が経った．その間，高齢者をめぐる環境は大きく変わり，初版当時のわが国の高齢化率は約20％程度であったものが，今や65歳以上の割合は過去最高の29％というまさに超高齢社会になった．高齢化率は今後も上昇し続けると見込まれ，高齢者および高齢者をかかえる人々に対する支援は重要さを増すばかりである．

　長い人生を歩んできた高齢者が，これからも人生を豊かに過ごすために作業療法が援助できることは多い．健康な人は，できるだけ健康状態を保ち，はからずも障害をかかえた人は，障害の影響を最小限に抑えて，意義ある人生を送れることが高齢期のあるべき姿と考える．その意味からも，本書では障害をもった高齢者のみでなく，健康高齢者にも焦点を当ててある．これからの高齢期作業療法は，疾患や障害へのアプローチはもちろんのこと，障害予防を重要視しなければならない．

　また，人が長生きするようになった現在，認知症は避けては通れない領域である．認知症に関する情報は以前に比べて飛躍的に多くなり，社会的にも認知されてきたが，同時に，増加する認知症高齢者およびその家族を，社会でどう支えるかという問題もクローズアップされている．ここに本書において認知症を大きな節として取り上げている理由がある．

　高齢者ケアの現場で出会う要介護や認知症の高齢者は，決して自分と違う特別な存在ではない．誰しも，いずれはそうなるのである．今後，臨床でそうした対象者を目の前にしたときに，その人のことを数十年後の自分の姿ととらえ，その人がかかえる問題を自分ごとのように向き合えることが，作業療法士としての基本姿勢となってくる．

　人生は"死"で完結する．個人の人生を肯定できることが，その人にとって最高の人生であろう．人が自分の人生を肯定できるように，言い換えれば，その人の人権や尊厳を尊重し，「よき生き方」を援助することができるのが作業療法である．

　「初版の序」よりこれまで述べてきたように，この巻の編集にあたっては，「高齢者は若中年者をそのまま延長したものではなく，また，高齢者という1つのグループにまとめられるものではない」ところに重点をおいてある．また，本書の対象が，主として作業療法士を目指す学生であるという観点から，できるだけわかりやすく編集するという姿勢を貫いてきたつもりである．高齢者に対する作業療法はまだ確立されたものではない．社会制度が大きく変化するなか，その作業療法も，今後形を変えていくものと思われる．

本書が，作業療法に携わる人の勉学に役立ち，さらにわが国の高齢期作業療法の発展に役立つことを願って止まない．

2023 年 11 月　執筆者を代表して

松房 利憲
新井 健五
勝山 しおり
山口 智晴

初版の序

　わが国の65歳以上の高齢者人口は，2000年に2,200万人となり，総人口に占める割合（高齢化率）は17.3％となった．高齢者人口が1,000万人を突破したのは1980年である．わずか20年で倍増という，とてつもない速さで高齢化が進んでいる．高齢者人口は2020年まで急速に増加し，その後はおおむね安定的に推移すると推計されているが，総人口が減少に転じることから，高齢化率は上昇を続け，2050年には35.7％にも達すると見込まれている．

　2003年12月現在，介護サービスの年間実受給者数は335万人にのぼっている．後期高齢者（75歳以上）のさらなる増加が見込まれるなか，介護サービス年間実受給者数も増加することは間違いないといえよう．高齢社会の進展に合わせて，医療はもとより，保健・福祉の分野での作業療法士の需要増が見込まれる．

　「標準」というこのシリーズ全体のコンセプトから，できるだけ標準的な内容にふれたつもりであるが，高齢者に対する作業療法はまだ確立されたものではない．臨床現場において，試行錯誤しているのが現状であろう．高齢者に対する作業療法も，徐々に形を変えていくものと思われる．

　本書の編集にあたっては，高齢者をとらえる際に，「高齢者は若中年者をそのまま延長したものではなく，また，高齢者という1つのグループにまとめられるものではない」というところに重点をおいた．

　これからの高齢社会では，疾患や障害へのアプローチもさることながら，障害予防という点が重視される．"生"の行き着く先は"死"である．「よき生き方」が「よき死に方」へとつながる．その意味からも，障害をもった高齢者ばかりでなく，健康高齢者にも焦点を当てた．

　本書の対象が，主として作業療法士を目指す学生であるという観点から，できるだけわかりやすく編集することを試みた．前述したように，この分野での作業療法は未成熟であると同時に，日進月歩の発展をみせている分野でもある．絶えず新しい情報を吸収するよう努力してほしい．本書が，作業療法に携わる人の勉学に役立ち，さらにわが国の高齢期作業療法の発展に貢献できることを願っている．

　2004年5月　執筆者を代表して

松房　利憲

小川　恵子

「標準作業療法学シリーズ」の特長と構成

シリーズコンセプト

毎年数多く出版される作業療法関連の書籍のなかでも，教科書のもつ意義や役割には重要な使命や責任が伴います．
本シリーズでは，①シリーズ全12巻の構成内容は「作業療法教育課程の基本構成領域（下欄参照）」を網羅していること，②教科書としてふさわしく，わかりやすい記述がなされていること，③興味・関心を触発する内容で，自己学習の示唆に富む工夫が施されていること，④学習の到達目標を明確に示すとともに，学生自身が自己学習できるよう，"修得チェックリスト"を設けること，といった点に重点をおきました．

シリーズ学習目標

本シリーズによる学習を通して，作業療法の実践に必要な知識，技術，態度を修得することを目標とします．また最終的に，作業療法を必要とする人々に，よりよい心身機能の回復，生活行為達成への支援，人生の意味を高める援助のできる作業療法士となることを目指します．

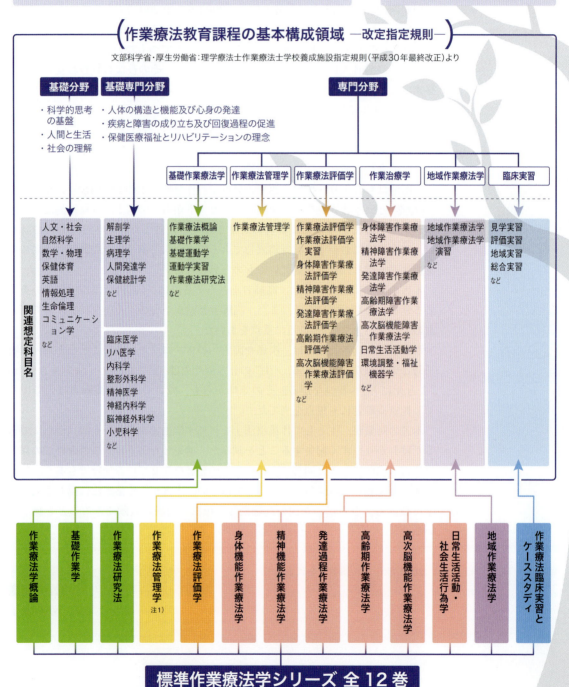

注1）標準理学療法学・作業療法学・言語聴覚障害学 別巻シリーズとして『リハビリテーション管理学』が発行されている．

作業療法臨床実習とケーススタディ

臨床実習は作業療法の全教育課程の3～4割を占めるとされる専門分野の領域にあたります．これまで学んできた全教科のいわば総合編にあたり，多様な臨床の現場の実態を事例ごとに紹介し，実践教育として学習を深めます．

地域作業療法学

現在，作業療法が対象とする領域は，医療機関から地域へと広がっています．本巻では介護保険をはじめとする諸制度とのかかわりや地域作業療法の評価・プログラムの立案・実践過程について学習します．また，他職種との連携やさまざまな施設での実践事例を紹介します．

日常生活活動・社会生活行為学

個人の日常生活から心身の統合や社会生活の満足度を高める作業療法について，日常生活活動(ADL)の行為ごとに，作業療法士が行うべき評価，プログラム立案，訓練に至るまで事例を交えて学びます．

高次脳機能作業療法学

人の行動に深くかかわる中枢機能としての高次脳機能について，障害の基礎的な理解および評価・治療などの実践について学びます．また，関連する法律や制度などの社会的支援体制についても紹介しています．

身体機能作業療法学

身体障害に関して『基礎作業学』や『作業療法評価学』で学んだ関連事項をもとに，作業療法の特性を生かした治療・指導・援助の方法を学習します．脳卒中をはじめ，整形外科疾患，難病，内部障害など幅広い疾患に対する作業療法の実際を網羅しています．

精神機能作業療法学

精神障害に対する作業療法を，『基礎作業学』や『作業療法評価学』で学んだ関連事項をもとに学習します．主要な疾患の実践事例をもとに，必要とされる作業療法士の思考過程と技術の展開方法を学びます．

発達過程作業療法学

乳幼児から青年までを対象とした作業療法を，『基礎作業学』や『作業療法評価学』で学んだ関連事項をもとに学習します．発達途上にある対象児個人の将来の可能性を広げるために，家庭生活や教育環境などで活かせる，より適切な援助法を学びます．

高齢期作業療法学

高齢期を迎えた対象者の心身機能の変化や，それによる生活上の動作・行動・行為への援助法について学びます．障害をもつ対象者に関してはもちろん，健康である高齢者へのかかわりも含めて作業療法がどうあるべきか学習します．本書の内容は『地域作業療法学』とも深い関係があります．

作業療法評価学

作業療法の全領域で使用されている評価と評価法に関する知識および技法を，理論・演習を通して学習します．またそれらが各領域での実践において，どのような意味をもつものであるかについても学びます．これらの評価法の学習を通して，対象者個人と人物・物的・文化的環境とのかかわりまで幅広く見て，プラス面・マイナス面を同時に評価し，治療に結びつけられるような視点を養います．

基礎作業学

作業療法の最大の特徴である"作業・活動"に焦点を当てて，作業療法としての運用のしかたを学習します．また，『作業療法学概論』で述べた"作業・活動"がどのように選択され，治療に使われるのか，その理論と実際を深く学びます．

作業療法研究法

作業療法という専門職の研究・発展に必要な研究基礎知識や，実際に研究の演習法についても学習します．作業療法の効果を明示し社会的評価へとつなげる研究は，今後ますます重要になります．すでに発表された研究論文の読み方などについても学びます．

作業療法学概論

作業療法学全体を見渡すための巻です．身体機能・精神機能・発達過程・高齢期の各専門領域について導入的に説明します．また，作業療法士に求められる資質や適性，記録や報告など，作業療法を行うにあたり最低限必要とされる知識を万遍なく学びます．

本シリーズの共通要素について

■「標準作業療法学シリーズ」の特長と構成　※前頁に掲載
本シリーズの全体像,ならびにシリーズ各巻と作業療法教育課程の基本構成領域との関係性を図示しています.また,本シリーズ全体における各巻の位置づけや役割が把握しやすくなっています.

GIO 一般教育目標(General Instructional Objective; GIO)
各章の冒頭に設け,それぞれの章において修得すべき知識・技術・態度の一般的な目標(学習終了時に期待される成果を示すもの)について把握します.通常講義などで使用されている"講義概要"や"一般目標"に相当します.

SBO 行動目標(Specific Behavioral Objectives; SBO)
一般教育目標(GIO)を遂行するために立てられた具体的な目標です(GIOを達成するためのいくつかの下位目標).知識面,技術面,態度や情意面に分けられ,それぞれの達成目標が明確に表現されていますので,自分の学習目標がはっきりします.通常授業などで使用されている"学習目標"や"到達目標"に相当します.

☑ 修得チェックリスト
行動目標(SBO)を受けた形で,さらに学習のポイントを具体化したものです.修得度をチェック項目ごとに確認していく自己学習のためのリストです.

🔑 本章のキーワード
学習する際に役立つキーワードを紹介し,簡潔に解説を施しています.さらに深い知識が身につき,理解力がアップします.本文中の該当語には🔑をつけています.

■さらに深く学ぶために
巻末に設けたまとめです.本文では言及しきれなかった,その巻に関連する学習項目や参考文献などを紹介し,今後の学習の道筋が広がる内容となっています.

本シリーズの呼称・表記について

■サービスの受け手の表現について
作業療法領域ではサービスの受け手を主に以下の5通りで表現しています.
- 「**対象者・対象児**」は,サービスの受け手を限定せずに指すときに使われます.またサービスの受益者と提供者が対等な関係であることを示しており,日本作業療法士協会が採用しています〔作業療法臨床実習の手引き(2022)〕.英語そのままに**クライエント**(client)の語も多く用いられます.
- 「**患者**」はもっぱら医療の対象者を指します.
- 「**当事者**」は精神障害分野において一般の人々が抱くマイナスイメージを避ける意味を込めて使われます.
- 「**利用者**」は疾患や障害に関係なく,在宅サービス(通所や訪問)を受ける人々を指して用いられます.
- 「**障害者**」は,本シリーズでは文脈上必要な場合を除き,極力用いない方針をとっています.ただし,「上肢機能障害」など障害そのものを表す場合は「障害」としています.

■「介入」という用語について
「介入」は,問題・事件・紛争などに,本来の当事者でない者が強引にかかわることという意味の用語です.本シリーズでは,作業療法が対象者とともに問題を解決するという立場から,「介入」は極力用いず,「**治療,指導,援助**」を行うという表現にしています.

目次

I 高齢期作業療法学の基礎

GIO，SBO，修得チェックリスト 2

1 高齢期作業療法学を学ぶ皆さんへ　新井健五　3

- A 高齢期と老年期 3
- B 高齢期と作業療法 3
  - 1 社会的ニーズと高齢期作業療法 3
  - 2 高齢期の特性と作業療法 3
- C 本書で学ぶこと 4

2 高齢社会　勝山しおり　5

- A 高齢化の進展 5
  - 1 高齢者の定義 5
  - 2 高齢社会とは 5
  - 3 高齢化率上昇の要因 6
  - 4 高齢者像の時代変化 7
- B 社会施策の変遷 8
  - 1 高齢者福祉の創設（1960年代） 8
  - 2 老人医療費の増加（1970年代） 10
  - 3 医療・保健・福祉の連携と在宅サービスの重視（1980年代） 10
  - 4 計画的な高齢者保健福祉の推進（1990年代） 11
  - 5 介護保険制度と高齢者医療制度改革（2000年代） 11
  - 6 地域包括ケアシステムの構築（2010年代） 12
  - 7 2040年の日本社会を見据えた制度改革（2020年代） 12
  - 8 健康長寿社会の実現と認知症への対策強化 12
  - 9 認知症基本法の成立 13

3 高齢期の課題　勝山しおり　14

- A 高齢期とは 14
  - 1 高齢期の特徴 14
  - 2 老いの自覚 14
  - 3 高齢期における発達課題 15
- B 高齢者と生きがい 17
  - 1 元気な高齢者 17
  - 2 高齢者と生きがい 17
- C 高齢期の社会活動 17
  - 1 高齢者の経済状況 17
  - 2 高齢者の就業 18
  - 3 高齢者の社会参加 19
- D 高齢期の家族関係 20
  - 1 家族機能の変化 20
  - 2 家族構成の変化 20
  - 3 家族介護者の特徴 21
  - 4 家族介護をとりまく社会問題 22
- E 現代社会と高齢者 23
  - 1 高齢者と死 23
  - 2 高齢者の悩みや不安 24
  - 3 高齢社会で目指す理念 26
  - 4 高齢期の課題 26

4 社会制度　勝山しおり　28

- A 社会保障制度と高齢者保健医療福祉 28
- B 高齢者を守る法律や制度 28
  - 1 老人福祉法 28

  2 高齢者の医療の確保に関する法律（高齢者医療確保法） ……………… 29
  3 介護保険法 …………………………… 29
  4 生活保護法 …………………………… 30
  5 高齢者虐待防止法 …………………… 31
  6 医療介護総合確保推進法 …………… 31
  7 高齢者の居住の安定確保に関する法律（高齢者住まい法） ………………… 31
  8 後期高齢者医療制度 ………………… 31
  9 成年後見制度 ………………………… 31
 C 制度の変化 ……………………………… 32

5 高齢期の作業療法　勝山しおり　33

 A さまざまな高齢者像 ………………………… 33
  1 健康な高齢者 ………………………… 33
  2 障害をもつ高齢者 …………………… 34
 B 介護保険制度と作業療法 …………………… 35
  1 保険者と被保険者 …………………… 36
  2 サービスの利用対象 ………………… 36
  3 介護度 ………………………………… 36
  4 アセスメント ………………………… 36
  5 利用者負担 …………………………… 37
  6 介護報酬 ……………………………… 38
 C 高齢期作業療法の役割と機能 ……………… 38
  1 いかに障害を最小にするか ………… 38
  2 自己実現の援助 ……………………… 38
  3 介護予防 ……………………………… 39
 D 高齢期作業療法の目的 ……………………… 39

6 高齢期の一般的特徴　勝山しおり　41

 A 老化とは ………………………………… 41
 B 高齢期の生理的・身体的特徴 ……………… 41
  1 循環機能の加齢変化 ………………… 42
  2 呼吸器系の加齢変化 ………………… 42
  3 消化器系の加齢変化 ………………… 42
  4 腎機能の加齢変化 …………………… 42
  5 排泄機能の加齢変化 ………………… 42
  6 内分泌系の加齢変化 ………………… 43
  7 体温調節機能の加齢変化 …………… 43
  8 免疫機能の加齢変化 ………………… 43
  9 生殖器系の加齢変化 ………………… 43
  10 脳・神経系の加齢変化 ……………… 44
  11 感覚機能の加齢変化 ………………… 44
  12 運動器の加齢変化 …………………… 44
 C 老年症候群 ……………………………… 45
  1 尿失禁 ………………………………… 45
  2 不眠 …………………………………… 45
  3 低栄養 ………………………………… 45
  4 脱水症 ………………………………… 46
  5 摂食・嚥下障害 ……………………… 46
  6 転倒・骨折 …………………………… 47
  7 寝たきり ……………………………… 47
  8 褥瘡 …………………………………… 47
  9 廃用症候群 …………………………… 48
  10 フレイル ……………………………… 48
  11 サルコペニア ………………………… 49
  12 ロコモティブシンドローム（運動器症候群） ……………………………………… 50
 D 高齢期の精神的・心理的特徴 ……………… 51
  1 知能 …………………………………… 51
  2 記憶 …………………………………… 51
  3 高齢期のパーソナリティ特性 ……… 51

7 高齢期に多い疾患　勝山しおり　53

 A 循環器疾患 ……………………………… 53
  1 血圧異常 ……………………………… 53
  2 不整脈 ………………………………… 54
  3 虚血性心疾患 ………………………… 55
  4 心不全 ………………………………… 55
  5 肺性心 ………………………………… 55
  6 作業療法実施における留意点 ……… 56
 B 呼吸器疾患 ……………………………… 56

1	感染性呼吸器疾患	56
2	慢性閉塞性肺疾患(COPD)	57
3	肺癌	57
4	気管支喘息	57
5	間質性肺炎(肺線維症)	58
6	作業療法実施における留意点	58

C 神経疾患 ……………………………… 58
 1 脳血管障害(CVD) ………………… 58
 2 神経変性疾患 ……………………… 59
 3 作業療法実施における留意点 …… 60

D 運動器(骨・骨格筋)疾患 …………… 60
 1 骨粗鬆症 …………………………… 60
 2 変形性関節症(OA) ……………… 60
 3 関節リウマチ(RA) ……………… 61
 4 後縦靱帯骨化症(OPLL) ………… 61
 5 作業療法実施における留意点 …… 61

E 内分泌代謝疾患 ……………………… 62
 1 糖尿病(DM) ……………………… 62
 2 脂質異常症 ………………………… 62
 3 甲状腺疾患 ………………………… 62
 4 作業療法実施における留意点 …… 63

F 精神疾患 ……………………………… 63
 1 せん妄 ……………………………… 63
 2 老年期うつ病 ……………………… 63
 3 作業療法実施における留意点 …… 64

G 皮膚疾患 ……………………………… 64
 1 瘙痒のある疾患 …………………… 64
 2 感染性皮膚疾患 …………………… 64
 3 作業療法実施における留意点 …… 64

H 眼疾患 ………………………………… 65
 1 加齢性白内障 ……………………… 65
 2 緑内障 ……………………………… 65
 3 糖尿病性網膜症 …………………… 65
 4 作業療法実施における留意点 …… 65

8 認知症 山口智晴 66

A 認知症とは …………………………… 66
 1 認知症の定義 ……………………… 66
 2 認知症の診断基準 ………………… 66
 3 認知症の疫学 ……………………… 67
 4 認知症と区別すべき病態 ………… 67
 5 軽度認知障害と認知症 …………… 67

B 認知症の分類と治療 ………………… 68
 1 認知症の原因と分類 ……………… 68
 2 年齢による分類 …………………… 69
 3 病型の割合 ………………………… 69
 4 薬物療法 …………………………… 69

C 認知症の症状 ………………………… 70
 1 認知機能障害 ……………………… 70
 2 行動・心理症状(BPSD) ………… 70

D 代表的な認知症病型 ………………… 72
 1 アルツハイマー型認知症(ATD) … 72
 2 レビー小体型認知症(DLB) ……… 74
 3 血管性認知症(VaD) ……………… 75
 4 前頭側頭型認知症(FTD) ………… 75
 5 その他の認知症 …………………… 76

II 高齢期作業療法の実践

GIO, SBO, 修得チェックリスト ………… 80

1 作業療法士が理解しておくべき人権と尊厳 新井健五 81

A 高齢者の人権 ………………………… 81
 1 老いの普遍性と人権・尊厳 ……… 81
 2 人権とは何か ……………………… 81
 3 憲法に保障された人権と尊厳 …… 81
 4 エイジズム ………………………… 82

B 高齢者の人権を擁護する …………… 82
 1 虐待の早期発見と通報義務 ……… 82
 2 虐待の発見通報事例 ……………… 83
 3 高齢者虐待の実態 ………………… 83
 4 不適切なケア ……………………… 84
 5 身体拘束 …………………………… 85

- 6 スピーチロック …………………………… 86
- 7 悪性の社会心理 …………………………… 86

C 高齢期作業療法の実践における人権と尊厳 ……………………………………………… 87
- 1 自立とは …………………………………… 87
- 2 支援を受けることと自立の関係 ………… 87
- 3 高齢者の自立支援 ………………………… 87
- 4 人権・尊厳を支えることの意味 ………… 88
- 5 主体者としての存在を支える …………… 88
- 6 尊厳保持につながる家庭復帰 …………… 88
- 7 かけがえのない個人 ……………………… 88
- 8 doing と being …………………………… 89
- 9 本来の作業療法の実践と尊厳 …………… 89

2 高齢期作業療法の実践過程　新井健五　91

A 高齢期作業療法実践における生活のとらえ方 ………………………………………… 91
- 1 高齢期における生活概念の変化 ………… 91
- 2 生活とはADLのことだけではない …… 91
- 3 生活の実像・実態をとらえることの重要性 ……………………………………… 92
- 4 高齢者ならではの生活の見方 …………… 92

B 高齢期作業療法の実践過程 ………………… 96
- 1 評価 ………………………………………… 96
- 2 目標設定とプログラム立案 ……………… 99
- 3 リハビリテーション計画書 ……………… 100
- 4 実施と再評価 ……………………………… 100
- 5 リスクに対する備え ……………………… 100
- 6 地域移行（社会参加） …………………… 101

3 病期に応じた治療・援助内容の違い　新井健五　102

A 急性期 ………………………………………… 102
- 1 急性期の特性とリハビリテーションに求められる役割 …………………………… 103
- 2 脳機能の廃用防止 ………………………… 103
- 3 急性期リハビリテーションの留意点 … 104

B 回復期 ………………………………………… 104
- 1 回復期リハビリテーションの特徴 …… 104
- 2 作業療法士に求められる役割 ………… 105

C 生活期（維持期） …………………………… 105
- 1 生活期リハビリテーションとは ……… 106
- 2 生活期リハビリテーションのあり方 … 107
- 3 生活期リハビリテーションの現状 …… 107
- 4 生活期リハビリテーションの課題 …… 108
- 5 リハビリテーションマネジメント …… 108
- 6 自立支援型介護の実現 ………………… 108

D 終末期──人生の最終段階 ………………… 109
- 1 終末期ケアのあり方──エンド・オブ・ライフ・ケア ……………………… 110
- 2 ACP（人生会議） ……………………… 111
- 3 グリーフ・ケア ………………………… 112
- 4 デスカンファレンス …………………… 112
- 5 終末期リハビリテーションのあり方 … 113
- 6 最期まで人間らしくあることの意味 … 113
- 7 作業療法士に求められること ………… 114
- 8 さいごに ………………………………… 114

4 実施場所に応じた治療・援助内容の違い　新井健五　116

A 高齢者の療養場所の移り変わり ………… 116
- 1 急性期病院からの移行先 ……………… 116
- 2 医療機関からの移行先 ………………… 116
- 3 介護保険施設からの移行先 …………… 117

B 医療保険による施設 ……………………… 118
- 1 地域包括ケア病棟 ……………………… 118
- 2 医療療養病床（療養型病院） ………… 120
- 3 認知症治療病棟 ………………………… 121

C 介護保険による施設 ……………………… 122
- 1 介護老人保健施設（老健） …………… 122
- 2 介護医療院 ……………………………… 125
- 3 介護老人福祉施設〔特別養護老人ホーム（特養）〕 …………………………… 126

D 在宅 ………………………………………… 128

1 在宅とは ……………………… 128	B 作業療法における評価の目的とアセスメントツール …………………………… 143
2 作業療法士がかかわる主な在宅サービス ……………………………… 128	1 認知症に対する作業療法の評価 …… 143
3 生活環境整備の考え方 ……………… 130	2 アセスメントツール ………………… 143

5 介護予防の作業療法　山口智晴　132

- A 介護予防とは ……………………… 132
  - 1 定義 …………………………… 132
  - 2 分類 …………………………… 132
  - 3 介護保険制度における位置づけ …… 132
- B 社会の変化と地域包括ケアシステム …… 133
  - 1 現状の課題 ……………………… 133
  - 2 地域包括ケアシステム ……………… 133
- C 介護予防の変遷 …………………… 134
  - 1 介護保険の理念と介護予防 ………… 134
  - 2 介護予防と自立支援 ……………… 134
  - 3 地域リハビリテーション活動支援事業 134
- D 健康増進と介護予防 ……………… 135
  - 1 ヘルスプロモーション ……………… 135
  - 2 健康高齢者 ……………………… 136
  - 3 虚弱高齢者 ……………………… 137
  - 4 保健事業と介護予防 ……………… 138
  - 5 これからの介護予防 ……………… 138
- E 介護予防における作業療法士の役割 …… 139

【COLUMN】地域リハビリテーション活動支援事業 ……………………………… 140

6 認知症高齢者の作業療法　山口智晴　141

- A 認知症に対する作業療法の位置づけ …… 141
  - 1 わが国の認知症施策 ……………… 141
  - 2 認知症のリハビリテーション ………… 141
  - 3 薬物療法と非薬物療法 ……………… 142
  - 4 ケアの技法 ……………………… 142
  - 5 作業療法の視点 …………………… 142

- C 疾患別の作業療法の視点 ……………… 148
  - 1 アルツハイマー型認知症（ATD）…… 149
  - 2 レビー小体型認知症（DLB）……… 150
  - 3 血管性認知症（VaD）……………… 150
  - 4 前頭側頭型認知症（FTD），行動障害型前頭側頭型認知症（bvFTD）……… 150
- D 支援場所による作業療法の実践 ……… 151
  - 1 地域での作業療法士のかかわり …… 151
  - 2 病院施設での作業療法士のかかわり … 151
- E 介護家族への支援 ………………… 151
  - 1 介護家族の介護負担と支援 ………… 152
  - 2 家族の想いと本人の想い──関係性の障害に対する支援 ………………… 152
  - 3 認知症における病識という視点 …… 153
  - 4 認知症の人の視点 ………………… 153
- F 地域資源の活用 …………………… 154
  - 1 権利擁護 ………………………… 154
  - 2 認知症カフェ …………………… 154
  - 3 家族会 ………………………… 154

【COLUMN】訪問における認知症の作業療法 156

III 高齢期作業療法の実践事例

1 健康高齢者のケース　荒木祐美　158

GIO, SBO, 修得チェックリスト ………… 158
- A 不活発な生活から活動的な生活へ …… 158
- B 作業療法初期評価 ………………… 159
- C 作業療法士としてのかかわり，支援 … 159
  - 1 生活不活発からの脱却，介護予防 … 159
  - 2 意欲低下からの脱却 ……………… 161
  - 3 社会資源の活用 ………………… 161
- D 考察・まとめ ……………………… 161

1	生活不活発からの介護予防	161
2	本ケースについて	162
3	介護予防に必要な作業療法の視点	162

2 要支援者のケース——通所リハで生活行為向上マネジメント(MTDLP)を活用したケース 佐藤由子 163

GIO, SBO, 修得チェックリスト … 163
A 「やりたい」を引き出すきっかけづくり … 163
B 作業療法評価 … 164
C 治療・指導・援助 … 165
  1 介入の基本方針 … 165
  2 生活行為向上プログラム … 165
  3 経過 … 165
  4 結果(最終評価：5か月目) … 167
D 考察・まとめ … 168

3 要介護者のケース——医療から在宅まで 169

GIO, SBO, 修得チェックリスト … 169

1 回復期リハビリテーション病棟 津奈木和貴 170

A 在宅復帰を目指して回復期リハ病棟でできること … 170
B 作業療法評価・実施計画 … 170
C 治療・指導・援助 … 171
  1 運動制限期間 … 171
  2 ADL 拡大の時期 … 171
  3 退院前訪問指導 … 171
D 考察 … 172
  1 早期リハビリテーションの課題 … 172
  2 在宅復帰を目指すために … 172
  3 回復期リハビリテーション病棟での作業療法士の役割 … 172

2 介護老人保健施設 西 聡太 173

A 医療との連携 … 173
  1 施設サービス計画上の目標 … 173
B 作業療法評価と計画の立案 … 173
  1 入所後訪問による在宅環境の評価 … 173
  2 ICF に基づく評価とリハビリテーション計画の立案 … 173
C 治療・指導・援助 … 174
  1 在宅環境を想定した練習 … 174
  2 施設内での ADL 支援 … 175
  3 住宅改修と外泊練習 … 175
D 考察 … 175
  1 家族の理解を支援する … 175
  2 多職種協働(包括的ケアサービス) … 176

3 通所リハビリテーション 西 聡太 176

A 集団での活動から役割獲得へ … 176
  1 居宅サービス計画上の目標 … 176
B 作業療法評価と計画の立案 … 176
  1 利用前訪問 … 176
  2 ICF に基づく評価とリハビリテーション計画の立案 … 177
C 治療・指導・援助 … 178
  1 在宅での生活課題に合わせた援助 … 178
  2 グループ活動による在宅内役割への援助 … 178
D 考察 … 179
  1 通所リハビリテーションでかかわる生活課題への支援 … 179
  2 ピアサポートによる援助の利点 … 180

4 訪問リハビリテーション 西 聡太 180

A 在宅から地域へ … 180
  1 居宅サービス計画上の目標 … 180
B 作業療法評価と計画の立案 … 181
  1 退院後の ADL … 181
  2 ICF に基づく評価とリハビリテーション実施計画の立案 … 181

C 治療・指導・援助 …………………… 181	D 考察・まとめ …………………… 200
1 在宅復帰後に気づく生活課題 …… 181	1 BPSD 発生原因のとらえ方の例 …… 200
2 ニーズの変化に応じた役割獲得への支援 …………………………… 181	2 「昔取った杵柄」の効果 …………… 201
D 考察 ………………………………… 182	3 注意点 ……………………………… 203
1 在宅で気づく細かな生活課題 …… 182	4 チームアプローチの実現へ向けて …… 204
2 生活の場で支援できる強み ……… 182	5 BPSD に対するケアの考え方 …… 204
	6 BPSD に向き合うにあたって …… 205

5 まとめ　西 聡太　183

4 軽度の認知症高齢者のケース　松浦篤子　185

GIO，SBO，修得チェックリスト ……… 185
A 大切な生活行為を継続するための視点 … 185
B 作業療法評価・実施計画 ……………… 186
　1 評価 ………………………………… 186
　2 実施計画 …………………………… 188
C 作業療法士としてのかかわり，支援 …… 189
D 考察・まとめ …………………………… 191
　1 軽度の認知症高齢者へ必要な視点 …… 191
　2 本ケースへの視点 ………………… 191
　3 疾患の特性を考慮した困りごとの明確化 …………………………… 192

【COLUMN】認知症初期集中支援チーム
　　　　　　山口智晴 ……………………… 194

5 中等度の認知症高齢者のケース　新井健五　195

GIO，SBO，修得チェックリスト ……… 195
A 「その人らしさ」を引き出すアプローチ … 195
B 作業療法評価・実施計画 ……………… 196
　1 評価 ………………………………… 196
　2 面接・観察 ………………………… 197
　3 実施計画 …………………………… 198
C 治療・指導・援助 ……………………… 199
　1 さまざまな活動への取り組み …… 199
　2 対象者の変容 ……………………… 199

6 重度の認知症から寝たきりに移行したケース　新井健五　206

GIO，SBO，修得チェックリスト ……… 206
A 残存能力を見つけ活用するアプローチ … 206
B 作業療法評価・実施計画 ……………… 208
　1 評価 ………………………………… 208
　2 実施計画 …………………………… 209
C 治療・指導・援助 ……………………… 209
　1 寝たきり状態からの脱却，経口摂取の継続 ……………………………… 209
　2 感覚入力・精神機能の活性化 …… 209
　3 刺激材料の検討 …………………… 209
　4 刺激材料の効果 …………………… 209
　5 プログラムの発展 ………………… 210
　6 目標の達成から家庭復帰へ ……… 212
D 考察・まとめ …………………………… 212
　1 寝たきり状態の要因 ……………… 212
　2 つくられた寝たきり状態から真の寝たきり状態へ …………………… 213
　3 多側面からのアプローチ ………… 213
　4 「残存能力（できること）」と「問題点（できないこと）」 ……………… 214
　5 生活圏の拡大 ……………………… 214
　6 大切な視点 ………………………… 215

【COLUMN】認知症の人の地域生活支援
　　　　　　山口智晴 ……………………… 216

7 介護老人保健施設においてエンド・オブ・ライフ・ケアを実施したケース　218
髙井沙織・土屋謙仕

GIO，SBO，修得チェックリスト …………… 218
A　思いを知り寄り添う ………………… 218
B　作業療法評価 ………………………… 219
　1　入所時評価・実施計画 …………… 219
　2　面接・観察評価 …………………… 219
　3　病状説明とエンド・オブ・ライフ・ケアの意向確認 ……………………… 220
C　治療・指導・援助 …………………… 220
　1　食欲低下期 ………………………… 220
　2　点滴開始期・経過観察期 ………… 221
　3　危篤状態・死亡までの時期 ……… 223
　4　看取りのその日の様子 …………… 223
　5　エンド・オブ・ライフ・ケア振り返りカンファレンスの開催 …………… 223
D　考察・まとめ ………………………… 224
　1　その人らしさを知ることの大切さ …… 224
　2　作業療法士がかかわるエンド・オブ・ライフ・ケア ……………………… 224

さらに深く学ぶために　新井健五　227

巻末資料

【資料1】法制度関連資料　232
【資料2】年表　240

索引 …………………………………………… 243

第 I 章 高齢期作業療法学の基礎

GIO 一般教育目標　1．高齢期作業療法の実践に備えるために，必要な基礎となる事項について習得する．

SBO 行動目標

1-1）高齢社会になった経緯および社会施策の変化の経緯について説明できる．
- □ ①高齢者および高齢社会の定義を友人に説明できる．
- □ ②わが国が超高齢社会になった要因を100字程度にまとめることができる．
- □ ③高齢者保健福祉に関する制度の変遷に関する大きな流れをクラスの中で発表できる．

1-2）高齢期の心身の特徴および現代社会における高齢者の生活について，クラス討議に参加できる．
- □ ④高齢者の健康状態をとらえるときの注意点を箇条書きすることができる．
- □ ⑤死への恐怖が少ない高齢者の心理機序について，グループで話し合うことができる．
- □ ⑥高齢者の社会参加や経済状況についてクラスの中で発表できる．
- □ ⑦各種報道資料，メディアを通し家族介護をとりまく社会問題を調べ，クラス討議に参加できる．

1-3）高齢者に関係する社会制度について，口述あるいは記述することができる．
- □ ⑧社会制度の体系を友人に説明できるとともに，特に高齢者に関係が深い法律の名称をあげることができる．
- □ ⑨社会保障制度の4つの柱について，理念を100字程度にまとめることができる．

1-4）高齢期障害を類別できるとともに，高齢期作業療法の考え方を話し合うことができる．
- □ ⑩健康な高齢者の特徴について，グループの中で話し合うことができる．
- □ ⑪高齢者の身体障害の特徴について，グループの中で話し合うことができる．
- □ ⑫高齢期の精神障害の特徴について，グループの中で話し合うことができる．

1-5）高齢期の心身の特徴および高齢者に多い疾患について説明できる．
- □ ⑬高齢期に多い循環器疾患を3つあげ説明できる．
- □ ⑭高齢期に多い呼吸器疾患を3つあげ説明できる．
- □ ⑮高齢期に多い脳・神経疾患あるいは運動器疾患を3つあげ説明できる．
- □ ⑯高齢期に多い内分泌代謝疾患あるいは精神疾患を3つあげ説明できる．
- □ ⑰高齢期に多い皮膚疾患あるいは眼疾患を3つあげ説明できる．
- □ ⑱高齢期におこりやすい徴候としてのフレイル・サルコペニアについて説明できる．

1-6）高齢期作業療法において重要な位置を占める認知症について，基礎知識を表現あるいは口述することができる．
- □ ⑲認知症とはどういうものか定義・診断基準などを，クラスの仲間どうしで説明し合うことができる．
- □ ⑳認知症の行動・心理症状（BPSD）について，医療系以外の友人に説明できる．
- □ ㉑代表的な認知症疾患を4つあげ，それらの特徴を医療系以外の友人に説明できる．

1 高齢期作業療法学を学ぶ皆さんへ

A 高齢期と老年期

　高齢者を対象とした作業療法は，老年期作業療法などと呼称されることが多いが，本書では「高齢期作業療法学」という名称を採用している．これには，さまざまな意味で退行する(マイナス)イメージでとらえられがちな老人・老年期ではなく，人という生涯発達する存在の高齢の時期における作業療法，この時期を生きる高齢者をマイナス面だけでなくプラス面からもとらえてほしいとの意味や思いが込められている．

　高齢期をどう幸せに生きるか，いかに前向きに生きられるか，そして，そのために作業療法は何ができるのか，考え，学んでほしい．

B 高齢期と作業療法

1 社会的ニーズと高齢期作業療法

　高齢期の作業療法実践は，社会的ニーズや法制度に大きく影響されるのが特徴である．そのため，高齢者をとりまく社会状況や法制度について学ぶことは，その時代の作業療法に対するニーズを理解するために不可欠となる．

　わが国は，国民の4人に1人が高齢者，10人に1人が80歳以上という国となり，高齢化は上昇の一途である．また，死亡者数も，それに占める高齢者の割合も増加の一途をたどっている．2022年の死亡者数は，1989(平成元)年の実に2倍である．

　現代の作業療法は，まさにこうした高齢多死社会(時代)の真っ只中にある．すなわち，高齢多死の時代に人々が安心して暮らせるためのニーズに応える実践が求められている．高齢期という人生の最終段階の時期をいかに自分らしくよりよく生き切ることができるか，そして，尊厳が守られた最期を迎えられるか，家族が安心してそこに向かい合うことができるかということに役立つ作業療法実践が求められているのである．

2 高齢期の特性と作業療法

　高齢期の作業療法は，主に介護(保険)の領域においてケアと一体となって(生活のなかでケアと連動して)提供されるため，介護職との連携や協働が不可欠となる．ゆえに，高齢者ならではの生活障害や介護の状況をしっかりととらえられるようになること，自立支援型の介護や生活期のリハビリテーション(以下，リハ)など，生活やケアに密着して提供されるリハについての考え方を理解して臨むことが欠かせない．

　生きていれば，誰もが必ず高齢者となり，たとえ健康であっても生活に障害をきたしてくる．つまり，高齢期作業療法の対象は，健康な人も含めてすべての人なのだ．ゆえに，疾病や障害に対する幅広い知識の修得を前提としつつ，そこに老化がもたらす心身機能の低下などの影響や予防に関する知識を重ねていく学習が求められる．

　2023年「共生社会の実現を推進するための認知

症基本法」が成立した．認知症の人が尊厳を保持しつつ希望をもって暮らせる社会を目指して，認知症の人のリハを充実させることは，時代のニーズに応えるための重要な課題である．

認知症リハとは，認知機能の低下に伴って発生する生活行為の障害に対し，残存機能の活用や生活環境の調整支援を通じて，生活障害の改善や困りごとの解決，社会参加の継続や生活の質（QOL）の向上をはかり，もって住み慣れた地域や在宅などで安心して幸せに暮らしていけるように支援することである．認知機能と活動・参加，環境因子と個人因子を結びつけて解釈することができる作業療法に寄せられる期待は大きい．

C 本書で学ぶこと

第Ⅰ章「高齢期作業療法学の基礎」では，まず，超高齢社会のわが国の現状と社会施策，高齢期における諸課題やとりまく社会状況や制度について基本的な知識を学ぶ．これをもとに社会的ニーズを考察し，作業療法との関係性や何が求められているのか，何をすべきかを考えてほしい．

次に，さまざまな高齢者像による作業療法のあり方，主な実践場所となる介護保険制度の概要，高齢期作業療法の役割や機能，目的についてなど，実践のための基礎知識を学ぶ．

さらに，高齢期の生理的・身体的特徴や精神的・心理的特徴，老年症候群，高齢期に多い疾患，作業療法実施における留意点について学ぶ．

認知症については，高齢期作業療法の実践にあたって必須の知識となるので，独立して取り上げた．認知症とは何か，その分類と治療，症状，代表的な認知症病型についての最新知見を学べる．特に，認知症の行動・心理症状（behavioral and psychological symptoms of dementia; BPSD）についての正しい知識の修得は重要である．

第Ⅱ章「高齢期作業療法の実践」では，作業療法実践の基本的枠組みについて学ぶ．まず，すべての対人支援実践の基礎・基盤となる人権と尊厳について理解を深める．虐待や不適切なケア，身体拘束など高齢者ケアの現場で不可欠となる基本認識についても詳しく解説した．

次に，実践過程について，高齢期ならではの生活のとらえ方を学んだうえで，評価から実施と再評価までの流れとリスク管理について理解する．このなかで，高齢期ならではの情報収集や面接・観察における留意点，統合と解釈や目標設定やプログラム立案の考え方をつかんでもらいたい．

さらに，高齢期作業療法はさまざまな場所で展開される．そのため，治療・援助内容について，予防期，急性期，回復期，生活期（維持期），終末期といった病期と，医療保険による施設，介護保険による施設，在宅という実施場所に分けて，その違いが解説されている．それぞれにおける作業療法の考え方の違いを押さえておきたい．

充実が強く求められる介護予防と認知症の作業療法については，それぞれ独立した節として取り上げた．介護予防に対する正しい認識を深めて，作業療法士の役割を理解するとともに，認知症の作業療法では，認知症リハの考え方，作業療法評価の目的とアセスメントツール，疾患別の作業療法の視点などについて，しっかり学習しよう．

第Ⅲ章「高齢期作業療法の実践事例」では，健康高齢者から終末期まで豊富な実践事例を紹介している．単なる症例報告ではなく，読み進めることによって，先輩たちがそのときどのような思いや考えで対象者にかかわったのか，なぜその作業療法を提供したのかを追体験できるようにわかりやすく記述している．ぜひその考え方やマインドにふれてもらいたい．

最後の「さらに深く学ぶために」では，認知症の人の言動や思いの理解，困りごとの解決に役立つ書籍なども紹介している．なお書籍だけでなく，映像資料なども加えて学びを深めるための材料を豊富に紹介している．何より面白いものばかりなので，ぜひともご覧いただきたい．

2 高齢社会

A 高齢化の進展

1 高齢者の定義

　老人福祉法が制定される以前の日本では，国勢調査における高齢者人口を 60 歳以上としていたが，1963 年の老人福祉法の制定により 65 歳以上が老人健康診査や福祉措置の対象として定められ，以後，法律的には高齢者の区切りは 65 歳以上とされてきた．

　現在，日本を含む多くの国で，高齢者を暦年齢 65 歳以上と定義している．これは，1956 年の国連の報告書において，65 歳以上を高齢者と位置づけ，高齢化率を表したことが始まりともいわれている．しかし，65 歳以上では年齢幅が大きいため，65～74 歳を前期高齢者 (young-old)，75 歳以上を後期高齢者 (old-old)，85 歳または 90 歳以上を超高齢者 (extremely-old)，100 歳以上を百寿者 (centenarian) としてきた．

　しかし近年の日本において，個人差はあるものの，特に前期高齢者の人々はまだまだ若く活動的な人が多く，この高齢者の定義が現状に合わない状況が生じている．2017 年 1 月に，日本老年学会と日本老年医学会が合同で高齢者の定義を見直す提言を発表した[1]．高齢者 (old) の定義を 75 歳以上に引き上げ，65～74 歳を准高齢者 (pre-old)，75～89 歳を高齢者 (old)，90 歳以上を超高齢者 (oldest-old, super-old) としている．

　この提言の目的は，高齢者を社会の支え手でありモチベーションをもった存在へとらえ直すこと，超高齢社会を明るく活力あるものにすることであり，暦年齢にかかわらず，希望と能力に応じて参加と活動を可能にする，エイジフリーな社会の実現の重要性が謳われている．今後，この提言をふまえ，さまざまな角度から議論される可能性があり，その動向を注視する必要があるだろう．

2 高齢社会とは

　総人口に占める 65 歳以上の高齢者人口の割合を高齢化率という．一般に，高齢化率が 7% を超えた社会を「高齢化社会」，14% を超えた社会を「高齢社会」，21% を超えると「超高齢社会」と呼んでいる．

　日本の高齢化率の推移をみると，1930～1950年までは大きな変化はみられなかったが，1950年 (4.9%) 以降一貫して上昇が続いており，1985 年に 10%，2005 年に 20% を超え，2013 年に 25.1% と総人口の 4 人に 1 人が高齢者となり，2022 年は 29.1% となった[2]．

　高齢化の進行度について，高齢化率が 7% を超えてから 14% に達するまでの所要年数で比較すると，フランスが 126 年，スウェーデンが 85 年，アメリカが 72 年，比較的短い英国が 46 年，ドイツが 40 年に対し，日本では 1970 年に 7% を超えると，その 24 年後の 1994 年には 14% に達した[3]．

　国立社会保障・人口問題研究所の推計によると，この割合は今後も上昇を続け，第 2 次ベビーブーム期 (1971～1974 年) に生まれた世代が 65 歳以上

となる2040年には35.3%[2]となり，2065年には38.4%になると見込まれている．このように，日本ではかつて経験したことのない社会の急激な高齢化に直面している．社会の高齢化は欧米諸国でも徐々に進行してきており，また，アジア諸国の一部の国では，日本を上回るスピードで高齢化が進むことが見込まれている．

また，2022年の総人口に占める75歳以上人口の割合は15.5%であり，65〜74歳人口の割合13.6%より上回っている．今後も長寿が進み，高齢者人口でも，特にこの後期高齢者人口の増加，すなわち「高齢人口の高齢化」はさらに進行していくことが予想されている．2065年には25.5%となり，約3.9人に1人が75歳以上の者となると推計されている[3]．

3 高齢化率上昇の要因

なぜ日本は，世界でも例をみない速さで高齢化が進み，超高齢社会になったのだろうか．これには，平均寿命の劇的な延伸による高齢者人口の増加と，出生率の急激な低下による若年人口の減少という2つの作用が，近年の日本において同時に生じていることがあげられる．

a 平均寿命の延伸

平均寿命とは，0歳児が平均的に何歳まで生きることができるかを意味する．

日本人の平均寿命は，明治，大正期を通じて低い水準にあった．戦前に作成された最後の生命表である第6回生命表（1936〜1937年）によると，男性46.92歳，女性49.63歳であった．1947年の臨時国勢調査をもとに作成された第8回生命表では，男性50.06歳，女性53.96歳と，男女とも50歳を超えた．1950〜1952年の間に，平均寿命は男女ともに毎年1年以上という大幅な延びをみせ，1950年に女性の平均寿命が60歳を超え，男性も1951年に60歳を超えた．以来，延び率は多少ゆるやかになり，また東日本大震災による一時的な減少はあったものの，平均寿命はさらに延伸する傾向が続いている．

女性では1960年に70歳，1971年に75歳，1984年に80歳，2002年には85歳を超えた．一方，男性も女性に比べ遅れてはいるものの，1971年に70歳，1986年に75歳，2013年に80歳を超えている．

しかし，近年は人口の高齢化が進んでいるため，死亡率は上昇傾向となり，戦前や終戦直後とはまた別の意味での"多死"時代を迎えようとしている．2021年度の男性の平均寿命は81.47歳，女性は87.57歳で，新型コロナウイルス感染症（COVID-19）などの死亡率の変化により前年を下回ったものの，世界有数の長寿国である（▶図1）[3]．

b 出生率の低下

出生率は，人口1,000人あたりの年間の出生数の割合を指す．出生数の年次推移をみると，戦前はおおむね増加していた．第二次世界大戦後，繰り延べられた結婚・出産により，1947〜1949年の第1次ベビーブーム期（ピーク期の1949年には270万人）があり，その後は減少傾向にあったが，第1次ベビーブーム期に生まれた女性の出産による第2次ベビーブーム期（ピーク期の1973年には209万人）ののちは，再び減少し続けた．

1991年以降は，増加と減少を繰り返しながらゆるやかな減少傾向となっており，2016年以降は100万人を下回って推移している．2021年の出生数は81万1,622人，出生率は6.6となり過去最低を更新した．

また，1人の女性が一生の間に産むと推定される子どもの数を示す合計特殊出生率は，第1次ベビーブーム期には4を超えていたが，1950年以降より大幅に低下し始め，1961年には1.96となり2を下回った．その後ゆるやかな上昇傾向となり，第2次ベビーブーム期には2を上回ったものの，その後は漸減傾向が続き，2005年には1.26となった．その後は少し回復し，2021年に

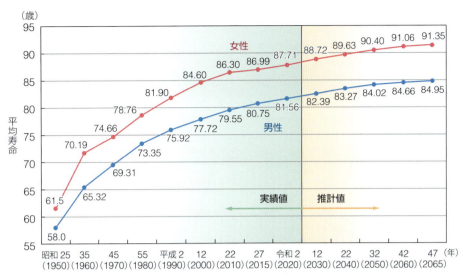

▶図1 平均寿命の推移と将来推計
〔内閣府：令和4年版高齢社会白書(全体版), 2022 より〕

は1.30となっている(▶図2).

出生率の低下の原因として，未婚率の増加と，晩婚・晩産化があげられている．これらの背景にあるものとして，仕事と子育てを両立できる環境整備の遅れや女性の高学歴化，結婚や出産に対する価値観の変化，生活の多様化などが考えられている．

4 高齢者像の時代変化

高齢者とは現在は65歳以上を指すが，暦年齢と老化の程度は一致するものであろうか．

加齢に伴う老化は，生命をもつ以上避けられないものであり，一生の過程の自然な姿である．発達期のように大多数が同じように発達するのとは異なり，個人によって変化の状態や速さは異なる．加齢により身体の諸機能や外観にさまざまな変化をもたらす．高齢者にみられる容貌，動作の変化は，高齢者自身や周囲の人々に，さまざまな形で受け止められ，高齢者のイメージが醸成される．

日本における高齢者像は変化してきており，日本老年学会・日本老年医学会の報告書[1]によると，現在の高齢者は10～20年前と比較して加齢に伴う身体的機能変化の出現が5～10年遅延していることが指摘され，若返り現象がみられているとしている．20年前と現在の65歳は，医学的にも社会的にも大きく異なっている．

2014年に実施した「高齢者の日常生活に関する意識調査」[4]では，一般的に何歳から高齢者だと思うかとの問いに対し，70歳以上が29.1%，75歳以上が27.9%と高く，次いで80歳以上が18.4%であり，65歳以上は6.4%と少数であった．また，退職年齢が高くなり，再就職する割合も増えており，2021年の高齢者の就業率は25.1%となっている．

このように65歳を超えても健康上に大きな問題もなく，元気な人は増えている．このため，高齢者のイメージや定義は，時代とともに変化していくべきものといえる．

▶図2　出生数および合計特殊出生率の年次推移
〔内閣府：令和4年版少子化社会対策白書（全体版），2022 より〕

B 社会施策の変遷

　高齢者に関する社会制度としては，高齢者を直接処遇する制度と，高齢社会の変容にかかわる制度がある．ここでは，高齢者の保健・福祉に関連する制度の歴史について簡単に解説する（▶表1）．

　高齢期障害に対する医療は，疾病の治療であるキュア（cure）が中心であった．しかし，疾患という枠に収まりきらない老化現象の特性や，完治することのない障害に対応するために，1970年代を境に徐々にケア（care）に主眼をおくようになった．ケアのあり方も，当初は家族単位と施設によるケアが主であったが，高齢社会という社会構造の変化により，社会全体，すなわち地域によるケアへと変化してきた．

　以下，高齢者施策の変遷について述べる．

1 高齢者福祉の創設（1960年代）

　戦後，日本の高齢者福祉は1950（昭和25）年の生活保護法など，生活に困窮する者に対する緊急対策から始まった．1958（昭和33）年に新しい国民健康保険法，1959（昭和34）年に国民年金法が制定され，1961（昭和36）年に国民皆保険，国民皆年金が制度化された．当時は一部の低所得者を対象に，生活保護法に基づく養老施設への収容保護が行われる程度で，高齢者の世話は家族などの血縁者を中心に行われていた．

　しかし，高齢者の増加，家族制度の変化など，高齢者をとりまく環境の変化を受けて，高齢者の福祉を幅広く発展させるための制度が期待されるようになり，1963（昭和38）年に老人福祉法が制定された．この老人福祉法には，老人福祉施設の設置，健康診査の実施，社会参加の奨励などが盛り

▶表1　高齢者保健・福祉に関する制度・施策の変遷

1960年代　高齢者福祉の創設

1950（昭和25）	生活保護法制定
1958（昭和33）	国民健康保険法制定
1959（昭和34）	国民年金法制定
1961（昭和36）	国民皆保険・皆年金の実施
1962（昭和37）	訪問介護（ホームヘルプサービス）事業の創設
1963（昭和38）	老人福祉法制定
1968（昭和43）	老人社会活動促進事業の創設（無料職業紹介など）
1969（昭和44）	日常生活用具給付等事業の創設 寝たきり老人対策事業（訪問介護，訪問健康診査など）の開始

1970年代　老人医療費の増加

1970（昭和45）	社会福祉施設緊急整備5か年計画の策定
1971（昭和46）	中高年齢者等雇用促進特別措置法制定（シルバー人材センター）
1973（昭和48）	老人福祉法改正（老人医療費の無料化）
1978（昭和53）	第1次国民健康づくり対策 老人短期入所生活介護（ショートステイ）事業の創設
1979（昭和54）	日帰り介護（デイサービス）事業の創設

1980年代　医療・保健・福祉の連携と在宅サービスの重視

1982（昭和57）	老人保健法制定（医療費の一部負担の導入，老人保健事業の規定） ホームヘルプサービス事業の所得制限引き上げ（所得税課税世帯に拡大，有料制の導入）
1986（昭和61）	老人保健法改正（老人保健施設の創設） 長寿社会対策大綱が閣議決定（政府が推進すべき長寿社会対策の指針）
1987（昭和62）	社会福祉士及び介護福祉士法制定
1988（昭和63）	長寿・福祉社会を実現するための施策の基本的考え方と目標について（福祉ビジョン） 第1回全国健康福祉祭（ねんりんピック）の開催 第2次国民健康づくり対策
1989（平成元）	高齢者保健福祉推進十か年戦略（ゴールドプラン）の策定

1990年代　計画的な高齢者保健福祉の推進

1990（平成2）	福祉八法改正（在宅サービスの推進，福祉サービスの市町村への一元化，老人保健福祉計画） 寝たきり老人ゼロ作戦 在宅介護支援センターの創設 介護利用型軽費老人ホーム（ケアハウス）の創設 高齢者世話付住宅（シルバーハウジング）生活援助員派遣事業の創設
1991（平成3）	老人保健法改正（老人訪問介護制度創設）
1992（平成4）	福祉人材確保法制定
1993（平成5）	福祉用具の研究開発及び普及の促進に関する法律制定
1994（平成6）	新・高齢者保健福祉推進十か年戦略（新ゴールドプラン）の策定
1995（平成7）	高齢社会対策基本法制定
1997（平成9）	介護保険法制定 認知症対応型老人共同生活援助事業（認知症性老人グループホーム）の創設
1999（平成11）	今後5か年間の高齢者保健福祉施策の方向（ゴールドプラン21）の策定 介護休業制度の義務化

（つづく）

▶表1　（つづき）

2000年代　介護保険制度と高齢者医療制度改革	
2000（平成12）	介護保険制度施行 成年後見制度施行 第3次国民健康づくり対策（健康日本21）
2001（平成13）	高齢者の居住の安定確保に関する法律制定（高齢者住まい法）
2002（平成14）	健康増進法制定
2005（平成17）	高齢者虐待防止法制定
2008（平成20）	高齢者医療確保法施行，後期高齢者医療制度施行
2010年代　地域包括ケアの構築	
2012（平成24）	認知症施策推進5か年計画（オレンジプラン）の策定 第4次国民健康づくり対策
2014（平成26）	医療介護総合確保推進法制定
2015（平成27）	認知症施策推進総合戦略（新オレンジプラン）の策定
2019（令和元）	認知症施策推進大綱の決定 健康寿命延伸プラン策定
2020（令和2）	地域共生社会の実現のための社会福祉法等の一部を改正する法律の制定

〔水谷信子，他（監）：老年看護学 第4版．2023年版，pp387-388，日本看護協会出版会，2023より改変〕

込まれた．このうち老人福祉施設については，生活保護法に位置づけられてきた養老施設が養護老人ホームとして引き継がれたほか，新たに特別養護老人ホームと軽費老人ホームが加えられた．

2 老人医療費の増加（1970年代）

1973（昭和48）年には老人医療費の無料化（老人医療費支給制度）が，老人福祉法の一環として実施された．これには当時，加入する医療保険によって保険給付率が異なるため，複数の疾患，慢性的な疾患をかかえ長期の療養生活を送ることも多い高齢者が，必要な医療を差し控えるなど，医療費負担が大きな問題となっていた背景があった．この制度により，高齢者の経済的理由からの受診抑制がなくなり，受診しやすくなった．

その反面，過剰な受診をまねくことになり，老人医療費支給制度の導入以来，老人医療費は著しく増大した．日本経済の高度成長が終わるなか，各医療保険，とりわけ高齢者加入率の高い国民健康保険の財政負担が大きいものとなった．また，同制度は高齢者の治療に偏り，予防からリハビリテーションに至る総合的な保健医療サービスの視点が欠けているといった問題点や，福祉施設や在宅サービスの整備が遅れ，介護サービスを必要とする高齢者の受け皿がないために病院への入院を余儀なくされ，社会的入院を助長していると指摘されるようになった．

この間，介護サービスに関しては1978（昭和53）年に老人短期入所生活介護（ショートステイ），1979（昭和54）年には日帰り介護（デイサービス）事業が創設された．

3 医療・保健・福祉の連携と在宅サービスの重視（1980年代）

1970年代後半より経済成長の低迷に伴う財政悪化と高齢者の医療費の増大に加え，生活習慣病の予防や早期発見が重要視されるようになった．こうした流れのなかで，高齢者の医療の負担の公平化（一部負担の導入）と，壮年期からの総合的な保健対策による高齢者の健康の確保を目指した老

人保健法が1982(昭和57)年に制定された．また1986(昭和61)年には，症状がほぼ安定し，病院での入院治療よりも看護，介護，機能訓練に重点をおいたケアを要する高齢者に適切な医療ケアと日常生活サービスを提供し，在宅復帰を目指す施設として老人保健施設が創設され，モデル事業を経て1988(昭和63)年より本格実施された．

1980年に入って在宅福祉に力が入れられるようになったが，在宅介護の充実にとって大きな節目となるのは，1989(平成元)年に策定された「高齢者保健福祉推進十か年戦略(ゴールドプラン)」である．高齢者の保健福祉の基盤整備を進めるため，在宅福祉対策や施設福祉対策などについて10年間で実現すべき目標を掲げた．

4 計画的な高齢者保健福祉の推進（1990年代）

1990(平成2)年，老人福祉法など大規模な福祉関係の法律の改正(福祉八法の改正)が行われた．この改正の最大のねらいは，在宅サービスを積極的に推進するための条件整備をはかることであり，在宅福祉サービスが法的に位置づけられた．さらに，特別養護老人ホームの入所やホームヘルパーの派遣など，住民に身近な施設サービスと在宅サービスの実施責任は市町村が一元的に担うこととなった．また，全市町村および都道府県において老人福祉計画の作成が義務づけられた．

さらに同年には，地域の高齢者やその家族からのさまざまな相談に応じ，必要な保健福祉サービスが受けられるように関係機関との連絡調整を行うことなどを役割とする在宅介護支援センターが創設された．

1991(平成3)年には在宅医療の分野においても介護体制の充実をはかるため，老人訪問看護制度が創設され，翌年から訪問看護ステーションによる在宅の寝たきり老人などに対する看護サービスの提供がスタートした．これらにより，退院後の継続看護だけでなく，在宅での療養上の世話も含めた幅広いサービスを行い，在宅医療の推進や在宅ケアの向上など，保健・医療・福祉にわたる総合的ケアの確立がはかられた．

1994(平成6)年に「新・高齢者保健福祉推進十か年戦略(新ゴールドプラン)」が策定され，高齢者介護対策のさらなる充実をはかった．

高齢者の保健福祉の基盤整備は急速に強化されてきたが，高齢化に伴う要介護者の増加，介護期間の長期化，核家族化のいっそうの進行，介護する家族の高齢化など，要介護の高齢者の介護の問題が家族にとって大きな負担となる状況が生じてきた．要介護高齢者を支えてきた家族の背景や社会状況の変化により，従来の福祉制度では介護をめぐる問題に十分に対応できなくなってきた．このような背景をふまえ，高齢者の介護を社会全体で支える仕組みとして1997(平成9)年に介護保険法が成立し，2000(平成12)年4月より施行された．

1999(平成11)年には「今後5か年間の高齢者保健福祉施策の方向(ゴールドプラン21)」が策定され，翌年に開始された．

5 介護保険制度と高齢者医療制度改革（2000年代）

介護保険制度は順調に浸透したが，高齢化の進展に伴い要介護者数や介護保険サービスの利用者が大幅に増加し，介護保険の総費用も著しく増加した．このような背景のもと，2005(平成17)年に最初の改正があり，介護予防に力点をおいた予防重視型システムへと転換をはかることとなった．この改正により，地域支援事業が創設され，市町村に介護予防事業が義務づけられるとともに，地域包括支援センターが創設された．

また，社会保障給付が国民所得の2割を超えるなど，国民経済に占める比重も大きく増加してきた．高齢化率もさらに上昇し，同時に人生が長いものとなるなかで社会保障制度を見直す必要に迫られた．2004(平成16)年の年金制度改革，2005(平成17)年の介護保険制度改革，2006(平成18)年の医

療制度改革など，一連の改革が行われた．また，2008(平成20)年には高齢者に適切な医療が確保されるよう，これまでの老人保健法は「高齢者の医療の確保に関する法律(高齢者医療確保法)」に名称変更され，新たな高齢者医療制度である後期高齢者医療制度が施行された．

6 地域包括ケアシステムの構築（2010年代）

2010年代には少子高齢化が加速し医療依存度の高い高齢者や単独世帯の増加など，要介護者を支える介護の人材確保が課題となった．2011(平成23)年の介護保険法改正では，地域の実情に応じて高齢者が住み慣れた地域で自立した生活を営めるよう，医療，介護，予防，住まい，生活支援サービスが切れ目なく提供される，地域包括ケアシステム(⇒133ページ)の実現を目標に掲げた．これによりサービス付き高齢者向け住宅や，定期巡回随時訪問介護看護などの新しいサービスが創設された．

2014(平成26)年には，医療と介護の両方のニーズをもつ高齢者の増加に対し，医療，介護の関係機関が連携し，包括的および継続的に在宅生活を支えるため「地域における医療及び介護の総合的な確保を推進するための関係法律の整備等に関する法律(医療介護総合確保推進法)」が成立し，関連する介護保険法や医療法など19の法律を一括改正した．

2017(平成29)年に地域包括ケアシステムの深化・推進と介護保険制度の持続可能性の確保を目的として介護保険法が改正され，日常的な医学管理や看取りなどの機能と生活施設の機能を兼ね備えた介護医療院が創設された．また，地域共生社会の実現に向け，高齢者と障害者が同一事業所でサービスを受けやすくするための共生型サービスが創設された．

7 2040年の日本社会を見据えた制度改革（2020年代）

2040年になると，第2次ベビーブームに生まれた団塊ジュニア世代が65歳以上となり，高齢者数がピークを迎える．そのため，日本社会の将来像を見通した政策の検討が始まっている．

2020(令和2)年に可決・成立した「地域共生社会の実現のための社会福祉法などの一部を改正する法律」では，地域共生社会の実現をはかるため，地域住民の複雑化・複合化した支援ニーズに対応する包括的な支援体制の整備を行うこととされた．さらに同年の介護保険法の改正では，地域の特性に応じた認知症施策や介護サービス提供体制の整備の推進がはかられることとなった．また，医療・介護分野のデータ基盤の整備が推進された．

8 健康長寿社会の実現と認知症への対策強化

日本の健康づくり対策は，1978(昭和53)年の第1次国民健康づくり対策から始まり，1988年(昭和63)年から生活習慣病の予防に重点をおいた第2次国民健康づくり対策が実施された．さらに，2000(平成12)年に健康寿命を延伸し活力ある社会とするため，第3次国民健康づくり対策として「健康日本21」が策定された．現在は，健康寿命の延伸と健康格差の縮小などを柱に2013(平成25)～2023(令和5)年までの11年間を対象とする「健康日本21(第2次)」が展開されている．

平均寿命の延伸に合わせて認知症高齢者の数が増加しているなか，2012(平成24)年には認知症になっても本人の意思が尊重され，できるかぎり住み慣れた地域で暮らし続けられるよう早期・事前的な対応をはかるため，「認知施策推進5か年計画(オレンジプラン)」が策定された．2013(平成25)年には「G8認知症サミット」が開催され，世界的にも認知症への関心が高まり認知症施策を加速さ

せるための新たな戦略の策定が表明され，2015（平成27）年にオレンジプランを発展させた「認知症施策推進総合戦略〜認知症高齢者等にやさしい地域づくりに向けて（新オレンジプラン）」が策定された．これは厚生労働省を含めた関係12省庁が共同で策定したものであり，認知症の人々の生活全体を支える取り組みを進めていくこととなった．

2019（令和元）年には「認知症施策推進大綱」がとりまとめられ，"共生"と"予防"を車の両輪として施策を推進していくことが掲げられた（➡ 141 ページ）．認知症は早期に発見し，早期に対応することが本人や家族の苦痛の緩和につながる．「認知症カフェ」（➡ 154 ページ）や認知症が疑われる人や認知症の人の家を訪問して，アセスメントや家族支援などの初期の支援を包括的，集中的に行い，自立生活のサポートを行う「認知症初期集中支援チーム」（➡ 194 ページ）の設置など，認知症の人やその家族へのサポートシステムの整備が進められている．

9 認知症基本法の成立

高齢化が進む日本では認知症者数が増加し続けており，認知症の人が地域で尊厳を保持しつつ，希望をもって暮らせる共生社会の実現が急務である．

そのような背景から，2023（令和5）年に「共生社会の実現を推進するための認知症基本法」（認知症基本法）が成立した．本法では共生社会を「認知症の人を含めた国民一人一人がその個性と能力を十分に発揮し，相互に人格と個性を尊重しつつ支え合いながら共生する活力ある社会」と定義づけた．これは，認知症の有無によって線引きせず，同じ国民として対等な関係で社会づくりに参画するという，新たな視座に立っているといえる．また，認知症施策の推進に国や地方自治体の責務が定められたほか，認知症の人の社会参加機会の確保や認知症の理解の促進など，本人の視点に立っ

て施策を推進する姿勢が明確に打ち出された．さらに7つの基本理念の1つに，認知症の予防，診断・治療・リハビリテーションなどに関する研究成果を普及・活用・発展させることが掲げられている．

今後はよりいっそう，認知症の人の意思が尊重されるように本人の思いをつないで紡ぎ続け，認知症の進行に応じた生活機能を維持し，社会に参加し続けられるような伴走支援が，作業療法士に求められるであろう．

●引用文献

1) 日本老年学会・日本老年医学会：「高齢者に関する定義検討ワーキンググループ」報告書. 日本老年学会・日本老年医学会, 2017
2) 総務省：統計からみた我が国の高齢者—「敬老の日」にちなんで. 統計トピックス No.132, 令和 4 年 9 月 18 日
https://www.stat.go.jp/data/topics/topics1320.pdf
3) 内閣府：令和 4 年版高齢社会白書（全体版）（PDF 版）. 2022
https://www8.cao.go.jp/kourei/whitepaper/w-2022/zenbun/04pdf_index.html
4) 内閣府：平成 26 年度高齢者の日常生活に関する意識調査結果（全体版）. 2014
https://www8.cao.go.jp/kourei/ishiki/h26/sougou/zentai/index.html

●参考文献

5) 厚生労働省：保健医療 2035 提言書.「保健医療 2035」策定懇談会. 平成 27 年 6 月
https://www.mhlw.go.jp/seisakunitsuite/bunya/hokabunya/shakaihoshou/hokeniryou2035/assets/file/healthcare2035_proposal_150609.pdf
6) 厚生労働省：令和 3 年簡易生命表の概況.
https://www.mhlw.go.jp/toukei/saikin/hw/life/life21/index.html
7) 厚生労働省：令和 3 年（2021）人口動態統計（確定数）の概況.
https://www.mhlw.go.jp/toukei/saikin/hw/jinkou/kakutei21/index.html
8) 厚生労働統計協会：国民衛生の動向 2022/2023. 厚生の指標増刊 69(9), 2022
9) 小山 洋（監）, 辻 一郎, 他（編）：シンプル衛生公衆衛生学 2023. 南江堂, 2023
10) 社会保障入門編集委員会：社会保障入門 2023. 中央法規, 2023

3 高齢期の課題

A 高齢期とは

　人は中年期以降になると，誰しも大なり小なり老化を自覚するようになる．ある人は眼の衰えから，ある人は白髪が増えたことから，またある人はおっくうといった気力の衰えなど，感じ方は人によってさまざまであるが，なんらかの形で老化を自覚するようになる．そして，高齢期になり老化がさらに進むと老化現象の多くを自覚するとともに，社会的な役割や人とのつながりの縮小など，さまざまな喪失を経験する．"高齢期への適応"とは，まさにこれらを受容し，人生の最終段階へと向かっていくことといえる．そして，高齢者が高齢期に適応できるよう援助することが，作業療法士をはじめとする専門職の役割といえよう．

1 高齢期の特徴

　江戸時代の禅僧画家，仙厓義梵(1750–1837)の作に「老人六歌仙」という詩句がある．

　　皺(しわ)がよる　黒子(ほくろ)ができる　腰曲がる
　　　頭は禿げる　ひげ白くなる
　　手は震う　足はよろつく　歯は抜ける
　　　耳は聞こえず　目は疎(うと)くなる
　　身に添うは　頭巾襟巻　杖眼鏡
　　　たんぽ温石　尿瓶(しびん)　孫の手
　　聞きたがる　死にともながる　淋しがる
　　　心は曲がる　欲深くなる
　　くどくなる　気短くなる　愚痴になる
　　　出しゃばりたがる　世話焼きたがる
　　またしても　同じ話に　子を褒める
　　　達者自慢に　人は嫌がる

　人が老いる現象についてユーモラスに描かれている．これは江戸時代のものであるが，老化による変化の特徴は，今も昔もあまり変化はないようである．
　高齢期における心身の特徴は，老化によるものであり，加齢とともにおこる．この変化は個人差が大きい．自覚する内容や年齢も1人ひとり異なり，遺伝的要因のほか生活習慣，社会生活，人間関係といった環境要因により老化の現れ方は異なる．そのため，高齢者の健康状態をみるときには，生理的老化による変化なのか，病的老化による変化なのか判断が必要となる．高齢になるとすべての機能が低下するものととらえ，機能の変化をすべて「年のせい」と考えてしまわないよう，気をつけなければならない．

2 老いの自覚

　「老いの受容」に至る心理過程は，高齢期における発達過程としてとらえられるが，その過程は老いの自覚（老性自覚）から始まる．
①老眼，難聴，筋力低下，性欲減退，閉経，易疲労性など身体的要因
②記憶力の低下，新しいものへの好奇心の減少，気力の衰えなど精神的要因
③定年退職，子どもの結婚，孫の誕生，配偶者や友人などの死，老人会への勧誘など環境的・社

老年期							統合 対 絶望〈英知〉
成年期						生殖性 対 自己投入〈世話〉	
成年前期					親密性 対 孤独〈愛〉		
思春期				アイデンティティ 対 混乱〈忠誠〉			
学童期			勤勉性 対 劣等感〈才能〉				
遊戯期		自発性 対 罪悪感〈決意〉					
児童初期	自立 対 恥と疑惑〈意志〉						
幼児期	基本的信頼 対 基本的不信〈希望〉						

▶図1 エリクソンによる心理社会的人生段階
〔E.H. エリクソン,他（著）,朝長正徳,朝長梨枝子（訳）：老年期―生き生きしたかかわりあい. 新装版, p35, みすず書房, 1997 より改変〕

会的要因

これらのようなことから，老いを自覚するようになる．

3 高齢期における発達課題

エリクソン（E.H. Erikson）は人生を8つの段階に分けた（▶図1）．高齢期は第8段階に位置し，人生の最終段階として自我の「統合」をはかるときである一方で，さまざまな喪失に直面する「絶望」のときでもあるとしている．

高齢期は喪失体験に対峙する時期ととらえられ，①心身の健康の喪失，②経済基盤の喪失，③社会的つながりの喪失，④生きる目的の喪失，の「4つの喪失」で代表される（▶図2）．加齢とともにさまざまな疾患にかかりやすくなり，ほとんどの高齢者が多かれ少なかれ健康の喪失を経験す

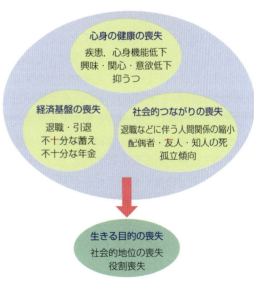

▶図2 高齢期の4つの喪失

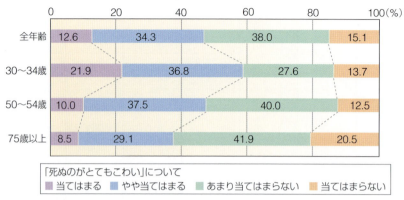

▶図3　死に対する意識調査
〔平成26年版厚生労働白書　健康長寿社会の実現に向けて―健康・予防元年より〕

る．また，定年退職や家業の引退などにより労働で収入を得るのではなく，公的年金が主な収入となるなど，多くの高齢者に経済基盤の喪失がおこる．健康や経済基盤の喪失によって，それまでの人間関係，社会的関係を失い，さらに配偶者や友人・知人との死別により親しい人を失うといった，社会的つながりの喪失を経験する．家庭をもつ，子どもを育てる，仕事で成果を上げる，社会に貢献する，といった生きる目的も失うことになる．このように，高齢期はいくつもの喪失を体験するのである．

これらの喪失により他者の支援を必要とする部分が多くなり，マイナスの評価を受けてしまいがちである．だからといって，高齢期を喪失する時期として衰退のイメージだけをいだくのではなく，プラスの評価につながる面をもち合わせていないか考える必要がある．実際には「4つの喪失」と引き換えに多くのものを得ているという見方もある．たとえば仕事や家事，育児など，義務的な行動や社会的な拘束から解放され，若いころには果たせなかった旅行や趣味を楽しみ，「第二の人生」として老後を謳歌する人もいる．

このように，高齢期においても新たに獲得するものがある．エリクソンらは，人が老いに向かって心身ともに「逆行する＝衰退する」かのようにみえるなかで，発達することを明らかにした．高齢期では別れや喪失，これまでの人生に対する悔恨などを絶望（否定）的にとらえるのではなく，自分の精神的成長に必要であったと肯定的に受け入れ，人生を完結しようと適応することが課題であり，それを克服したものは「英知」が得られ，高齢期を生き抜く力となる．

人間は，たとえ長生きしたとしても不老不死ではなく，いつかは死を迎える．つまり私たちは，この世に生を受けたのち，死に向かって生きているのである．加齢とともに老いを自覚し，そして死を意識するようになる．死を恐怖の感情ではなく，安らかな気持ちで受け入れることができれば，それは大きな救いとなるであろう．

平成26年度版厚生労働白書によると，健康に対する意識調査において，死に対する意識として「死ぬのがとてもこわい」に「当てはまる」「やや当てはまる」と答えた人は，30～34歳では58.7%，50～54歳で47.5%に対し，75歳以上では37.6%と年齢が高くなるに従い減少した（▶図3）．この心理機序として，以下のようなことがいわれている．

①年をとると感情反応が鈍くなり，死に対する恐怖も鈍くなる．加齢による感情の鈍化が"死の恐怖"から高齢者を解き放つ．

②「死は確実にやってくる」という部分をしっかりと見据え，死を"既定の事実"視することにより，死に方や，のちに残る者への配慮など，具体的で現実的な思考をするようになり，結果として死への恐れの感情から解放される．
③「自分の生命は子孫に伝えられる」「肉体は滅びても魂は永遠に生きる」「自分のつくった作品や発見した原理などは永遠に残る」「死後は土となり，不滅である自然に還る」といった，永続性を感じるようになる．

B 高齢者と生きがい

1 元気な高齢者

前項で高齢期には 4 つの喪失があると説明した．ところで 4 つの喪失があるにもかかわらず，すべての高齢者が"うつ状態"になるわけでもない．毎日ウォーキングを行ったり旅行を楽しんだり，ボランティア活動に参加したりと，元気に過ごしている高齢者が多くみられる．多くの高齢者が生き生きと日々を暮らしていけるのはなぜだろうか．

人は自己の生きている意味を問いながら生きる存在であろう．自分に生きる価値がないと思いつつ，誰が毎日をよく暮らせるであろうか．他人から見てあまり意味のないことでも，自分の生を肯定するものを見つけてこそ生きることができるといえよう．「自分の生を肯定するもの」——それは俗にいう"生きがい"といえるものではないだろうか．

2 高齢者と生きがい

「生きがい」という言葉は日本語だけにあり，その概念は曖昧なまま用いられ，その定義は統一されていない．「岩波国語辞典 第 8 版」（岩波書店，2019 年）によると，生きがいとは「生きているだけのねうち」となっている．「値打ち」は言い換えれば「価値」であるが，高齢者の生活に意味や価値を与えるものが「生きがい」ということができるだろう．

高齢期で特に生きがいが問題となる背景には，高齢期になって何かを失うことで自らの存在価値も減少していくという，高齢者自身の喪失感に対する認識がある．だからこそ生きがいを獲得することによって，あるいはすでにもっていた生きがいを再発見することによって，自分の生きている価値や意味を実感できるのかもしれない．

令和 4 年版高齢社会白書によると，生きがいを「十分感じている」「多少感じている」高齢者は約 7 割となっており，一方で「あまり感じていない」「まったく感じていない」高齢者は約 2 割であった（▶図 4）．さらに，近所の人との付き合いや親しい友人・仲間をもっている人や外出頻度の高い人ほど「生きがいを感じている」と回答した割合が高かった．高齢者は生きがいを喪失しやすいものの再獲得できる力をもつため[1]，近隣者や友人・仲間などとの交流，活動への参加が増えることは高齢者の生きがいを支えることにつながる．高齢者が参加しやすい環境や情報提供といった，活動や参加を促すための支援体制や環境整備も必要となってくるだろう．

C 高齢期の社会活動

1 高齢者の経済状況

令和 5 年版高齢者白書によると，高齢者世帯の平均所得金額は 332.9 万円であった．全世帯から高齢者世帯と母子世帯を除いたその他の世帯（689.5 万円）と比較すると約 5 割であり，非常に低い．さらに，高齢者世帯の所得分布では，150～200 万円が最も多く，多くは 400 万円未満の階層

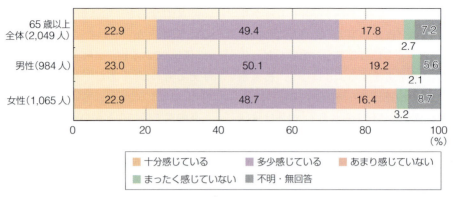

▶図4　生きがいの程度
〔内閣府：令和4年版高齢社会白書(全体版),2022より〕

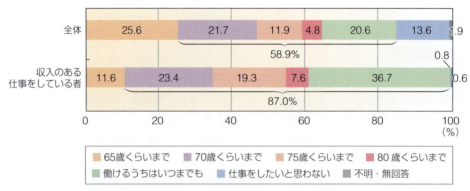

資料：内閣府「高齢者の経済生活に関する調査」（令和元年度）
注1）調査対象は，全国の60歳以上の男女
注2）四捨五入の関係で，足し合わせても100.0%にならない場合がある

▶図5　就業に対する意向
〔内閣府：令和4年版高齢社会白書(全体版),2022より〕

に分布している．しかし，高所得層もある程度存在していることから，高齢者世帯にも所得格差が存在していることがうかがえる．また，経済的な暮らし向きについて，約3割の人が「家計にゆとりがなく，多少心配である」「家計が苦しく非常に心配である」と生活に不安を感じており，さらに生活保護受給者数は高齢者世帯で増加している．高齢者の健康や安心した暮らしと経済は，切り離して考えることができない問題である．

2 高齢者の就業

　令和4年版高齢社会白書によると，現在収入のある仕事をしている60歳以上の者の約4割が「働けるうちはいつまでも」働きたいと回答しており，「70歳くらいまで」や「それ以上」との回答と合計すれば9割以上，60歳以上の者の全体でみても8割以上が高齢期にも高い就業意欲をもっている様子がうかがえる(▶図5)．就業率も10年前と比較し大幅に増加しており(▶図6)，60歳を過ぎて

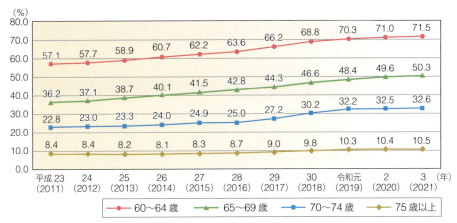

▶図6　年齢階級別にみた就業率の推移
〔内閣府：令和4年版高齢社会白書（全体版），2022より〕

も多くの人が就業している．

また，高年齢者雇用確保措置を実施している企業の割合は99.8％，希望者全員が65歳以上まで働ける企業の割合は80.4％に達した．2021年の労働力人口総数に占める65歳以上の割合は13.4％と上昇し続けている．

生産年齢人口が減少するなか，高齢者の就業は時代の要請でもある．また，多くの高齢者も就業継続を望んでいることから，労働環境の整備や，高齢者が活躍できる仕組みの構築など社会全体で検討する必要がある．

3 高齢者の社会参加

高齢者の社会参加について，令和4年版高齢社会白書によると，過去1年間に社会活動に参加した人は51.6％となっている．参加した社会活動をみると「健康・スポーツ（体操，歩こう会，ゲートボールなど）」が27.7％と最も高い．次いで「趣味（俳句，詩吟，陶芸など）」が14.8％，「地域行事（祭りなどの地域の催しものの世話など）」が13.2％となっている．性別でみると「趣味」への参加は女性のほうが多く，「地域行事」への参加は男性のほうが高かった．一方，「活動または参加したものはない」は39.9％となっている（▶図7）．

情報機器の利用に関する調査では「インターネットで情報を集めたり，ショッピングをする」が23.7％，「SNSを利用する」が13.1％となっており，インターネットを利用したことがある高齢者のうち55.9％が「毎日少なくとも1回」は利用している．一方，「情報機器を使わない」は17.0％で，なかでも75歳以上ではその回答した割合が高かった．

このように，社会参加に積極的な高齢者がいる一方で，そうでない高齢者も存在する．そのため，高齢者それぞれの健康や生活の状態，価値観などを尊重しながら支援する必要がある．

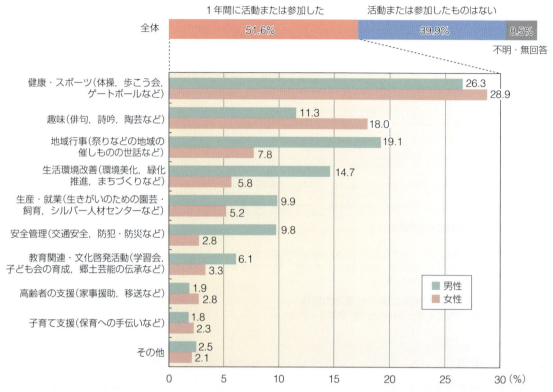

▶図7　社会活動への参加
〔内閣府：令和4年版高齢社会白書(全体版), 2022 より改変〕

D 高齢期の家族関係

1 家族機能の変化

　家族は生活の基礎単位であり，生活を維持する基盤としての意味だけでなく，高齢者の心の拠り所としても重要な意味をもっている．日本の家族制度は家父長制度であった．そのもとで高齢者の地位と座は守られ，高齢者の生活維持・扶養は同居の家族が責任をもって行ってきた．
　しかし1950年代半ば以降，急速に進んだ経済の高度成長のなかで，家族のあり方も大きく変化した．高度成長は地方から大都市に働き手を呼び寄せ，共働きも含めて女性の社会進出を拡大した．また，住宅事情や乳幼児死亡率の大幅な改善といった背景から，少子化など家族の小規模核家族化を推し進めた．それは一方では，老親との別居が進んだことをも意味しており，かつては当たり前であった家族機能が変化している．経済的困窮，介護困難，1人暮らしによる生活不安，役割の喪失，生きがいを見いだせない無為な日々などといった高齢者のさまざまな生活問題に，家族だけでなく，地域社会の支えも必要となっている．

2 家族構成の変化

　国民生活基礎調査によると，65歳以上の者がいる世帯は1986年には全体の26.0％であったが，2021年には49.7％と以前と比べ大幅に増加している．その世帯構造をみると，1986年には44.8％を占めていた3世代世帯は2021年では9.3％にまで減少し，代わって18.2％であった夫婦のみの

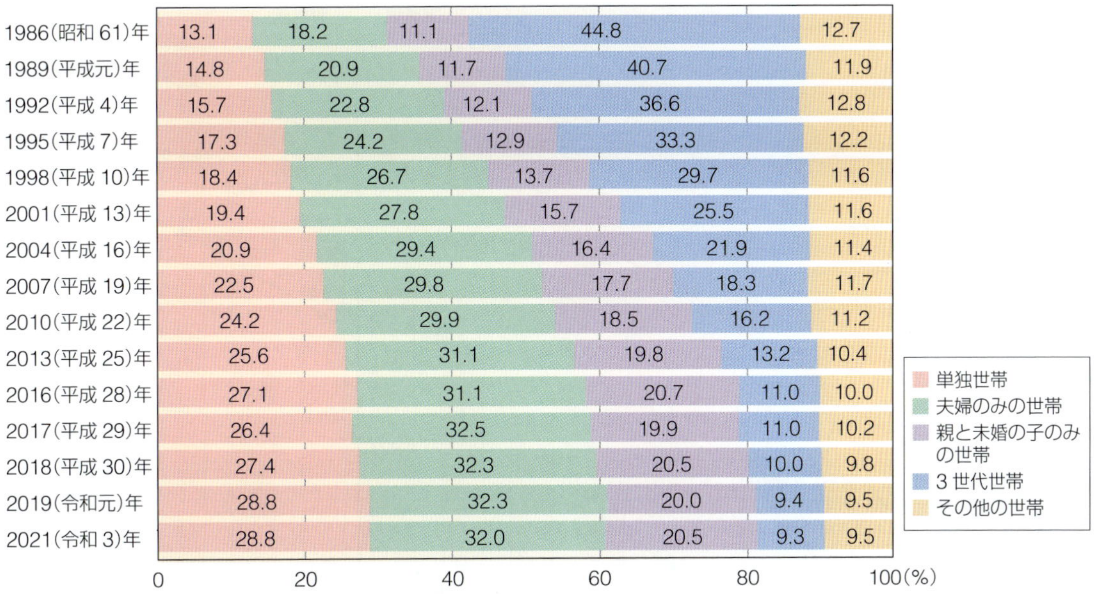

	単独世帯	夫婦のみの世帯	親と未婚の子のみの世帯	3世代世帯	その他の世帯
1986(昭和61)年	13.1	18.2	11.1	44.8	12.7
1989(平成元)年	14.8	20.9	11.7	40.7	11.9
1992(平成4)年	15.7	22.8	12.1	36.6	12.8
1995(平成7)年	17.3	24.2	12.9	33.3	12.2
1998(平成10)年	18.4	26.7	13.7	29.7	11.6
2001(平成13)年	19.4	27.8	15.7	25.5	11.6
2004(平成16)年	20.9	29.4	16.4	21.9	11.4
2007(平成19)年	22.5	29.8	17.7	18.3	11.7
2010(平成22)年	24.2	29.9	18.5	16.2	11.2
2013(平成25)年	25.6	31.1	19.8	13.2	10.4
2016(平成28)年	27.1	31.1	20.7	11.0	10.0
2017(平成29)年	26.4	32.5	19.9	11.0	10.2
2018(平成30)年	27.4	32.3	20.5	10.0	9.8
2019(令和元)年	28.8	32.3	20.0	9.4	9.5
2021(令和3)年	28.8	32.0	20.5	9.3	9.5

注1）1995（平成7）年の数値は，兵庫県を除いたものである
注2）2016（平成28）年の数値は，熊本県を除いたものである
注3）2020（令和2）人は，調査を実施していない
注4）「親と未婚の子のみの世帯」とは，「夫婦と未婚の子のみの世帯」および「1人親と未婚の子のみの世帯」をいう

▶図8　65歳以上の者のいる世帯の世帯構造の年次推移
〔厚生労働省：2021（令和3）年国民生活基礎調査の概況，2022より〕

世帯は32.0％に，単独世帯は13.1％から28.8％にまで増加した（▶図8）．

また，65歳以上の1人暮らしの高齢者の増加は男女ともに顕著であり，1980年には約88万人であったが，2020年には671万人と7倍以上に増加しており，今後もさらに増加することが予想されている（▶図9）．

高齢者夫婦2人暮らしや1人暮らしの世帯が多くなっているということは，介護の必要性が生じたときに家庭内の支援に頼ることができず，介護保険サービスなど外部の支援の需要が増加すると推測できる．

3 家族介護者の特徴

2019年国民生活基礎調査によると，要介護者を介護する家族介護者は，同居が54.4％で半分以上を占めている．そのうち要介護者の配偶者が23.8％で最も多く，次いで子が20.7％，子の配偶者が7.5％となっている．以前は子の配偶者（長男の妻など）が親の介護を担うことが多かったが，主な介護者の続柄をみると，子の配偶者は配偶者や子よりも少なくなっている（▶図10）．

また，同居の介護者は男性35.0％，女性65.0％と女性が多く，これを年齢階級別にみると，男女とも60〜69歳が多く，次いで多いのが男性は80歳以上，女性は70〜79歳となっている（▶図10）．このように主な介護者も高齢化の傾向にあり，高齢者が高齢者を介護している状況，いわゆる**老老介護**が深刻化してきていることがわかる．

> **Keyword**
> **老老介護**　要介護者と介護者がどちらも65歳以上の高齢者である状態をいう．高齢者の増加や平均寿命の延伸に伴い生じた社会問題の1つで，在宅介護を行う世帯で増加している．2人暮らしの高齢夫婦，高齢者がより高齢の親を介護するケースのほか，兄弟姉妹など，状況は多様化している．

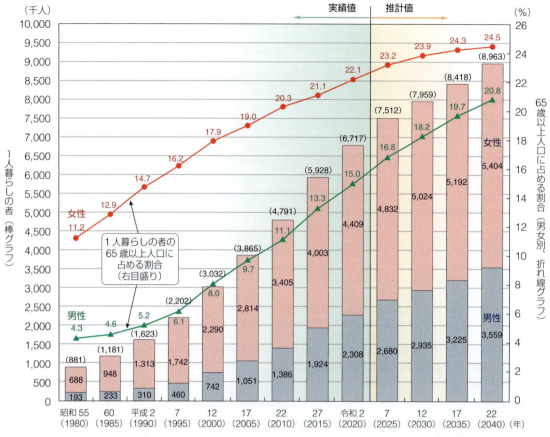

▶図9 1人暮らし高齢者の動向
〔内閣府：令和4年版高齢社会白書（全体版），2022 より〕

4 家族介護をとりまく社会問題

　平均寿命の延伸は人々のライフサイクルを変化させた．少子化のなかで世帯規模は縮小し，高齢者のみの世帯も増加している．そのため老老介護や，認知症のある高齢者が認知症のある高齢者を介護する認認介護という状況もおこっている．高齢者のみの家族の特徴は，健康であれば自立した生活を送ることができるが，心身の虚弱化や疾病により，ただちに生活機能が低下し自立的な生活が困難になる点である．

　今日では仕事をしながら介護をしている者も多い．しかし，仕事と介護の両立が困難となり，家族の介護のために仕事を辞めるという介護離職が問題となっている．親の介護が必要となる40～50歳代の働き盛りの世代に多いため，経験を積んだ社員が会社から離れることは企業にとっても大きな損失となる．また，介護離職者は収入源がなくなり経済的困窮に陥ることもあり，看過できない社会問題の1つである．

　さらに晩婚化や晩産化に伴い，育児と介護が同

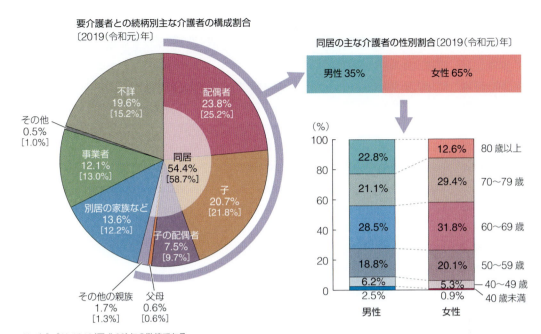

▶図10 要介護者と主な介護者の続柄および性・年齢階級別の構成割合
〔厚生労働省：2019年国民生活基礎調査の概況, 2020 より改変〕

時期に発生するダブルケアという新たな問題も生じている．内閣府の調査によると，ダブルケアを行う者は推計25万3,000人（男性8万5,000人，女性16万8,000人）で，女性が男性の約2倍となっている．平均年齢は男性41.2歳，女性38.9歳で，30〜40歳代が全体の8割を占めている．ダブルケアを行う男性の約9割が有業である一方で，女性では約半数が無業であり，ダブルケアを行うことになった場合の就業への影響は女性で大きくなっている．

このように家族介護をとりまく問題は，介護者の介護負担感，健康問題，経済的問題などが根底にあり，家族関係の崩壊を防止するためには，高齢者本人への援助とともに家族への支援が必須である．

E 現代社会と高齢者

1 高齢者と死

2022年の日本人の死亡数を死因順位でみると，第1位は悪性新生物，第2位は心疾患，第3位は老衰，次いで脳血管疾患，肺炎となっている．年齢階級別でみると，90歳以上になると老衰が最も多くなる（▶表1）．

生涯発達の完結は"死"である．高齢者はその死をどのように迎えたいと望んでいるのであろうか．1965年の死亡場所別の統計をみると65％が自宅であり，自宅で死ぬのが当たり前の時代であった．1975年ごろは自宅死と病院死がほぼ半数であったものの，その後は病院死が年々増加している．2021年には65歳以上の高齢者の病院死は66.3％，自宅16.0％，老人ホーム10.9％，介護

▶表1　死因順位

	第1位	第2位	第3位	第4位	第5位
総数	悪性新生物〈腫瘍〉	心疾患	老衰	脳血管疾患	肺炎
60〜64歳	悪性新生物〈腫瘍〉	心疾患	脳血管疾患	肝疾患	自殺
65〜69歳	悪性新生物〈腫瘍〉	心疾患	脳血管疾患	不慮の事故	肝疾患
70〜74歳	悪性新生物〈腫瘍〉	心疾患	脳血管疾患	肺炎	不慮の事故
75〜79歳	悪性新生物〈腫瘍〉	心疾患	脳血管疾患	肺炎	不慮の事故
80〜84歳	悪性新生物〈腫瘍〉	心疾患	脳血管疾患	老衰	肺炎
85〜89歳	悪性新生物〈腫瘍〉	心疾患	老衰	脳血管疾患	肺炎
90〜94歳	老衰	心疾患	悪性新生物〈腫瘍〉	脳血管疾患	肺炎
95〜99歳	老衰	心疾患	悪性新生物〈腫瘍〉	脳血管疾患	肺炎
100歳以上	老衰	心疾患	脳血管疾患	肺炎	悪性新生物〈腫瘍〉

〔厚生労働省：令和4年（2022）人口動態統計月報年計（概数）の概況, 2022より改変〕

医療院・介護老人保健施設3.8％であり，死亡場所が多様化してきている．

一方で，令和元年版高齢社会白書によると，60歳以上の人に，万が一治る見込みのない病気にかかった場合，最期を迎えたい場所はどこか聞いたところ，51.0％と約半数の人が「自宅」と答え，次いで「病院・介護療養型医療施設」が31.4％となっている．高齢者が望む終の場所も時代の流れにより変化しているが，現在でも半数が自宅死を希望していることから，本人の思いとは異なり自宅外での死を迎える人々が多い現状にある．

さらに近年では，1人暮らしの高齢者の増加に伴い，孤立死（社会から孤立した状態で1人で亡くなったのちに発見される死）への関心が高まっている．国土交通省による死因別統計データによると，東京都区部で発生した孤立死は増加傾向にあり，2018年には孤立死のうち約7割が65歳以上となっている．令和3年度版高齢者白書によると，孤立死を身近な問題だと感じる（「とても感じる」と「まあ感じる」の合計）人の割合は，60歳以上の全体としては34.1％だが，そのうち1人暮らし世帯では50.8％が孤立死を身近な問題として感じており，社会問題になってきている．日本では2021年に「孤独・孤立対策担当大臣」を設置し，社会的孤立や孤独の解決に向けて動き出した．

2 高齢者の悩みや不安

ここで高齢者の健康状態をみてみよう．2019年国民生活基礎調査によると，病気やけがなどで自覚症状のある有訴者は，男女とも年齢が高くなるにつれ上昇している．また，通院している者については，65歳以上になると約7割近くが通院者となっている（▶図11）．

一方で，現在の健康状態について2019年国民生活基礎調査に基づく厚生労働省の報告書では，健康状態が「よくない」「あまりよくない」と回答した人は，年齢が高くなるほどその割合が大きくなっている．しかし，65歳以上の高齢者の7〜8割近くは健康状態を「よい」「まあよい」「ふつう」と回答しており，比較的よい健康状態にあるといえる（▶図12）．

このように疾病をもちながらも，その人らしく生活していく健康状態を維持している高齢者も多いことから，高齢者の健康状態を考えるときには，疾病の有無にとらわれず，生活全体をふまえて考える必要があるだろう．

また，65歳以上の高齢者で悩みやストレスが

▶図 11　性・年齢階級別にみた有訴者率・通院者率
〔厚生労働省：2019 年国民生活基礎調査の概況, 2020 より〕

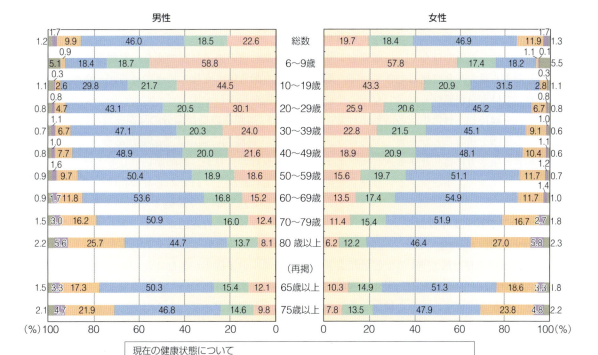

▶図 12　性・年齢階級別にみた健康意識の構成割合
〔厚生労働省施策統括官（統計・情報政策担当）：令和 3 年国民生活基礎調査（令和元年）の結果から―グラフでみる世帯の状況. 厚生労働統計協会, 2021 より〕

ある者の割合は42.7%であり，男性38.1%，女性46.6%と女性のほうがその割合が高い．また悩みやストレスの原因としては「自分の病気や介護」が最も多く41.1%，次いで「家族の病気や介護」が20.1%，「収入・家計・借金等」が17.7%となっている．高齢者にとって健康や病気に関することは最大の不安要因となっている．そのため，高齢者自ら主体的に健康増進を意識した生活習慣を身につけ，実践していくことが大切である．

3 高齢社会で目指す理念

高齢者はこれまでの経験や知識が豊富で，多年にわたり社会の進展に寄与してきた者として敬愛される存在である．一方，かつては年齢を理由に偏見や差別の対象となるエイジズム（→82ページ）や，高齢者自身も老いを否定的にとらえることが多かった．

しかし，近年ではエイジング（加齢）は衰退や喪失などの否定的な見方ではなく，高齢期をより肯定的にとらえる見方へと変化してきている．高齢社会においては寿命が延びるだけでなく，その人なりの健康を維持し，日常生活の活動が行え，幸福と感じる生活を送ることが重要[2]であろう．現在の高齢者の生き方には，サクセスフル・エイジングやアクティブ・エイジングという概念が提唱されている．

(1) サクセスフル・エイジング
（successful aging）

「幸福な老い」「理想的な老い」などと邦訳されている．統一された定義はなく，老化の過程にうまく適応しながら，望ましい心身機能や生活機能を保ち，自分の人生に対して納得し，満足している状態を指す．サクセスフル・エイジングの要件として日本の報告[3]では，長寿，健康，満足，活動の4つがあげられている．人生100年時代となった現在，単に長生きすることを目指すのではなく，心身機能の低下を予防・維持し，衰えた機能は回復・維持し，これまでの日常生活を継続できること，そしてQOLの向上を目指すことが課題であろう．

(2) アクティブ・エイジング（active aging）

健康寿命を延ばし，すべての人々が老後にQOLを高めていくことを目的として2002年にWHOから提唱された．「人々が歳を重ねても生活の質が向上するように，健康，参加，安全の機会を最適化するプロセス」[4]と定義している．このアクティブとは，社会的，経済的，文化的，精神的，市民的な事柄への継続的な参加を指し，身体的に活動的でいられることや，労働に従事する能力をもっていることだけを指すものではない[4]とされている．つまり，すべての人々が高齢期になっても，その人の置かれている状況に合わせた形で充実した人生を送ることができるようにすべきという考え方といえる．

4 高齢期の課題

高齢者の姿は多様であり，高齢者に対する見方や高齢者像も変化してきているが，高齢期の主な課題を以下に示す．

(1) 高齢者自身が自分の発達課題として，高齢期に適応する必要がある

高齢者自身が，高齢期に生じる老化の影響を具体的に認識し，自分の心身の状態を知り，老いに対して自分がどう対処するかが重要な点となる．若いうちから否定的なエイジズムに気づき，自分自身の問題としてとらえる必要がある．ライフスタイルの多様化が進む時代であるため，今後は自身の将来設計についての意識向上と，さまざまな形での準備が必要となるであろう．

(2) 社会参加も含めて高齢期のQOLを高める必要がある

高齢者の社会参加は，健康維持，人との交流・孤立予防，自己実現，知識・技術の習得など，生きがいのある生活につながるものである．われわれは高齢者との交流を通じて，相互理解を深めるとともに，高齢者のもつ優れた知識・技能，経験

などが生かせるような場を設ける必要がある．

(3) 家族や地域との関係性の保持と それを補う制度を構築する必要がある

　少子高齢社会である日本では，高齢者単独世帯の増加や認知症高齢者の増加が見込まれている．また平均寿命の延伸に伴い，要介護高齢者は高齢化し，主となる家族介護者も高齢化の傾向にある．そのために介護が必要になった場合，家族生活の再構築が必要となったり，地域社会の支えが必要となったりする場合も多い．さらに高齢期になってから生活の場を変える場合には，馴染みの関係が維持できるよう配慮されることが望まれる．これまで地域包括ケアシステムを構築する取り組みが進められてきたが，近年では地域共生社会の実現を目指した取り組みが推進されている．

(4) 終の住処，終のあり方を再検討する 必要がある

　健康なときから，どこでどのように療養し，どのように死を迎えたいのか，家族や身近な人，医療者と話し合っておくこと(アドバンス・ケア・プランニング)(➡ 224 ページ)は重要である．

　これらの課題は本人や家族だけで解決できるものではない．1995 年に「高齢社会対策基本法」を制定し各種対策を進めてきた．地域社会において行政および住民が高齢者の人権に配慮しながら積極的に高齢者と交流し，ともに学び合うことを通して高齢者の生き方や願いを共有し，互いに認め合う人間関係づくりを目指す必要がある．

　人が第二，第三の人生を上手に過ごし，また自分の人生をうまく完結できるように"よき死に方"に対する援助も今以上に考慮されなければならない．

●引用文献

1) 日本老年学会・日本老年医学会：「高齢者に関する定義検討ワーキンググループ」報告書．日本老年学会・日本老年医学会, 2017
2) 総務省：統計からみた我が国の高齢者—「敬老の日」にちなんで．統計トピックス No.132, 令和 4 年 9 月 18 日
https://www.stat.go.jp/data/topics/pdf/topics132.pdf
3) 内閣府：令和 4 年版高齢社会白書(全体版)(PDF 版). 2022
https://www8.cao.go.jp/kourei/whitepaper/w-2022/zenbun/04pdf_index.html
4) 内閣府：平成 26 年度高齢者の日常生活に関する意識調査結果(全体版). 2014
https://www8.cao.go.jp/kourei/ishiki/h26/sougou/zentai/index.html

●参考文献

5) 厚生労働省：保健医療 2035 提言書．「保健医療 2035」策定懇談会．平成 27 年 6 月
https://www.mhlw.go.jp/seisakunitsuite/bunya/hokabunya/shakaihoshou/hokeniryou2035/assets/file/healthcare2035_proposal_150609.pdf
6) 厚生労働省：令和 3 年簡易生命表の概況．
https://www.mhlw.go.jp/toukei/saikin/hw/life/life21/index.html
7) 厚生労働省：令和 3 年人口動態統計(確定数)の概況．
https://www.mhlw.go.jp/toukei/saikin/hw/jinkou/kakutei21/index.html
8) 厚生労働統計協会：国民衛生の動向 2022/2023．厚生の指標増刊 69(9), 2022
9) 小山 洋(監), 辻 一郎, 他(編)：シンプル衛生公衆衛生学 2023．南江堂, 2023
10) 社会保障入門編集委員会：社会保障入門 2023．中央法規, 2023
11) 水谷信子, 他(監), 三重野英子, 他(編)：最新 老年看護学 第 4 版．2023 年版, 日本看護協会出版会, 2023
12) 内閣府：令和 5 年版高齢社会白書(全体版)(PDF 版). 2023
https://www8.cao.go.jp/kourei/whitepaper/w-2023/zenbun/05pdf_index.html
13) 厚生労働省：生活保護制度の現状について．社会保障審議会生活困窮者自立支援及び生活保護部会資料. 2022
https://www.mhlw.go.jp/content/12002000/000977977.pdf

4 社会制度

A 社会保障制度と高齢者保健医療福祉

あらゆる社会的行為は，法律を含めた「制度」に基づいて実施される．リハビリテーションサービスも例外ではなく，日本の社会保障制度という制度体系のなかで位置づけられている．

われわれは生きていく過程で，病気や怪我，貧困などといったさまざまな困難に直面することがある．そうした困難に対し，生活の安定化をはかり，最低生活を保障する公的な制度が社会保障制度である．社会保障制度は，社会保険，社会福祉，公的扶助，保健医療・公衆衛生の4つの柱から成り立っており（▶図1），社会保障の給付対象は大きく，医療，年金，福祉その他の3分野に分類される．

日本の高齢者に対する保健医療福祉対策は，老人福祉法制定後に著しい進展がみられた．それまでは主として，老齢年金給付（厚生年金保険法や国民年金法）や生活保護法に基づく養老施設への収容保護であったが，老人福祉法の制定以来，高齢者の保健医療福祉の向上をはかるための施策が総合的，体系的に推進されることとなった．

これらの社会制度のうち，特に高齢者に関係が深いと思われる法律や制度について概略を述べる．なおこれらの法律や制度は相互に関連するものである．

B 高齢者を守る法律や制度

1 老人福祉法

老人福祉法は高齢者福祉の基本法としての性格を有する法律として，1963（昭和38）年に制定された．高齢者の福祉に関する原理を明らかにするとともに，高齢者に対し，心身の健康の保持および生活の安定のために必要な措置を講じ，高齢者の福祉をはかることを目的としている．基本理念として，以下のことが定められている．

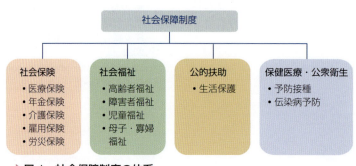

▶図1　社会保障制度の体系

①老人は，多年にわたり社会の進展に寄与してきた者，かつ，豊富な知識と経験を有する者として敬愛されるとともに，生きがいをもてる健全で安らかな生活を保障されるものとする．
②老人は，老齢に伴って生じる心身の変化を自覚して，常に心身の健康を保持し，または，その知識と経験を活用して，社会的活動に参加するように努めるものとする．
③老人は，その希望と能力とに応じ，適当な仕事に従事する機会，その他，社会的活動に参加する機会を与えられるものとする．

2001（平成13）年の老人福祉法の改正により，国民の間に広く高齢者福祉への理解や関心を高めるとともに，高齢者に対し自ら生活の向上を努める意欲を高めることを目的として，9月15日を「老人の日」，9月15〜21日までの1週間を「老人週間」と定めた．なお，国民の祝日に関する法律の改正により，2003（平成15）年から「敬老の日」は9月の第3月曜日となり，多年にわたり社会に尽くしてきた老人を敬愛し，長寿を祝う日としている．

現在，高齢者福祉サービスのうち，介護サービスの提供の根拠法は介護保険法であるが，緊急時などのやむをえない事由には，老人福祉法に基づく福祉の措置が市町村により行われる．つまり老人福祉法は，低所得や虚弱で生活に困難感をもっている高齢者の支援を保障したり，高齢者の生きがいや社会参加の支援のほか，介護保険によるサービスを補完したりと，高齢者福祉を基本的なレベルで支える役割を果たしている．

この法律による居宅の介護サービスは，ホームヘルプ，デイサービス，ショートステイ，小規模多機能型居宅介護，グループホーム，日常用具給付などがある．措置による入所形態をとるのは，養護老人ホームと特別養護老人ホーム（介護保険法による利用が原則）である．

2 高齢者の医療の確保に関する法律（高齢者医療確保法）

老人保健法が，2006（平成18）年の医療制度改革のなかで全面的に改正され，「高齢者の医療の確保に関する法律」と名称変更されたものである．

老人保健法は，国民の老後における健康の保持と適切な医療の確保をはかるため，疾病の予防，治療，機能訓練などの保健事業を総合的に実施し，国民保健の向上および高齢者福祉の増進をはかることを目的に，1983（昭和58）年に施行された．これにより高齢者の医療費の一部自己負担金が導入され，40歳以上を対象とした保健事業が開始された．また，1986（昭和61）年の改正により，老人保健施設が創設され，病院と在宅の中間施設として位置づけられた．

しかし，高齢者の医療費は増加を続け，財政逼迫が議論を呼び，新たな高齢者医療の枠組みが必要となった．そこで，高齢者の医療の確保に関する法律に基づき2008（平成20）年より75歳以上の高齢者を対象とした後期高齢者医療制度が開始され，保健事業は2002（平成14）年に成立していた健康増進法により行うこととなった．

3 介護保険法

1997（平成9）年に介護保険法が成立し，2000（平成12）年に施行された．この背景には，急速な高齢化に伴い介護を要する高齢者が急増する一方，核家族化や共働きといった世帯構造の変化があげられる．高齢者の介護を地域および社会全体で支え，誰もが必要なときに必要なサービスを受けられる新たな体制が必要であった．そのため，介護が必要となった高齢者の尊厳を保ち，可能なかぎり自立した生活ができるようにすることを目的として，介護保険制度が誕生した．

介護保険によるサービスは，施設に入所して受ける施設サービスと，自宅に住みながら受ける居

宅サービスに分けられる．サービスを利用するためには，要介護認定を受ける必要がある．要介護度は介護の必要度に応じて，非該当・要支援1〜2・要介護1〜5の8段階で判定され，1か月に受給できるサービスの上限も要介護度に応じて定められている．

制度開始以降，数々の改正を経て制度として定着してきた（▶表1）．2020（令和2）年の改正では，「地域共生社会の実現のための社会福祉法等の一部改正する法律」の成立を受け，地域の特性に応じた認知症施策や介護サービス提供体制の整備の推進，医療・介護のデータ基盤の整備の推進をはかることとされた．

現在，介護分野においてもエビデンスに基づいた自立支援・重度化防止などの取り組みを進めていくことが期待されている．この実現に向けて，厚生労働省では，2017（平成29）年から通所・訪問リハビリテーションの計画書などの情報を収集しフィードバックを行う「通所・訪問リハビリテーションデータ収集システム（VISIT）」，2020（令和2）年からは高齢者の状態やケアの内容などの情報を収集する「高齢者の状態やケアの内容等データ収集システム（CHASE）」を運用してきた．

そして，2021（令和3）年からは「科学的介護情報システム（LIFE）」として，VISITとCHASEの一体的な運用が開始された．同年の介護報酬改定ではLIFEの活用などが要件に含まれる加算が設けられ，LIFEを用いた厚生労働省へのデータ提出とフィードバックの活用により，**SPDCAサイクル🔑**を回し，エビデンスに基づいた質の高い介護サービスの向上をはかる取り組みを推進している．

▶表1 介護保険法の改正の流れ

改正年	主な改正内容
2005年（平成17年）	介護予防を重視
	新予防給付，市町村の地域支援事業を創設
	地域包括支援センター，地域密着型サービスの創設
	入所施設などでの食費・居住費の自己負担化
2008年（平成20年）	介護サービス事業者の法令遵守強化
2011年（平成23年）	地域包括ケアシステムの推進
	定期巡回・随時対応サービス，複合型サービスの創設
	介護予防・日常生活支援事業の創設
2014年（平成26年）	地域包括ケアシステムの拡充
	地域支援事業の充実
	要支援者の訪問介護，通所介護を地域支援事業に移行
	特別養護老人ホームの新規入所者を原則要介護3以上に
	高所得者の自己負担を2割に
2017年（平成29年）	自立支援・重度化防止の仕組みの推進
	地域共生社会の実現に向けた取り組みの強化
	介護医療院を創設
	特に所得の高い層の自己負担を3割に
2020年（令和2年）	地域共生社会の実現の推進
	地域の特性に応じた認知症施策や介護サービス提供体制の整備の推進
	医療・介護データ基盤の整備の推進

4 生活保護法

1950（昭和25）年に施行された生活保護法は，国が生活に困窮するすべての国民に対し，その困窮の程度に応じ必要な保護を行い，その最低限の生活を保障するとともに，その自立を助長することを目的にしている．保障される最低限度の生活は，健康で文化的な生活水準を維持することができなければならない．

この法律のなかで特に高齢者に関係するものに，生活扶助，住宅扶助，医療扶助，介護扶助，

> 🔑 **Keyword**
> **SPDCAサイクル** Survey（調査），Plan（計画），Do（実行），Check（評価），Action（改善），この一連のプロセスを繰り返し行うことをいう．医療や介護サービスの質を改善し，継続的に成長していくことを目指すための手法として行われる．

葬祭扶助があげられる．

5 高齢者虐待防止法

　介護負担や介護疲れに起因する養護者による高齢者虐待が社会問題化し，2006（平成18）年から「高齢者虐待の防止，高齢者の養護者に対する支援などに関する法律」（高齢者虐待防止法）が施行された．高齢者虐待の防止（発見，通報，保護など）だけでなく，養護者への支援も盛り込まれた．

　高齢者の世話をしている家族・親族・同居人といった養護者と，養介護施設従事者などによる虐待は，身体的虐待，介護・世話の放棄・放任，心理的虐待，性的虐待，経済的虐待の5つに定義されている．また，ここでいう高齢者とは65歳以上の者を指しており，介護を必要としない自立者も含まれる．

　市町村は高齢者虐待の防止，虐待を受けた高齢者の保護，養護者の負担軽減のため，養護者に対する相談，助言，指導，その他必要な措置を行う．

6 医療介護総合確保推進法

　2014（平成26）年，持続可能な社会保障制度の確立をはかる改革の一環として，医療と介護の関係機関が連携し，包括的かつ継続的な在宅生活を支えるため，「地域における医療及び介護の総合的な確保を推進するための関係法律の整備等に関する法律」（医療介護総合確保推進法）が制定された．この法律に基づき，効率的かつ質の高い医療提供体制を構築するとともに，地域包括ケアシステムを構築することを通じ，地域における医療および介護を総合的に確保するため，医療法および介護保険法が関連法律とともに改正された．

7 高齢者の居住の安定確保に関する法律（高齢者住まい法）

　2001（平成13）年，良好な居住環境を備えた高齢者向け賃貸住宅の供給を通じて，高齢者の居住の安定確保をはかることを目的に，「高齢者の居住の安定確保に関する法律」（高齢者住まい法）が制定された．

　日本は諸外国と比較して，年金収入程度で利用できる高齢者向けの住宅が不足している状況であった．また，住宅のバリアフリー化や加齢に伴う機能の変化に対応した生活支援サービスを含めた住宅が必要とされたことから，2011（平成23）年に全面改正された．この改正により，高齢者円滑入居賃貸住宅・高齢者専用賃貸住宅・高齢者向け優良賃貸住宅は，国土交通省と厚生労働省が共管するサービス付き高齢者向け住宅として一本化された．これにより，介護保険施設では対象外になる高齢者も，自宅以外の生活の場としての施設利用が可能となった．

8 後期高齢者医療制度

　2008（平成20）年4月から，75歳以上の高齢者に対する医療は，老人保健法が改正された「高齢者の医療の確保に関する法律」（高齢者医療確保法）に基づいて提供されている（→29ページ）．

　運営主体は，都道府県ごとに全市町村が加入する後期高齢者医療広域連合であり，被保険者は75歳以上の後期高齢者，および65〜74歳で一定の障害があると認定を受けた者である．そのため，これまで加入していた国民健康保険などの各医療保険から離脱し，後期高齢者医療制度に新たに加入することとなる．療養費（医療費）の自己負担額は原則1割であるが，所得に応じて2割あるいは3割となっている．

9 成年後見制度

　悪質な訪問販売商法による被害などで，立場の弱い者の財産が奪われるといった問題が増えてきたことにより，財産などの権利を守る制度として2000（平成12）年に施行された．認知症，知的障害，

精神障害などにより物事を判断する能力が十分ではない者について，本人の権利を守る援助者として「成年後見人」を選ぶことで，本人を法律的に支援する制度であり，任意後見制度と法定後見制度に大別される．

任意後見制度は，将来判断能力が不十分になった場合に備えて，本人が十分な判断能力を有するときに，誰に，どのような支援をしてもらうかを，あらかじめ契約により決めておく制度である．

法定後見制度は，家庭裁判所への申立てにより選任された適切な援助者をつけることで本人の社会生活を支援する制度である．本人の能力に応じて，後見，保佐，補助の3類型があり，常に判断能力を欠いている状態の場合には成年後見人，判断能力が著しく不十分な場合には保佐人，判断能力が不十分な場合には補助人が支援にあたる．

C 制度の変化

これまで述べてきたように，制度は時代とともに変化する．法律は，社会情勢に合わせてつくられ，改正されるのが常である．制度が変われば，福祉や報酬体系も変わる可能性があるため，われわれは常に社会の動向に目を向けておく必要がある．

●参考文献
1) 社会福祉学習双書編集委員会（編）：高齢者福祉．社会福祉学習双書2022，第3巻，全国社会福祉協議会，2022
2) 田中康雄（編）：新エッセンシャル高齢者福祉論．みらい，2022
3) 厚生労働省：医療と介護の一体的な改革．
https://www.mhlw.go.jp/stf/seisakunitsuite/bunya/0000060713.html
4) 厚生労働省：ケアの質の向上に向けた科学的介護情報システム（LIFE）利活用の手引き．
https://www.mhlw.go.jp/content/12301000/000962109.pdf
5) 最高裁判所：成年後見制度―利用をお考えのあなたへ．2022
https://www.courts.go.jp/vc-files/courts/2022/202210koukenpamph.pdf
6) 厚生労働省：後期高齢者医療制度の概要等について．
https://www.mhlw.go.jp/stf/seisakunitsuite/bunya/kenkou_iryou/iryouhoken/koukikourei/index.html
7) 厚生労働省老健局長・国土交通省住宅局長：高齢者の居住の安定確保に関する法律等の一部を改正する法律の施行について．平成23年10月7日通知
https://www.mlit.go.jp/common/001267583.pdf

5 高齢期の作業療法

A さまざまな高齢者像

1 健康な高齢者

　健康な高齢者には，自身の健康を意識し，生きがいや社会参加のため主体的に働くことを選択したり，ボランティア活動や趣味活動で生き生きと生活している人がいる．このような活動的な生き方が続けられれば問題はないが，注意すべき点は，今はどんなに元気であっても，何かをきっかけに寝たきりになってしまうおそれがあるということである．

　しかし，本当に問題となるのは主体性のない不活発な生活を送っている高齢者である．特に大きな健康上の問題はなくても，自宅から外に出ず何もしない，自宅でも横になっていたりテレビを観たりして過ごすだけといった，**閉じこもり**🔑状態にある高齢者はフレイルや廃用症候群に陥る確率が高い．

　高齢者のなかには「することがない」「行く所がない」という悩みをもつ人も少なくない．ここで，多湖輝氏の著書[1)]に書かれている一部を抜粋し紹介する．

　ある集まりで，間もなく百歳を迎えるという矍鑠（かくしゃく）として，特に頭の柔軟さは，若い私たちも敵わない大先輩に，その秘訣を尋ねました．するとその大先輩は，「やはりボケないためには，教養と教育がなくちゃいけない」と言います．

　この答えを聞いて，いかにも納得した様子を見せた人もいました．しかし，私は正直言って意外だったので，こう反論しました．「でも大先輩，お言葉を返すようですが，けっこういい大学を出て，本もたくさん読み，教養も教育も十分あったはずの人が，ボケちゃったという話をよく聞きますよ」

　するとその大先輩はこう言ったのです．「あのね，キョウヨウって言うのはね，教養じゃなくて，今日，用があること．キョウイクとは教育ではなく，今日，行くところがあるってことなんだよ」

　高齢者が自宅に閉じこもることなく，今日も予定があり身支度を整えて出かけていく．出かけて行った先には気心の知れた人々がいて，一緒に活動をする．そのような地域における居場所があることも重要であろう．

　なんらかの活動に誘ったとき，最初はおっくうで気乗りしない様子を示しても，活動を始めると楽しみにつながる場合は少なくない．生きがいや健康づくりといった，高齢者の通いの場への参加は，それからの生活を変えるきっかけをつくりうるため有益である．健康な高齢者に対しては，自ら活動的な生活習慣に取り組む意識を熟成させ，心身機能の低下予防とQOL向上を重要視したい．

> 🔑 **Keyword**
> **閉じこもり**　何かのきっかけにより，生活の活動空間がほぼ家の中であり，週1回も外出していない状態をいう．身体的，心理的，社会・環境的要因が相互に関連して発生し，要介護リスクの発生を高める要因の1つである．

2020（令和2）年4月より，高齢者の保健事業と介護予防の一体的実施の制度が開始され，フレイル対策などの保健事業を充実させることとなった．高齢者に対する個別的支援や通いの場などへの関与などを行う医療専門職として，日常生活圏域に作業療法士の配置が明記された．今後は地域保健の領域でも作業療法士が積極的に参加し，活躍することが期待されている．

2 障害をもつ高齢者

　高齢期作業療法は原因疾患の禁忌事項と高齢者の特徴を考慮したうえで，障害の様態に応じて実施される．したがって，基本的枠組みは疾患別作業療法が基本である（具体的内容については，本シリーズの領域別作業療法を参照）．ただ，いずれの疾患にしても，高齢者は予備力に乏しく，ほんの短期間の安静により容易に廃用症候群をおこすことに留意する必要がある．

　さらに高齢者は老化により生理的に身体機能の低下がおこるため，低下した機能を向上させるには時間を要する．またたとえば，指示の伝わりにくさは理解力の低下だけの理由ではなく難聴の影響も考えられるというように，高齢者の特徴を理解しておく必要がある．

a 身体障害をもつ高齢者

　高齢者の身体障害は，脳血管疾患や転倒による大腿骨頸部骨折など急性に生活機能が低下するタイプと，進行性疾患のように徐々に生活機能が低下するタイプがある．急性発症の疾患においては，急性期や回復期の医療が適用される．高齢者であっても早期のリハビリテーションが実施され，主にADLの自立度を高める作業療法が必要とされる．機能低下をおこした部分の回復をはかることはもちろんであるが，機能回復を追い求め，いわゆる"訓練人生"に追い込まないようにしたい．

　進行性疾患などは，病状悪化をできるだけ予防するとともに，状態に応じた動作方法の変更，福祉機器の導入，環境整備などの対応が求められる．生活全般に他者の介助を要する状況になっても，残存機能を生かした必要最小限の介助で生活行為を行うことは，本人の精神的負担度軽減にもつながる．

　いずれの疾患においても予後予測は重要であり，QOLを高めることを念頭においたアプローチが必要とされる．人との交流や役割，生きがい，楽しみな活動など，対象者の存在価値を重要視したい．

b 精神障害をもつ高齢者

　高齢者の精神障害には，統合失調症のように若年期に発症し高齢期まで持続するものと，高齢期になってから発症するものがある．高齢化の進展に伴い，精神障害者の高齢化も同時に進んでいる．介護保険領域の作業療法でも，精神障害をもつ対象者は増えており，その特性を理解しておく必要がある．

　統合失調症の陽性症状（幻覚や妄想）は加齢とともに軽快し，若年時の被害妄想は高齢期になると深刻さが減じて内面的・願望充足的となって被害妄想は誇大妄想に変化し，心気妄想や権利侵害的な被害妄想に変化するとされる[2]．陰性症状も固定的ではなく，変動すると考えられている[2]．

　高齢者の気分障害の代表となるのが老年期うつ病である．多くの疾患や薬物，高齢者に特有のライフイベントに伴う心理的反応も精神的不調を引きおこす原因となりうる．些細な生活上の変化であっても，精神的にも身体的にも影響を及ぼす可能性がある．また，希死念慮から自殺企図まで進展することもあり，注意が必要である．

　加齢に伴う機能低下は新たな生活障害を作り出し，従来からの障害に伴う活動の制約や制限が拡大する．また，ストレスに弱く疲労しやすい，対人関係が苦手といった精神障害者の特性はフレイルを加速させる要因ともなり，身体面での支援の比重も増える．障害が生活に及ぼす影響は1人

ひとり異なるが，安心できる環境にあるかどうかに左右されやすい．そのため，これまでどのような人生を歩み，療養期間が長かった場合には，どのような療養体験を経たのかなど，その人の生活歴や現在の状態をていねいに把握することが重要である．また，些細な変化も大きく影響することがあるため，本人の状態の変化だけでなく，身近な周囲に何か変化がおこっていないかなどにも関心を寄せ，変化に適応できるよう支援する必要がある．

C 発達過程における障害をもつ高齢者

発達障害（ここでは自閉スペクトラム症，注意欠如多動症，限局性学習症などとする）の概念が普及したのは1970年代以降であり，現在の高齢者は発達障害の診断，療育，支援を受けることなく，本人・家族とも，さまざまな生きづらさを経験しながらも，発達障害を自覚することなく長年生活してきたことが推測される[3]．高齢者となり，不注意や物忘れなど症状が顕在化し，日常生活に支障をきたすようになって，認知症を疑い受診し，発達障害の診断を受ける場合もある．認知症が疑われた患者の1.6％が注意欠如多動症と診断されたという報告[4]もあり，今後，鑑別診断や治療方法など，高齢者における発達障害の新たな知見が得られると考えられる．

重症心身障害児（者）は，運動障害や筋緊張異常とそれに伴う肢位・姿勢が加齢により変化し，呼吸障害，消化器疾患，摂食嚥下障害の進展にも大きくかかわる．特に骨粗鬆症とそれに伴う易骨折性は，移乗や移動時の軽微な外力でも骨折し，疼痛を訴えられない場合には発見が遅れるなど，日常生活における支援に影響を与える[5]．またQOLに関する活動には，本人の意思に基づく慎重な対応が求められ，提供する日中の活動は，年齢や状態に応じた適切な内容とするよう常に留意が必要[5]となる．

知的障害者は，加齢に伴い医療的ケアのニーズが高まる．これは，自らの身体的不調への気づきや病状を医師に正確に伝達することの難しさにより病気が発見されにくく，ADLが低下してから他者によって気づかれる，悪しき生活習慣による疾患が加齢により顕在化する，といったことが要因となり生じる．知的障害者の認知症にも関心が高まっており，罹患の気づきや明確なベースライン不足による診断の難しさなど，新たな対応が求められている[6]．

発達過程における障害は生涯続くものであり，そこに加齢による心身の衰えが加わることで，長年にわたる生活様式が大きく変化する場合もある．また本人だけでなく，親やきょうだいも高齢化するため，支援体制も変化する．しかし，基本的な障害は何であり，どこに困難が生じているのかを理解し，可能なかぎり自らの意思が反映される生活の実現に向けた支援が必要である．

B 介護保険制度と作業療法

高齢期作業療法の多くは介護保険制度下で実施されており，介護保険領域における作業療法士の就業者数も増加している．介護保険法第4条において，「国民は，自ら要介護状態となることを予防するため，加齢に伴って生ずる心身の変化を自覚して常に健康の保持増進に努めるとともに，要介護状態となった場合においても，進んでリハビリテーションその他の適切な保健医療サービス及び福祉サービスを利用することにより，その有する能力の維持向上に努めるものとする」とされている．

介護予防をはじめ，ライフステージに合わせた生活機能の維持や改善，自立支援，社会参加の実現に向け作業療法士が果たす役割は大きい．そのため，制度の仕組みをしっかりと理解する必要がある．

1 保険者と被保険者

　制度の運営主体である保険者は市町村（特別区を含む）である．そのため，保険料は市町村により異なる．被保険者（保険の加入者）は40歳以上の国民であり，65歳以上の第1号被保険者と40歳以上65歳未満の医療保険加入者である第2号被保険者に分けられる．

2 サービスの利用対象

　介護保険のサービスを利用するには，利用希望者が保険者に要介護認定の申請を行い，要介護認定の手続きを経て利用の可否が決定する．第2号被保険者が要介護認定を受ける場合は，老化が原因とされる16の特定疾病（▶表1）により要介護状態にあると認定された場合に限られる．

3 介護度

　介護度（要介護状態等区分）とは，全国一律の判定基準と方法に基づき介護保険の保険者によって認定される，介護の必要性の程度などを表したものである（各介護度とその状態の目安は表2参照）．なお，要介護・要支援のいずれにも該当しないと判定された場合は「非該当」と認定される．
　「要支援」と認定された場合は，介護予防サービスが利用できるだけでなく，市町村が実施する介護予防・生活支援サービス事業（訪問型サービスや通所型サービスなど）を利用できる．「要介護」の場合は介護サービスおよび施設サービスが利用できる．「非該当」の場合は介護保険サービスの利用はできないが，市町村が実施する介護予防・日常生活支援総合事業（一般介護予防事業，基本チェックリストを受けて認定された場合は介護予防・生活支援サービス事業）を利用できる．

▶表1　介護保険法による16特定疾病

1	がん（がん末期）
2	関節リウマチ
3	筋萎縮性側索硬化症
4	後縦靱帯骨化症
5	骨折を伴う骨粗鬆症
6	初老期における認知症
7	進行性核上性麻痺，大脳皮質基底核変性症およびパーキンソン病（パーキンソン病関連疾患）
8	脊髄小脳変性症
9	脊柱管狭窄症
10	早老症
11	多系統萎縮症
12	糖尿病性神経障害，糖尿病性腎症および糖尿病性網膜症
13	脳血管疾患
14	閉塞性動脈硬化症
15	慢性閉塞性肺疾患
16	両側の膝関節または股関節に著しい変形を伴う変形性関節症

〔厚生労働省：特定疾病の選定基準の考え方．
https://www.mhlw.go.jp/topics/kaigo/nintei/gaiyo3.html より〕

4 アセスメント

　介護保険サービスは，介護支援専門員（ケアマネジャー）によって作成される個別の介護サービス計画（ケアプラン）に基づいて提供される．そして，ケアプランを作成するために行われるのが「課題分析（アセスメント）」である．アセスメントは，作業療法プログラム作成における作業療法評価の過程と同じととらえると理解しやすい．
　アセスメントとは，個々の要介護者に生じている生活上の諸問題を明らかにして，自立支援の観点から解決すべき課題（ニーズ）を的確に把握することである．そのため，実施にあたっては，要介護者の生活全般についての情報を，生物身体的側面，精神心理的側面，社会環境的側面から十分に収集・把握することが必要となる．そして，要介

▶表2 要介護状態等の区分（介護度）と状態の目安

要介護状態等区分（介護度）		状態（目安）
要支援	要支援1	介護は必要ないものの，立ち上がりや家事など生活の一部に支援が必要な状態．適切な介護予防サービスの利用により状態の維持や改善が見込まれる状態
	要支援2	要介護1と同様の状態だが，心身の状態が安定していて，介護予防サービスの利用にかかる適切な理解ができる状態であり，適切な介護予防サービスの利用により状態の維持や改善が見込まれる場合
要介護	要介護1	立ち上がりや歩行などに不安定さがみられることが多く，排泄や入浴などに見守りや部分的な介助が必要な場合がある状態．加えて，疾病や外傷などにより心身の状態が安定せず短期間で要介護状態などの再評価が必要となったり，認知機能や思考・感情の障害により介護予防サービスの利用にかかる適切な理解が困難と認められたりする場合
	要介護2	立ち上がりや片足での立位保持，歩行に支えが必要で，食事や排泄，入浴に一部または全面的な介助が必要な状態．認知症の症状がみられており，日常生活にトラブルが生じている場合もある
	要介護3	立ち上がりや片足での立位保持，歩行が自力で行うことが難しく，食事や排泄に一部介助が必要で，入浴や衣服の着脱などに全面的な介助を必要とする状態．認知症の症状がみられており，日常生活にトラブルが生じている場合もある
	要介護4	食事に一部介助が必要で，立ち上がりや両足での立位も1人で難しく，排泄，入浴，衣服の着脱に全面的な介助が必要な状態．認知症による思考力や理解力の低下も著しくなっていて，日常生活に多くのトラブルが生じている場合もある
	要介護5	日常生活を遂行する能力は著しく低下し，日常生活全般に全面的な介護を必要としている状態．1日の大半を寝たきり状態で過ごし，意思の伝達もほとんどできない状態．食事の摂取や嚥下も困難な場合が多い

護者らの生活上の困りごとや望む生活の実現を阻むもの，本来あるべき姿，自立といった視点で発生している問題状況をとらえ，次に，それを生じさせている背景や要因を分析するとともに，改善や悪化の可能性といった観点からも検討する．

アセスメントは，対象者の課題を客観的に抽出できる合理的な手法で行われなければならないとされている．そのため，一般的には標準化されたアセスメント方式を用いて行われているが，介護保険施設などでは独自に作成した方式を採用しているところも多い．これは，国が定める課題分析標準項目を満たしていれば，任意の方式を使用することが可能であることによる．

標準化されたアセスメント方式として国際的にも最も広く使用されているものに「インターライアセスメントシステム（interRAI方式）」[7, 8]がある．また，介護老人保健施設に特化した方式として多く使用されているものに「全老健版ケアマネジメント方式（R4システム）」[9]がある．ほかに

も，認知症の人に対する現場での使用が進んでおり，教育ツールとしても活用されている「認知症の人のためのケアマネジメントセンター方式（センター方式）」[10]がある．

アセスメントは，多職種協働のもとに実施することが必要とされている．リハビリテーション実施計画書もアセスメント／ケアプランとの連動性が必須であるため，高齢期に従事する作業療法士は理解しておく．さらに自身が所属する施設で採用されている方式への理解も求められる．

5 利用者負担

介護保険サービス利用にかかった費用の利用者負担は原則1割（一定以上の所得者は2割または3割）である．介護度に応じて区分支給限度基準額が定められており，その範囲内を超えた分の費用は全額自己負担となる．また，介護保険施設や短期入所サービスでの食費や居住費，通所サー

ビスでの食費やおむつは全額利用者負担となる．なお，利用者負担が高額になる場合があるため，負担軽減をはかる高額介護サービス費の制度がある．

6 介護報酬

介護報酬とは，保険給付の対象となる介護サービスの対価として介護サービス事業者に支払われる報酬のことで，国により定められている．医療保険制度における診療報酬に相当するものである．介護サービスの種類ごとに，サービス内容や提供時間，要介護度に応じて単位数が設定されている．原則1単位10円（地域やサービスにより異なる）であり，3年ごとに介護報酬の見直しが行われている．

C 高齢期作業療法の役割と機能

高齢期におけるリハビリテーションの目的は何であろうか．障害をもった高齢者だけを対象にしがちであるが，そうではない．日本の高齢化は世界でも最高水準にあり，「人生100年時代」を迎えている．平均寿命が80歳を超えた今日，誰もが高齢者になる可能性をもっている．

われわれは高齢期という人生の集大成の時期を，どのように過ごしたいだろうか．あるいは過ごしてほしいと考えているのだろうか．「ピンピンコロリ」[11]という言葉で表されるような，健康で長生きしてコロリと逝きたい，最期まで人の手を借りず自分のことは自分で，といった思いは共通しているのではないだろうか．しかし，そうではない現実もあることから高齢期のリハビリテーションは重要となる．

死は誰にでも必ずやってくるものであり，逃れることはできない．高齢期は死を身近にして過ごす時期といえる．しかし，ただ恐れるのではなく，個人の価値観や信念に基づき，最期まで自分らしい生活を送り，自分の人生を生ききる．そのための援助が高齢期のリハビリテーションといえる．

1 いかに障害を最小にするか

高齢期は諸臓器の加齢変化に伴う機能低下により，高齢者に特有の疾病や障害の臨床的な特徴がみられる．複数の疾患に罹患しやすく，また疾患に罹患しなくとも予備力の低下により，些細なきっかけで廃用症候群をおこす．さらに，さまざまな環境因子や個人因子も影響し，動くことがおっくうになり，容易に寝たきりとなって要介護状態となる．この悪循環を断ち切り，自分の望む生活が続けられるよう，その人の能力を最大限に引き出すことが求められる．

2 自己実現の援助

高齢期は喪失の時期である．さまざまなものを失い，それまでの生活とは異なる生活を再構築しなければならない．しかし，職業から引退したとしても，社会の一員として何か社会の役に立ちたいという個人の社会貢献に対する意識は高い水準にある．

社会参加の方法や手段は異なっても，生き生きと暮らせるよう援助するのがリハビリテーションの目的である．そのなかでも特に，新たな社会交流，趣味活動，生きがいなどに対する援助は作業療法士の役割といえる．また，認知症のある人も"心地よい時間"を長く過ごすことができれば，それも自己実現の一環といえよう．

> **Keyword**
> **自己実現** マズロー（Maslow）は人間の欲求を5段階に分け，最高位の段階を自己実現の欲求と表した．これは，わかりやすくいえば「自分らしく生きていたいと願う欲求」といえる．自分の状態を受け入れ，生きがいをもって生きていく状態になることである．

3 介護予防

　地域包括ケアシステムは，住み慣れた地域で自分らしい生活を最期まで続けることができるよう，地域の実情に合った医療・介護・予防・住まい・生活支援が包括的・一体的に提供される体制のことである．このなかで「介護予防」は要ともなる要素である．介護予防や健康増進のためのリハビリテーションのニーズは高く，作業療法士は保健・医療の専門職として貢献する必要があり，人の暮らしや価値観と環境を結びつけ，その人のもつ強みに着目した支援ができる．その作業療法士の視点による助言や支援は，地域で生活する人々の生活行為，活動と参加に対する意識を高めることが可能であり，多くの人の健康に寄与することができる．このように，地域で生活する健康高齢者に対する保健領域での支援も，今後，さらに重要となるであろう〔第Ⅱ章5「介護予防の作業療法」（→132ページ）参照〕．

D 高齢期作業療法の目的

　高齢者の生活は健康状態や環境，個人因子に大きく影響される．世界保健機関（WHO）の国際生活機能分類（International Classification of Functioning, Disability and Health; ICF）の概念から考えると，高齢期の作業療法の目的は次のようになる．
1. 生活行為の遂行と環境調整に対する援助
2. 役割や余暇活動，社会的交流の創出
3. 家族や介護者への助言

　これらを通し，最期まで自分らしい生活の実現をはかることが，高齢者を対象とした作業療法となる．

(1) 生活行為の遂行と環境調整に対する援助

　病気や怪我などにより高齢で障害をもった場合，高齢者の回復力は青壮年に比べ低下しているため，ある程度は機能の改善がみられるにしろ，加齢に伴う機能低下が影響し，日常生活は不自由になる．

　そのため，今の生活環境から改善策を考える必要がある．不自由な生活行為があった場合，道具を変えたり新しい方法を習得したり，難易度を変えたりすることで再び行うことが可能となる．また，部屋の整理整頓をするだけでも動きやすくなる場合もある．そのうえで適切なアセスメントに基づく福祉用具の選定や活用，住宅改修の提案や助言などが行われる．また生活行為が遂行できるよう，環境調整だけでなく生活リズムにも留意したい．

(2) 役割や余暇活動，社会的交流の創出

　障害の有無にかかわらず，高齢となり役割や社会的交流の機会が減少する人は多くみられる．テレビを観て過ごすくらいで，ほかにすることが何もないといった人もいる．そのような高齢者に対しても「これまでの人生で大切にしてきた意味のある作業」や「してみたい作業」は何かを知り，それを実現できるようなかかわりができるのは作業療法士の強みである．

　有意義な余暇活動，新たな役割の創出のためにも，新たな人間関係で社会的交流の機会ができることは重要なことである．高齢者は要介護予備軍でもあるため，今，元気な高齢者が活動的な生活習慣をもつことは介護予防につながる．また，近年の家族構成の変化により，高齢者の役割を発揮する機会は減少している．「亀の甲より年の功」や「おばあちゃんの知恵袋」といった，次世代に物事を伝えること，若い世代から頼りにされることは高齢者のアイデンティティを支える．多世代との交流機会をつくり出すことも，高齢者の生活を考える場合には欠かすことのできない視点となる．

(3) 家族や介護者への助言

　高齢者の在宅生活を考えるとき，家族のニーズも考慮する必要がある．対象となるのは本人だけでなく，生活単位として家族をも含んで考えなければならない．介護体制や在宅介護に対する介護

者の思いに目を向ける必要がある．対象者のことだけを考えると，介護する家族の負担が大きくなり，介護疲れや負担感から在宅生活が継続できなくなることもありうる．家族の苦労を傾聴・共感することで負担感が軽減し，穏やかに暮らせる家族もいる．また，介護者の心身機能の状態，どこに負担を感じているのか，など家族状況の情報を得ておく必要がある．家族の介護力をふまえたうえで，介助方法や福祉用具の活用に対する助言，行政サービスや介護保険の情報提供といった，家族や介護者への助言も重要である．

上記のような作業療法が高齢期では行われるが，これは自己の所属する組織（病院，介護老人保健施設，市町村など）ごとに，対象者の病期に応じた作業療法を適切に提供し，場合によっては他機関での作業療法に委ねることもありうる．

しかし，どの病期にあろうとも基本的には対象者の"意味のある"作業に着目し，その実現に向けたアプローチを行う．何もやりたいことはないと言う高齢者も多いが，これまでの人生のそれぞれのライフステージで大切にしてきた作業を振り返り，今，いかにありたいかを見いだせるように高齢者の心に寄り添い，可能なかぎり"したい"作業を支援することも重要となる．この対象者は「高齢だから」「認知症だから」「発症して半年以上経過しているから」といった対象者の要因で難しいと判断するのではなく，機能面の改善は難しいかもしれないが，対象者の潜在能力に気づき，引き出しながら本人の望む生活ができるような支援を心がけたい．

● 引用文献

1) 多湖　輝：100 歳になっても脳を元気に動かす習慣術─ボケる頭の使い方　ボケない頭の使い方．日文新書，日本文芸社，2011
2) 新村秀人，水野雅文：精神障害者の加齢に伴う問題とその支援．総合リハ 50(6):639-646, 2022
3) 繁信和恵：高齢者の発達障害．老年精神医学 33(8):781-785, 2022
4) Sasaki H, et al: Late-manifestation of attention-deficit/hyperactivity disorder in older adults: An observational study. BMC Psychiatry 22(1):354, 2022
5) 後藤一也，他：重症心身障害児者の加齢と施策．総合リハ 48(12):1145-1150, 2020
6) 志賀利一：知的障害者の加齢と生活支援．総合リハ 48(12):1151-1156, 2020
7) Morris JN, 他（著），池上直己（監訳）：インターライ方式 ケア アセスメント[居宅・施設・高齢者住宅]．医学書院，2011
8) 池上直己，他（編）：インターライ方式ガイドブック─ケアプラン作成・質の管理・看護での活用．医学書院，2017
9) 全国老人保健施設協会（編）：全老健版ケアマネジメント方式 R4 システム改訂版．社会保険研究所，2014
10) 認知症介護研究・研修東京センター，他（編）：四訂 認知症の人のためのケアマネジメント─センター方式の使い方・活かし方．認知症介護研究・研修センター，2019
11) 北沢豊治：中高年齢者の体力つくりについて─高森町における PPK 運動．日本体育学会大会号 31:235, 1980

● 参考文献

12) 津下一代：フレイル健診─高齢者の保健事業と介護予防の一体的実施の意義．日老医誌 58(2):199-205, 2021
13) 南庄一郎：老年期（高齢者）と統合失調症─対象者の思いや希望を大切にし，意味のある作業に焦点を当てる．OT ジャーナル 54(4):310-315, 2020
14) 渡邉忠義：精神科領域におけるヘルスプロモーション─精神科デイケアでの取り組みから．OT ジャーナル 56(3):226-231, 2022
15) 小野和哉：成人・高齢者の発達障害に対する治療はどのようにあるべきか─注意欠如・多動症（ADHD）を中心に．精神医学 62(2):173-178, 2020

6 高齢期の一般的特徴

A 老化とは

　加齢（aging）と老化（senescence）は混同されやすい表現である．

　加齢はすべての生物に時間の経過とともにおこる，よいことも悪いことも含めたすべての変化をいう．これに対し老化とは，身体の成熟が終了したのちに，加齢とともに各臓器の機能が低下し，さまざまな疾患に罹患しやすく，環境に適応することが困難となり，最終的に死に至る過程である．

　老化は，
①普遍性：誰にでも必ずおこる．
②内在性：発現が遺伝的に決定されている．
③進行性：進行し後戻りしない．
④有害性：体に不利をもたらす．
という特徴をもっている．

　加齢による変化には，「生理的変化」（生理的老化現象）と「病的変化」（病的老化現象）がある．視力・聴力や記銘力の低下，排尿障害（尿失禁，頻尿），筋力低下などは誰にでもおこる一般的な生理的変化であるが，**生活習慣病**🔑として扱われる高血圧症や糖尿病などは，病的変化ではあるが，長い年月の生活習慣や生活態度の集積として現れるものと考えられている．また，記憶障害などを呈する認知症も病的変化としてとらえられる．

　老化が生じる時期や程度は各臓器によって異なり，個人差が大きく，生活習慣の改善により予防したり，その進行を遅らせたりすることができる．世界有数の長寿国である日本は，健康上の問題で日常生活が制限されることなく生活できる期間である「健康寿命」の延伸が，今後さらに重要となる．

B 高齢期の生理的・身体的特徴

　高齢者のさまざまな生理機能は，加齢とともに変化していく．すべての機能が右肩下がりに低下するのではない．一般に減少する傾向にあるが，各機能の加齢変化が一様に進むのではなく，各機能により異なる速度で進む．加齢に伴って著しく低下するもの，わずかに低下するもの，比較的変わらないものがある．

　ただし，このような加齢による機能変化の程度は，個人差が大きく，ばらつきの範囲は高齢になるほど増大する．この個人差は，今まで育った社会的背景や生活習慣などの諸因子が相互に作用している．

　一般的な身体機能の変化として，感覚・知覚機能，自律神経機能，運動および関連機能，平衡感覚・反射機能などの低下がおこる．これらの諸機能の変化によって，①外界の刺激に対しての反応力の遅延・低下，②わずかなストレスで破綻をきたしやすい状態，③予備力の低下による環境変化

> **Keyword**
> **生活習慣病**　食習慣，運動習慣，休養，喫煙，飲酒などの生活習慣が，その発症・進行に関与する疾患群である．2型糖尿病（インスリン非依存型），肥満，脂質異常症，循環器疾患，大腸癌，高血圧症，アルコール性肝障害，歯周病などが含まれる．

への適応力の低下，④病気や障害からの治癒・再生・機能回復の遅れが生じる．

このように，臓器により老化の影響が現れやすいものと現れにくいものが存在し，個人差が大きいことは高齢者に特有の特徴であり，高齢者の疾患の特徴を理解するうえで重要である．

1 循環機能の加齢変化

高齢者では血管の伸展性が低下し，血管の弾力性が失われる．安静時の収縮期血圧は，年齢にほぼ比例して上昇する傾向を示す．これは，大動脈の伸展による収縮期の血圧緩衝作用が低く，血管抵抗が高まっているためである．

心疾患に罹患しないかぎり，心臓の重量は加齢によって大きく変化しない．しかし，左心室壁は加齢に伴い厚くなる．心拍出量は，安静時には保たれるが運動負荷時には低下する．安静時の心拍数は加齢とともに徐々に低下する傾向を示す．また，高齢者では最大心拍数が低下するため，激しい運動をした場合には注意が必要である．

仰臥位から急に立ち上がると，収縮期血圧が一過性に低下し，立ちくらみや起立性低血圧をおこしやすい．また，高齢者では食後に低血圧をおこすことも多い．さらに，成人に比べ運動後の血圧が上昇しやすく，運動を止めたあとももとの血圧に戻りにくい．これらは，血圧を正常範囲に保つ機能が低下しているためにおこる．

循環器疾患のほとんどは，加齢により発症頻度が高くなる．心予備力，循環調整力の低下により，労作時に動悸，息切れ，易疲労性が出現し不活発な生活になりやすい．また，典型的症状を呈しにくく，重症化しやすい．

2 呼吸器系の加齢変化

呼吸器は，加齢変化が顕著に認められる臓器の1つである．肺胞や気道の弾性収縮力の低下，胸郭が硬くなり肺活量の低下，横隔膜の筋力低下などがおこる．

通常の呼吸量は成人と比べ差を認めないが，最大酸素摂取量が低下する．そのため，高齢者では軽い運動をしただけでも息切れが生じやすい．

また，高齢者では咳嗽力や異物を気道から取り除く能力が低下することで，呼吸器系の感染症に罹患しやすくなる．

3 消化器系の加齢変化

消化器は食物の通過，消化，吸収，排泄を助ける臓器を指し，口腔から食道，胃，小腸，大腸，肛門に至る消化管と，肝臓，脾臓，胆道系の総称である．高齢者では咀嚼や嚥下の障害，慢性便秘や下痢など消化器系の問題をかかえる人は多い．

加齢に伴う唾液分泌量の低下は少ないが，口腔機能低下や心理的状況，薬物の副作用などさまざまな要因により，多くの高齢者で口腔乾燥がみられる[1]．

消化管の運動機能は一般に低下する．胃液分泌量も加齢により低下する．消化吸収は全般的に軽度低下し，特に脂質や糖質，カルシウムの吸収が低下する[2]．また，高齢者は多剤の薬物を服用していることが多いため，薬物性肝障害が多くなる．

4 腎機能の加齢変化

腎臓は加齢に伴い構造や機能が変化する．糸球体は徐々に硬化し，尿細管は萎縮，腎の重量は減少する．このため腎血流量，糸球体濾過量が低下する．その結果，薬物は体内に蓄積されやすくなる．

5 排泄機能の加齢変化

排尿困難，尿失禁，頻尿などの排泄の問題をかかえる高齢者は多い．

膀胱から尿道までを下部尿路といい，下部尿路機能は尿をためる蓄尿機能と尿を出す排尿機能

からなる．加齢に伴い下部尿路機能は低下する．膀胱に尿を貯留できる最大膀胱容量が低下し，尿意を感じてから排尿をこらえる力も低下する．また，尿の尿道通過時間は遅くなり，排尿後に膀胱に残る残尿量は高齢で増加する．残尿が多いと尿路感染症を発症しやすくなる．

男性では前立腺が肥大し，尿道を圧迫するため，排尿困難をおこしやすい．女性では尿道括約筋の収縮力が低下し，くしゃみや重い荷物を持ち上げるなど下腹部に力が入ったときに尿失禁がおこりやすい（→ 45 ページ）．

6 内分泌系の加齢変化

内分泌系は生体恒常性を維持するうえで重要な役割を担っている．加齢により，ホルモンの分泌，血中濃度，代謝速度，分泌刺激に対する応答性や標的臓器の応答性に変化が生じる．生体の発育や生殖にかかわる内分泌腺は萎縮し，ホルモン分泌能は低下する．しかし，生命の維持に関係するホルモンは大きな変動をしない．

女性ホルモン（エストロゲン）や男性ホルモン（テストステロン）といった性腺ホルモンは加齢とともに減少する．一方，インスリン，甲状腺ホルモン，副腎皮質ホルモンなど生命維持に不可欠なホルモンは変化しない．

血中カルシウム濃度の調節を行うホルモン分泌は，加齢によって変化する．高齢者は血中カルシウム濃度が低下しやすいため，骨から血中へのカルシウム放出（骨吸収）を促進する副甲状腺ホルモンは増加し，一方，骨吸収を抑制し血中カルシウム濃度を低下させるカルシトニンは減少する．そのため，高齢者は骨のカルシウムが減少し，骨が弱くなる．さらに女性は，閉経後に骨吸収抑制作用のあるエストロゲンが急激に減少することで，骨粗鬆症のリスクが高まる．

7 体温調節機能の加齢変化

高齢者の安静時の体温は個人差が大きいが，成人に比べ低い．体温は常に変動しており，日中に高く，夜間に低いという概日リズムがある．高齢者では昼と夜の体温差も減少する．

高温環境下では，皮膚血管の拡張や発汗により，熱を外部へ発散し体温の上昇を防ぐ．高齢者では皮膚血管の拡張や発汗開始時間の遅れ，発汗量の減少がみられる．

一方，低温環境下では，皮膚血管が収縮して熱損失を防ぐとともに，骨格筋のふるえにより熱産生が増加し体温の低下を防ぐ．高齢者では皮膚血管収縮の反応性が低下しており，ふるえによる産熱もおこりにくい．

8 免疫機能の加齢変化

免疫系は，先天的に備わる自然免疫と，後天的に獲得された獲得免疫の2つの機構に分けられる．このうち，加齢に伴う変化が著しいのは獲得免疫であり，リンパ球のなかのT細胞の減少により新たな抗原に対応できなくなり，種々の感染症に罹患しやすくなる．

9 生殖器系の加齢変化

男性では，加齢により精巣の重量が減少し，精子の生成は生涯続くものの造精能は低下する．テストステロンの分泌量も徐々に低下し，勃起や射精機能が低下する．女性は閉経を迎え，エストロゲンの分泌が減少し，卵巣や子宮は萎縮する．腟や外陰の粘膜や皮膚も萎縮し，また腟の自浄作用が弱まる．

また，男性ホルモン（アンドロゲン）低下に伴う多臓器機能障害を加齢男性性腺機能低下症候群〔LOH症候群(late-onset hypogonadism)〕[3]という．女性においては閉経の前後5年間を更年期と

いい，更年期に現れるさまざまな症状のなかで他の病気に伴わないものを更年期症状，そのなかでも症状が重く日常生活に支障をきたす状態を更年期障害という．これらによる症状・徴候は多岐にわたる．

10 脳・神経系の加齢変化

加齢に伴い，脳萎縮と脳重量の減少が認められ，その減少は個人差や部位による差が認められる．脳の中では大脳の前頭葉の萎縮が最も強い．また，脳内の神経伝達物質のうち，ノルアドレナリン，ドパミン，セロトニン，アセチルコリンとその受容体は，加齢によって減少することが示されている．

11 感覚機能の加齢変化

a 視覚

40歳代になると，近くのものが見えにくいといった自覚症状を感じるようになる．これは水晶体の硬化や毛様体筋の収縮力低下により生じる老視（老眼）である．高齢者は，瞳孔の縮小による入射光の減少，角膜や水晶体の屈折力の変化，水晶体の光透過性の低下，視細胞の感受性の減退などの加齢変化に起因した視覚機能の低下がおこる．視力の低下だけでなく，視野狭窄，動体視力の低下，色彩の識別困難，明暗順応の遅延などがみられる．

b 聴覚

高齢者では感音性の難聴が生じ，特に高音域の音が聞き取りにくくなる．言葉の弁別能も低下するため，聞き間違いが多くなり，また，騒音下での言葉の聞き取りや大勢のなかでの会話の聞き取りなどといった，複数の音が入り混じる環境での言語の聞き取りに困難が生じる．難聴から生じるコミュニケーションの問題は，孤立をまねきやすい．

c 味覚・嗅覚

味覚は加齢とともに低下する．味覚障害は，味蕾（みらい）の数の減少，亜鉛欠乏，厚い舌苔（ぜったい），唾液量の減少，薬物の副作用，心因性などが原因でおこる．味覚の低下は食欲低下や栄養バランスの不良をまねきやすい．

嗅覚は，加齢に伴い各種のにおいに対する感受性，においの区別能力が低下する．これらは，嗅覚の感覚細胞である嗅細胞の減少，嗅覚の中枢である嗅球のニューロンの減少によりおこる．嗅覚障害により，食品の腐敗や火災発生に気づかないといった安全性の問題，不衛生による悪臭に気づかないことによって生じる対人関係の問題，食欲低下などの問題が生じることがある．

d 体性感覚

表在感覚（触覚，痛覚，温度覚）と深部感覚（振動覚，位置覚）の感知能力は加齢に伴い低下する．特に，触覚と振動覚の感受性は加齢とともに低下し，下肢で著しい．これは感覚受容器の数の減少や形態の変化，受容器からの情報を伝える神経の数の減少により生じる．表在感覚の低下は外傷や熱傷に気づきにくくなる．深部感覚の低下は，立位での動揺の増加や立ち直り反応の遅れにつながり，転倒の危険が増大する．

12 運動器の加齢変化

運動機能は加齢とともに低下するが，純粋な加齢現象だけでなく，加齢に伴って増加する疾患や，活動性低下による廃用の結果として生じた機能低下など，互いに影響し合いながら運動機能の低下を促進する．

骨組織は，破骨細胞による古い骨の吸収と，骨芽細胞による新しい骨の形成が行われ，両者のバランスが保たれていれば，骨密度は一定に保たれる．高齢者では骨形成よりも骨吸収が優位となり，髄腔の占める割合が増加し，骨量の減少が

認められる．女性では閉経後の骨量の減少が著しく，骨粗鬆症が多発する．

関節は，関節周囲の組織の硬化や弾力性が低下する．また，関節軟骨が変性をおこし，衝撃吸収力が低下するため，痛みや変形性関節症が生じやすくなる．

末梢神経は，加齢とともに線維密度の低下や絞輪間距離の不規則化が認められるようになる．また脊髄前角の運動ニューロン数や実際に機能している運動単位数も減少するため，細かな筋力調整は困難となる．

骨格筋の筋線維数や筋量は減少し，筋は萎縮する．筋線維のなかでも速筋（type Ⅱ線維）が減少するため，全体として収縮速度は遅くなり，瞬発的な動きに影響をきたす．

C 老年症候群

老年症候群とは，加齢とともに心身の機能が低下し，高齢者に特有のさまざまな症候・障害が生じ，治療だけでなく介護，ケアが必要な症候の総称である．多くの原因は，単一なものでなく，複合的なものである．老年症候群の数は加齢によって増加し，85歳では平均8個以上をもち，ADLの低下した高齢者ほど症候の数が多く，寝たきり状態の高齢者は自立している高齢者の2倍有する[4]．ここでは50以上ある老年症候群のうち，代表的なものを取り上げる．

1 尿失禁

尿失禁とは，自分の意思とは関係なく尿が漏れる状態である．高齢者に圧倒的に多くみられ，その原因により以下のように分類される．
(1) 腹圧性尿失禁
　くしゃみ，咳，重いものを持ち上げたときなど，腹圧を高めたときに失禁がおこる．女性に多くみられ，出産，加齢，肥満などによる骨盤底筋の弛緩が原因となる．
(2) 切迫性尿失禁
　突然の激しい尿意を感じ，不随意な膀胱の収縮により，トイレに間に合わずに失禁してしまう．脳や脊髄神経の疾患などにみられる．
(3) 溢流性尿失禁
　前立腺肥大症などにより，常に膀胱内に尿が溜まり，あふれて少しずつ失禁してしまう状態である．
(4) 機能性尿失禁
　膀胱や尿道など排尿の機能障害以外の理由で生じる尿失禁である．麻痺などによる身体機能の低下や認知症などによる認知機能の低下によって，トイレに行き排尿するまでに時間がかかるといった一連の過程に問題があるものである．

2 不眠

高齢者では睡眠障害の頻度が高く，60歳以上の約3割になんらかの睡眠障害がみられる．入眠までの時間が長くなり，安定した長時間の睡眠が少なく，途中覚醒や早朝覚醒が目立つことが特徴である．また，深い睡眠が減少し，睡眠覚醒リズムは早い時間にシフトする．日中の活動性低下や心理社会的ストレス，睡眠を妨げる身体疾患などの要因も影響している．睡眠時無呼吸症候群，レストレスレッグス症候群（下肢の異常感覚），突発性周期性四肢運動（睡眠中に反復しておこる足の不随意運動）は，高齢者に多くみられる．

3 低栄養

加齢に伴う生理的，社会的，経済的問題は高齢者の栄養状態に影響を与える[5]．高齢者は，咀嚼力の低下や嚥下障害などを伴いやすく，さらに食欲低下をおこすさまざまな原因により摂食量が低下し，低栄養に陥りやすい．低栄養状態により免疫力が低下し，感染症に罹患しやすくなる．また主要疾患の治癒を遅らせ，褥瘡や合併症を容易に

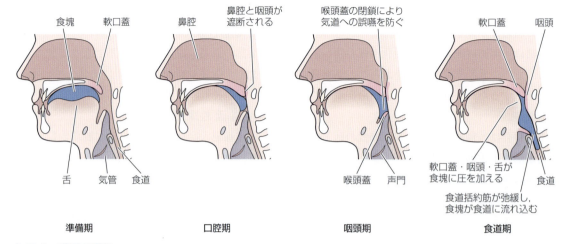

▶図1 嚥下の過程

引きおこす．

　低栄養が存在するとサルコペニアになりやすく，それが活動低下，筋力低下・身体機能低下をまねき，さらに消費エネルギーの減少，食欲低下をもたらし低栄養を促進させ，フレイルサイクルが構築される[5]．また，栄養状態を考慮せず機能回復のための運動療法などを行うと，低栄養やサルコペニアが悪化する可能性もある．そのため多職種が協働しながら，高齢者の特徴をふまえた栄養管理が重要となる．

4 脱水症

　脱水症は高齢者に多い病態で，その出現率は加齢とともに増加する．また，老年症候群における症状の多くが適切な水分摂取を困難にする大きな要因となりうる[6]．高齢者は体内総水分量の低下，生理機能の低下，平常時からの飲水不足などにより，発汗や下痢などによる体液の喪失で容易に脱水症に陥りやすい．高齢者では脱水により，倦怠感，頭痛，悪心，めまい，四肢の脱力，見当識障害，言語障害，せん妄，意識障害など，さまざまな症状を呈する．また，症状がみられなくても体液量が減少している「かくれ脱水」といわれる脱水症の前段階[7]の高齢者の存在も明らかになっている．そのため，日ごろから注意深く観察し，適切な水分摂取を行うなど，予防と早期発見が重要となる．

5 摂食・嚥下障害

　食べることは生命を維持するために欠くことのできない行為であると同時に，生きる喜びや楽しみにつながり，精神的な充足感やQOLを高める重要な役割をもつ．

　摂食・嚥下は，食物の認識 → 口への取り込み → 咀嚼と食塊形成 → 奥舌・咽頭への送り込み → 咽頭通過・食道への送り込み → 食道通過の過程で行われる．つまり，食物が口から咽頭，食道を通って胃に到達するまでの一連の動きであり，以下の5期に分けられる（▶図1）．

1. 先行期
   食物の形や量，質などを認識して食べ方を判断し，唾液の分泌を促す．
2. 準備期
   食物を噛み砕き（咀嚼），飲み込みやすい形状にする（食塊形成）．
3. 口腔期
   咀嚼された食塊を舌の随意運動により咽頭に送り込む．

4. 咽頭期

嚥下反射により，食塊を咽頭から上部食道に送り込む．

5. 食道期

食道に運ばれた食塊を蠕動運動によって胃に送り込む．

嚥下障害に伴う症状には，嚥下困難，嘔吐，流涎，咳嗽，呼吸困難，嗄声，嚥下痛などがあり，最も大きな問題となるのは，気道に食塊が入ってしまう誤嚥である．

高齢者では，歯の欠損，咀嚼力や嚥下筋の筋力低下，口腔粘膜の知覚や味覚の低下，唾液分泌量の減少，嚥下反射の惹起性の低下のほか，咽頭の位置が下降するため嚥下反射時の咽頭挙上距離が大きくなったり，咳反射の減弱などがおこる．加えて，食欲や薬物の影響といった要因も重なり嚥下機能が低下する．

6 転倒・骨折

加齢とともに身体機能は低下し，転倒の危険が高くなる．2019年国民生活基礎調査[8]によると，介護が必要となった主な原因として，転倒・骨折は要支援者の14.2%，要介護者では12.0%を占める．

転倒は複数の要因が重なり合って発生することが多い．筋力低下，バランス不良，歩行能力低下，視力低下，認知機能低下，薬物服用などの内的要因と，敷居など1～2cmの小さな段差，カーペットの端，電気コード，暗い照明，滑りやすい床材，脱げやすい履物の使用といった外的要因に分類される．特に，過去1年間での転倒経験は，その後の転倒に対するきわめて強い予知因子となる．

高齢者に多くみられる骨折には，椎体骨折，大腿骨頸部骨折，橈骨遠位端骨折，上腕骨近位端骨折などがある．特に大腿骨頸部骨折は高齢者のADLやQOLを著しく低下させ，寝たきりの主要な原因となるばかりではなく，生命予後を悪化させる．高齢者では，高所からの転落や交通事故などといった，明らかに大きな外力による骨折以外に，軽微な外力による骨折の頻度が上昇する．これは脆弱性骨折と呼ばれ，その原因として最も多いのが骨粗鬆症である．

まずは，転倒リスクの高い高齢者の転倒予防のため，転倒リスクの評価を行い改善可能な危険因子を取り除くことが必要である．また，身体機能の低下予防だけでなく，住環境の整備，転倒しないADLの獲得に対するかかわりが必要となる．

7 寝たきり

寝たきりとは，長期間にわたり1日の大半を臥床している状態をいう．寝たきりを引きおこす疾患として，認知症や脳血管障害，大腿骨頸部骨折などがあげられる．

寝たきりは単一の要因でのみおこるのではなく，複数の疾患要因，不適切な安静，薬物の副作用，不十分な介護やリハビリテーションなどの複合の結果として現れる．また，長期の臥床は廃用症候群を引きおこすため，早期のリハビリテーションは重要な位置を占める．

8 褥瘡

身体のある場所に，一定の時間，圧力が加わることによって阻血性障害が生じ，組織が損傷され褥瘡となる．

骨の隆起部位の軟部組織に外からの圧力のかかりやすい部位に生じやすく，臥床の向きや姿勢により異なるが，仙骨部，大腿骨大転子外側部，踵部，肩甲骨部などに発生しやすい．特に，仙骨部は褥瘡の好発部位であり，これは仰臥位の場合，仙骨部に体重の約44%が加わることが最大の原因である．臥位だけでなく，長時間，車椅子に乗車している場合には，座位における褥瘡にも注意が必要となる．

はじめは圧迫部の皮膚の発赤や水疱が出現し，浅い褥瘡では表皮のびらんが，深い状態に進行す

ると黒く変色し壊死組織となる．さらに悪化すると，細菌感染により膿が溜まったり，皮膚の下にポケットといわれる空洞ができることもある．

褥瘡の原因は複雑であり，皮膚圧迫だけでなく，摩擦やずれ，体位変換能力，病的骨突出，浮腫，発汗や排泄物による皮膚湿潤，低栄養のほか，不快感や痛みの訴えの低下なども増悪因子となる．

褥瘡の予防には，臥位や座位のクッションなどを用いた適切なポジショニング，褥瘡予防具の選定が重要である．褥瘡の部位によって日常生活に影響がある場合には創部の状態を確認し，負担の少ない動作方法や自助具の適用などが作業療法士に求められる．

9 廃用症候群

われわれの日常生活での動作や活動では，関節運動や筋収縮などを連続的に行っている．また，身体を動かすには目的が必要であり，この目的をつくり出すために意欲や発動性などの知的・精神的機能が働く．生活が不活発で動かない状態が続くことにより，心身の機能が低下して動けなくなるのが廃用症候群である．

廃用症候群における症状は，筋萎縮，筋力低下，関節拘縮，心肺機能低下，食欲不振，便秘，認知機能の低下，意欲低下，抑うつなど全身に幅広く認められる．不活発な生活が続く要因には，健康状態だけでなく，生活空間や介護力などの環境因子，性格や価値観などの個人因子が複雑に絡み合っている．また，フレイル(➡ 137 ページも参照)とも密接に影響し合っている．

運動機能が低下すると，以前できていたことができなくなり，意欲や自信が低下する．そして運動の機会も減ってくる．その結果，運動機能はさらに低下する．知的機能の低下も同様で，活動への意欲や興味が減り，行わなくなり，知的機能はさらに低下する．このような悪循環は，機能低下を加速させ，さらに廃用症候群を生じることで ADL は低下し，それにより QOL も低下する．

介護量や介護負担が増えることにより，介護者の QOL 低下も懸念される．

加齢に伴う心身機能の低下は時間とともに直線的に進行するのではなく，階段を 1 段ずつ降りるように機能は低下する．数日寝込むなどの病気，転倒などの事故，転居など環境変化，精神的な落ち込みやストレスなどが"階段"の役目をする[9]．そのとき廃用の悪影響があれば，機能はさらに低下する．老化を予防することは困難であるが，適切なタイミングでの廃用の予防や治療は可能であるため，高齢者本人だけでなく，介護者の双方の視点から予防していくことが重要となる．

10 フレイル

フレイルは，虚弱や老衰と表現されていたフレイルティ(frailty)の日本語訳であり，「加齢に伴うさまざまな臓器機能低下によって外的なストレスに対する脆弱性が亢進した状態」[10] と定義されている．フレイルティの認知度を高め，介護予防の重要性を広く啓発するため，2014 年に日本老年医学会によって提唱された．

老化に伴うさまざまな機能低下(予備能の低下)を基盤とし，さまざまな健康障害に対する脆弱性が増加している状態である．健康と要介護状態の中間的段階であり，要介護状態に至る前段階といえるが，適切な介入により，生活機能の維持・向上が期待できる．また自立して生活している高齢者であっても，要介護状態に陥る可能性を早期に発見し，予防につなげていくことが重要である．

フレイルは身体的問題だけでなく，認知機能障害やうつなどの精神・心理的問題，独居や経済的困窮などの社会的問題を含む概念[11] としてとらえられている．身体的フレイル，精神・心理的フレイル，社会的フレイル(フレイルの社会的側面)に分けられ，それらが相互に影響し合っている．また，身体的フレイルと認知機能低下が合併した認知的フレイル，口腔機能低下により心身機能の低下につながるオーラルフレイルも重視されて

▶表1 日本版CHS基準(J-CHS基準)2020年改訂

項目	評価基準
体重減少	6か月で,2kg以上の体重減少 (基本チェックリスト#11)
筋力低下	握力:男性<28kg 女性<18kg
疲労感	(ここ2週間)わけもなく疲れたような感じがする (基本チェックリスト#25)
歩行速度	通常歩行速度<1.0m/秒
身体活動	①軽い運動・体操をしていますか? ②定期的な運動・スポーツをしていますか? 上記の2つのいずれも「週に1回もしていない」と回答

【判定基準】
3項目以上該当:フレイル,1~2項目該当:プレフレイル,該当しない:ロバスト

〔Satake S, Arai H: The revised Japanese version of the Cardiovascular Health Study criteria (revised J-CHS criteria). Geriatr Gerontol Int 20(10):992-993, 2020 より〕

▶表2 簡易フレイルインデックス

項目	はい	いいえ
6か月間で2~3kgの体重減少がありましたか?	1点	0点
(ここ2週間)わけもなく疲れたような感じがしますか?	1点	0点
ウォーキングなどの運動を週に1回以上していますか?	0点	1点
以前に比べて歩く速度が遅くなってきたと思いますか?	1点	0点
5分前のことが思い出せますか?	0点	1点

【判定基準】
3点以上:フレイル,1~2点:プレフレイル,0点:ロバスト

〔Yamada M, Arai H: Predictive value of frailty scores for healthy life expectancy in community-dwelling older Japanese adults. J Am Med Dir Assoc 16(11): 1002.e7-11, 2015 より改変〕

いる.

　フレイルの指標や評価項目は複数提唱されている.フリード(Fried)らによるフレイルの指標によると,①体重減少,②主観的疲労感,③握力の低下,④歩行速度の低下,⑤活動量の減少の5項目のうち3項目が当てはまればフレイルとし,1~2項目が該当する場合にはプレフレイルと定義づけている.日本では身体的フレイルの代表的評価として用いられているCHS(cardiovascular health study)基準をもとに,日本の高齢者に適用しやすい基準として作成された日本版CHS基準が作成された(▶表1).そのほか,短時間で簡便にフレイルをスクリーニングすることができる自己記入式質問票の簡易フレイルインデックス(▶表2),早期に軽微なフレイルの徴候に気づき予防を促すために用いられるイレブン・チェック[12],基本チェックリスト[13],75歳以上の高齢者については健康診査で使用されている後期高齢者の質問票[14]を用いることもできる.

11 サルコペニア

　サルコペニア(sarcopenia)は,1989年にローゼンバーグ(Rosenberg I)によって提唱された.ギリシャ語で「筋肉」を意味するサルコ(sarx)と「減少」を意味するペニア(penia)からなる造語である.

　筋肉量低下に加えて筋力低下もしくは身体機能低下を認め,転倒・骨折,身体機能障害および死亡などの転帰不良の増加に関連しうる進行性および全身性に生じる骨格筋疾患と定義[10]されている.筋肉量の低下に伴う筋力や身体機能の低下,活動量低下,低栄養,活力低下などは相互に影響し,フレイルの増悪サイクルを形成する.サルコペニアの原因は,加齢が最も重要な要因であるが,活動不足,疾患,栄養不良が危険因子である.

　サルコペニアの診断には,アジアのサルコペニアワーキンググループによる診断基準[15]を用いることが推奨されている.一般の診療所や地域ではサルコペニアのスクリーニング検査(下腿周囲長,5項目の質問紙)でサルコペニアの疑いがある場合,握力が男性28kg未満,女性18kg未満,または5回椅子立ち上がりテストが12秒以上でサルコペニアの可能性ありと診断できる.確定診断には筋力(握力),身体機能(歩行速度1.0m/秒未満,5回立ち上がりテスト,short physical

▶表3　ロコモ度を判定する臨床判断値

		立ち上がりテスト	2ステップテスト	ロコモ25
			2歩幅(cm)÷身長(cm)	25問からなる質問紙テスト 0〜4点で回答（合計100点）
ロコモ度1	移動機能の低下が始まっている段階	どちらか一方の片脚で40cmの高さから立ち上がれない	1.3未満	7点以上
ロコモ度2	移動機能の低下が進行している状態	両脚で20cmの高さから立ち上がれない	1.1未満	16点以上
ロコモ度3	移動機能の低下が進行し社会参加に支障をきたしている状態	両脚で30cmの高さから立ち上がれない	0.9未満	24点以上

〔日本整形外科学会ロコモティブシンドローム予防啓発サイト(https://locomo-joa.jp/)ロコモ度判定方法より作成〕

performance battery 9点以下），骨格筋量の計測を行う．サルコペニアの判定には，骨格筋量の減少が必須条件で，これに加えて筋力低下もしくは身体機能低下が認められる場合にサルコペニアと診断する．

サルコペニアはフレイルの中核要因であり，筋力や持久力の低下はさまざまな身体機能を低下させ要介護状態を引きおこす．このフレイルサイクルの悪循環はサルコペニアを助長し，さらにエネルギー消費量の減少，食欲低下，食事摂取量の低下から，さらなる筋肉量の減少をもたらすため，サルコペニアの予防が重要視されている．その予防には蛋白質の摂取と運動や活動的な生活が推奨されている[13]．

12 ロコモティブシンドローム（運動器症候群）

ロコモティブシンドローム(locomotive syndrome；運動器症候群)は，日本整形外科学会が2007年に提唱した概念で，運動器の障害のために移動能力の低下をきたした状態をいい，進行すると要介護状態になるリスクが高くなる．

介護予防のため，親しみやすく，覚えやすい「ロコモ」と略して用いることが多い．概念提唱の背景には，要支援，要介護などの原因に占める運動器疾患の頻度が高いことがあり，特に要支援の原因として関節疾患が最も多い[16]．

ロコモの原因には，大きく分けて運動器自体の疾患と，加齢による運動器機能不全がある．運動器自体の疾患のなかでも，特に変形性関節症，骨粗鬆症に伴う円背，易骨折性，変形性脊椎症，脊柱管狭窄症が代表的である．これらの疾患は，疼痛，関節可動域制限，筋力低下，麻痺，骨折，痙性などにより，バランス能力，体力，移動能力の低下をきたす．また，加齢による運動器機能不全は，筋力低下，持久力低下，反応時間延長，運動速度の低下，巧緻性低下，深部感覚低下，バランス能力低下をきたす．

運動機能の低下は徐々に進行することが多く，予防には自分で気づくことが重要である．7項目からなる自己チェック（ロコチェック）や，ロコモ度テストとして立ち上がりテスト，2ステップテスト，ロコモ(25項目の質問票)で評価できる（▶表3）．

ロコモの予防，改善のため自宅で安全に継続し

て行うことができる運動療法(ロコモーショントレーニング,略してロコトレ)として,開眼片足立ち訓練とハーフスクワットをすすめている[17].

D 高齢期の精神的・心理的特徴

1 知能

知能とは,目的に合った行動をし,合理的に考え,環境からの働きかけに効果的に対処する能力である.加齢による知能の変化は一様に低下するものではなく,むしろある種の能力は人生の後期まで発達を続けるといわれている.知能は,結晶性知能と流動性知能に分類される.

結晶性知能とは,個人が長年にわたる経験や教育などから獲得していく能力で,言語能力,理解力,洞察力などを含む.加齢とともに経験が増し,経験に基づいた判断が加わるため,高齢になっても維持される.一方,流動性知能は新しい環境に適応するために新しい情報を獲得し,それを処理・操作していく能力で,問題解決力や空間認知を含み,加齢や脳の器質的障害に影響を受ける.しかし,結晶性知能だけでなく流動性知能の低下も60歳ごろまではほとんどみられず,明確な低下を示すのは80歳以降であると報告されている[18].

2 記憶

記憶は,記銘(情報を取り込んで登録する),保持(記銘したものを保存する),想起(必要な情報を探して取り出す)の3つの過程から構成される情報処理の機能である.保持される時間により,短期記憶(1分以内程度)と長期記憶に分類される.

短期記憶は,自動的に記憶され,大部分は無意識のうちに消去される.短期記憶のなかでも,行動や情報処理のために一時的に保持されるものをワーキングメモリ(作業記憶)という.

長期記憶は,記憶の内容から,言葉にできる情報の記憶の陳述記憶と,言葉にできない非陳述記憶に分けられる.さらに陳述記憶は,一般に知識と呼ばれる意味記憶と,生活上での体験や思い出といったエピソード記憶に分類される.また,非陳述記憶は,自転車の乗り方など練習によって身につける動作の記憶であり,手続き記憶という.

記憶の加齢変化の程度は一様ではない.短期記憶や意味記憶,手続き記憶は加齢による低下が少ないが,ワーキングメモリやエピソード記憶は加齢に伴い低下しやすいと考えられている[19].「最近のことは忘れるが,昔のことはよく覚えている」という高齢者は多い.これは,その人にとって情緒的な体験を伴った,大きな意味をもつ特別な出来事であり,そのことを繰り返し想起することにより,自己に関する知識として記憶されたと考えられる.

3 高齢期のパーソナリティ特性

パーソナリティは個人を特徴づける一貫した行動傾向で,周囲環境との相互作用により形成される.

性格特性は中年期以降,比較的安定しているという報告のほか,後期高齢者では年齢を重ねることで人格の成熟性が増大する.加齢により調和性や誠実性が増加するが外向性は漸減するという報告[20]などもあり,パーソナリティの加齢変化に関しては科学的根拠に基づく定説があるとはいえない.

高齢者は頑固だ,短気な人が気長になった,といった加齢に伴うパーソナリティの特徴や変化があると一般的に思われていることが多い.しかし,現在では老化によるパーソナリティの変化ではなく,周囲の環境からの影響を受けた反応であったり疾病が及ぼす影響と解釈されるようになった[20].

●引用文献

1) 柿木保明：高齢者における口腔乾燥症. 九州歯会誌 60(2.3):43–50, 2006
2) 千葉 勉：高齢者の消化器疾患. 日老医誌 37(5)：353–359, 2000
3) 日本泌尿器科学会/日本 Men's Health 医学会「LOH症候群診療ガイドライン」検討ワーキング委員会(編)：加齢男性性腺機能低下症候群—LOH症候群—診療の手引き. じほう, 2007
https://www.urol.or.jp/lib/files/other/guideline/30_loh_syndrome.pdf
4) 鳥羽研二：老年症候群と総合的機能評価. 日本内科学会雑誌 98(3):589–594, 2009
5) 厚生労働省：日本人の食事摂取基準(2020年版)策定検討会報告書．2019
https://www.mhlw.go.jp/content/10904750/000586553.pdf
6) 守屋佑貴子，長谷川 浩：《高齢者の救急疾患》脱水症. 内科 108(6):1052–1057, 2011
7) 谷口英喜：脱水症の前段階「かくれ脱水」を知る—そのメカニズムを理解して, 適切な予防策を. コミュニティケア 24(14):10–14, 2022
8) 厚生労働省：2019年国民生活基礎調査の概況. IV介護の状況. p24, 2020
https://www.mhlw.go.jp/toukei/saikin/hw/k-tyosa/k-tyosa19/dl/05.pdf
9) 辻 一郎：介護予防と廃用症候群モデル. 総合リハ 34(7):649–653, 2006
10) 荒井秀典(監), 佐竹昭介(編)：フレイルハンドブック 2022年版. ライフサイエンス, 2022
11) 日本老年医学会：フレイルに関する日本老年医学会からのステートメント. 2014
https://www.jpn-geriat-soc.or.jp/info/topics/pdf/20140513_01_01.pdf
12) 飯島勝矢：平成27年度老人保健健康増進事業等補助金老人保健健康増進等事業「口腔機能・栄養・運動・社会参加を総合化した複合型健康増進プログラムを用いての新たな健康づくり市民サポーター養成研修マニュアルの考案と検証(地域サロンを活用したモデル構築)を目的とした研究事業」事業実施報告書. 厚生労働省, 2016
https://www.mhlw.go.jp/file/06-Seisakujouhou-12300000-Roukenkyoku/0000136676.pdf
13) 厚生労働省：介護予防・日常生活支援総合事業のガイドライン. 基本チェックリスト様式. p67, 2018
https://www.mhlw.go.jp/content/12300000/000957652.pdf
14) 厚生労働省保険局高齢者医療課：高齢者の特性を踏まえた保健事業ガイドライン第2版. 2019
https://www.mhlw.go.jp/content/12401000/000557577.pdf
15) サルコペニア診療ガイドライン作成委員会(編)：サルコペニア診療ガイドライン 2017年度版一部改訂. 日本サルコペニア・フレイル学会, 国立長寿医療研究センター, 2020
https://minds.jcqhc.or.jp/docs/gl_pdf/G0001021/4/sarcopenia2017_revised.pdf
16) 厚生労働省：2019年国民生活基礎調査の概況. 2020
https://www.mhlw.go.jp/toukei/saikin/hw/k-tyosa/k-tyosa19/dl/14.pdf
17) 日本整形外科学会ロコモティブシンドローム予防啓発公式サイト.
https://locomo-joa.jp/
18) 西田裕紀子：中高年者の知能の加齢変化. 老年期認知症研究会誌 21(10):84–87, 2017
19) 大内尉義(編)：標準理学療法学・作業療法学 専門基礎分野 老年学. 第5版, 医学書院, 2021
20) 進藤貴子：高齢者福祉と高齢者心理学. 川崎医療福祉学会誌 20(Suppl):29–44, 2010

●参考文献

21) 三島和夫：高齢者の睡眠と睡眠障害. 保健医療科学 64(1):27–32, 2015
22) 葛谷雅文：高齢者の低栄養. 老年歯医 20(2):119–123, 2005
23) 宮越浩一(編)：高齢者リハビリテーション実践マニュアル 改訂第2版. メジカルビュー社, 2022
24) 宮地良樹：褥瘡の発症と診断をめぐる最新のトピックス. 医学のあゆみ 237(1):47–51, 2011
25) 寺師浩人：褥瘡. 日老医誌 47(5):396–398, 2010
26) 能登真一(編)：標準作業療法学 専門分野 高次脳機能作業療法学. 第2版, 医学書院, 2019
27) 下沖順子, 中里克治：老年期における人格の縦断研究—人格の安定性と変化及び生存との関係について. 教育心理学研究 47:293–304, 1999
28) 長田久雄：加齢に関する心理学的研究について. 理学療法科学 17(3):135–140, 2002
29) 日本老年医学会(編)：老年医学系統講義テキスト. 西村書店, 2013
30) 中島澄夫：高齢者医療—健康長寿と全人的ケアをめざして. オーム社, 2008

7 高齢期に多い疾患

本章6「高齢期の一般的特徴」(→ 41 ページ)でふれたように,身体の各臓器は加齢変化により形態的,機能的変化がおこり,さまざまな疾患や障害が生じる.ここでは,高齢者によくみられる疾患について臓器ごとに紹介する.

A 循環器疾患

1 血圧異常

血圧とは,血管内を流れる血液が血管壁に与える圧力であり,心臓から送り出される血液の量と血管の硬さにより決まる.通常の血圧測定は動脈血圧であり,収縮期血圧(最大血圧)と拡張期血圧(最小血圧)があり,単位は mmHg(ミリメートル水銀柱)である.

日本高血圧学会による診断基準[1]によると,診察室での収縮期血圧 140 mmHg 以上または拡張期血圧 90 mmHg,あるいはこれら両方を満たす場合を高血圧と定義している.また,家庭での血圧値が,収縮期血圧 135 mmHg 以上かつ/または拡張期血圧 85 mmHg 以上である場合も高血圧と診断され,診察室血圧と家庭血圧が異なる場合の高血圧の判定は家庭血圧が優先される.

a 高血圧

高血圧症は,血圧が高い状態が持続することにより,脳や心臓,腎臓などの主要臓器や動脈に高血圧性病変をおこす症候群である.診察室での血圧は高血圧域であるが,家庭血圧や 24 時間血圧などで測定した血圧値が正常域にある場合は,白衣高血圧という.一方,診察室での血圧は正常でも,家庭血圧が高値を示すものは仮面高血圧という.

血圧は加齢とともに上昇し,高血圧の頻度は上昇する.高齢者は,収縮期血圧のみが上昇する収縮期高血圧が特徴である.拡張期血圧は 50 歳代より横ばいか,むしろ低下する.これにより脈圧は増大する.また,血圧の日内変動が激しいことも特徴である.

[原因] 高血圧のうち,原因の明らかな二次性高血圧症は 10% 前後で,90% は原因が明らかではない本態性高血圧症である.

[症状] 高血圧症は合併症を伴わない場合,特異的な症状はない.循環器関連合併症を伴って初めて症状を認める.頭痛,めまい,しびれ,不眠などの脳神経症状,動悸,息切れ,胸部圧迫症状などの心症状,浮腫,頻尿,夜間尿などの腎症状,そのほかに肩こりや鼻出血などがみられる.

[留意点] 高齢者に対する生活習慣の修正は,塩分 6 g/日未満の食事,軽度の有酸素運動(通常の速さでの歩行など),禁煙などが推奨されている.運動療法は心血管疾患や整形外科疾患などの合併症に注意する.ライフスタイルの変更によって食欲低下や意欲低下を生じないようにする.降圧薬の使用による眠気,意欲減退などの副作用にも注意を要する.

リハビリテーション医療における安全管理・推進のためのガイドライン[2]によると,「血圧変動の原因が明確であり,全身状態が安定していると

判断できる場合は，訓練を実施することを提案する．ただし，訓練を実施する際には，症状やバイタルサインの変化に注意し，訓練内容は患者の状態に応じて調整する必要がある」，またリハビリテーション中止を考慮する目安として「収縮期血圧180〜200 mmHgを超える場合」が弱い推奨となっている．

b 低血圧

低血圧症は，収縮期血圧が100 mmHg未満を指すことが多い．座位時に比べ，起立時に収縮期血圧の低下が20 mmHg以上みられるものを起立性低血圧という．高齢者の場合，起立性低血圧，食後低血圧が問題になることが多い．

[原因] 低血圧症にも本態性低血圧症と，さまざまな疾患に伴う二次性低血圧症がある．二次性低血圧症のうち，末梢循環不全が急激におこった状態がショックであり，血圧低下，顔面蒼白，冷汗，頻脈，脈拍微弱，乏尿などがおこる．

起立性低血圧の原因として脳血管障害が多いが，不明なものも少なくない．血管伸展性の低下によって圧受容器反射が減弱し，脳虚血などの症状を呈するためと考えられている．

[症状] めまい，ふらつき，脱力，失神，嘔吐などの症状を呈することがあるが，無症候性のものも多い．

[留意点] 急な起立は行わず，ゆっくりと姿勢を変えることや手すりを使用するなどの生活指導を行う．弾性ストッキング着用により下半身への血液貯留を防ぐことも有効である．また，リハビリテーション中止を考慮する目安としては「収縮期血圧70〜90mmHg未満を参考値とする」[2]ことが弱く推奨されている．

2 不整脈

心臓の収縮は右心房内の洞結節から発した刺激が，房室結節に伝えられ，さらにヒス束に伝播する．ヒス束に伝えられた興奮は，左脚と右脚，

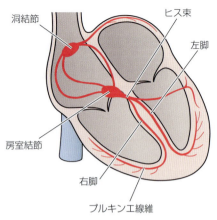

▶図1　心臓の刺激伝導系

さらに枝分かれしたプルキンエ線維を通り心室へ伝わることによって規則正しい収縮がおこる（▶図1）．これらの刺激伝導系のどこかで異常が発生した場合に不整脈がおこる．不整脈とは，洞結節により支配されている正常洞調律（60〜100/分）以外の心調律の総称であり，その種類は多く，期外収縮，心房細動，洞不全症候群，房室ブロックなどがある．

[原因] 高齢者では洞結節細胞数の減少，結節周囲の線維化，刺激伝導系の変性や線維化などの変化がおきている．心疾患やその他の基礎疾患の存在，血中電解質異常，薬物の副作用なども高齢者に不整脈が多い理由である．不眠，ストレス，不安，喫煙など，いくつかの条件が加わることによって誘発されやすくなる．

[症状] 動悸，胸部不快感，呼吸困難，めまい，ふらつき，失神があるが，高齢者では自覚症状に乏しいこともある．

[留意点] 運動療法を行うときには，基礎心疾患の有無を考慮する．また「新規に不整脈を生じた場合，または脈拍の変動が顕著な場合，または随伴症状を伴う不整脈を生じた場合は，当日の訓練は中止して精査を行う」[2]，リハビリテーション中止を考慮する目安として，「脈拍40/分未満，または120〜150/分を超える場合を参考値とする」[2]ことが弱く推奨されている．

3 虚血性心疾患

　虚血性心疾患は，心筋の器質的・機能的障害を呈する疾患の総称である．冠動脈の硬化，狭窄や閉塞などが原因で血流が低下し，心筋への酸素供給が需要に対して不足することによりおこる．狭心症や心筋梗塞が代表的なものである．
【原因】　冠動脈異常の原因は動脈硬化が多い．脂質異常症，高血圧，糖尿病は危険因子とされる．
【症状】　代表的な症状は，心筋細胞が虚血状態となり交感神経の興奮による狭心痛と呼ばれる疼痛と不快感である．高齢者は症状が非典型的で，無痛性であったり，全身倦怠感，食欲低下などが前面に出たりすることも多い．

(1) 狭心症

　心筋の酸素需要に対する供給の不足によって生じる症候群である．発作の誘因により，運動，精神興奮，排尿・排便などの労作時におこる労作性狭心症，安静時にもおこる安静時狭心症に分類される．また，一定の労作や条件のみでおこる安定狭心症と，労作に関係なく発作が頻回におこる不安定狭心症にそれぞれ分類される．
　症状は，前胸部圧迫感と絞扼感であり，締めつけられる感じと表現されることが多い．そのほかに左肩甲部から左上肢にかけての放散痛などを訴えることもある．狭心症では発作持続時間は1～5分，長くても10分以内であり，ニトログリセリン製剤の舌下使用により1～2分で寛解する．

(2) 心筋梗塞

　心筋への血液を供給している冠動脈が閉塞して血流が途絶え，末梢の心筋が壊死した状態である．
　激しい胸痛が突然出現し，30分以上続き，数時間に及ぶこともある．疼痛はニトログリセリン製剤では寛解しないことが多い．呼吸困難，冷汗，悪心・嘔吐などを伴う．高齢者では無痛性心筋梗塞や意識障害で発症したり，胃腸症状や心窩部痛を訴えたりする場合もある．
【留意点】　必要以上に安静を強いてADLやQOLの低下がおこらないようにする．また，高齢者は多くの合併疾患を有しているため，運動療法を行うときには，まずは低強度から開始し，個々のレベルに応じて漸増していく．

4 心不全

　心不全とは，心臓のポンプ機能の代謝機構が破綻し，呼吸困難・倦怠感や浮腫が出現し，それに伴い運動耐容能が低下する臨床症候群である．
【原因】　虚血性心疾患，心筋症，弁膜症，高血圧，不整脈などの心疾患が原因となる．
【病状】　心不全の徴候としては，労作時などの息切れ，易疲労，下肢の浮腫などで気づくことが多い．高齢者では自覚症状の閾値が高く，自覚しても食欲低下や見当識障害など非特異的となりやすい．
　左心不全は，肺循環系のうっ血が生じ，息切れや呼吸困難，喀痰，チアノーゼなどがみられる．右心不全は，体循環の静脈系のうっ血で，浮腫，うっ血肝，頸動脈の怒張，腹水などがみられる．
【留意点】　高齢者では自覚症状が少なく，元気のなさ，食欲低下，見当識障害などの精神症状などが前面に出ることも多く，注意が必要である．また容易に再発し，再入院を繰り返すことが多いため，廃用症候群の予防・改善は必須である．慢性心不全においては，運動耐容能上昇やQOL向上のため，心臓リハビリテーションは重要となる．

5 肺性心

　肺性心とは，肺高血圧症のために右心室の肥大および拡張，右心不全を呈した状態をいう．
【原因】　急性肺性心は血栓や脂肪塊などが肺動脈に詰まって血流が途絶し，肺組織が壊死をおこして生じる．慢性肺性心の基礎疾患としては，慢性閉塞性肺疾患（COPD）が多い．
【症状】　急性肺性心は無症状のこともあるが，多くの場合は，胸痛，血痰，呼吸困難がみられる．

慢性肺性心では原因疾患の症状が悪化したり，チアノーゼ，浮腫，胸痛，失神などが加わったりする．進行すると過労や過剰な水分摂取により，容易に右心不全をおこしやすい．
[留意点]　気管支炎などの急性疾患が加わると悪化しやすいので注意が必要である．

6 作業療法実施における留意点

循環器疾患には致死的なものもあるため，リスク管理は重要である．そのため，作業療法開始前には対象者の状態を把握しておく．特に，運動時や姿勢変化を伴う動作時には，血圧や心拍数などのバイタルサインの変化を見逃してはならない．そのため，リスクの高い対象者は頻回に測定することも必要となる．

また，症状の出現時に的確に訴えることができない高齢者の場合には，胸を手で抑えたり，うずくまったり，うめき声をあげるといった仕草，冷や汗などの状態変化がないか，常に注意が必要である．また，普段と違う様子がみられる場合には，積極的に医師に報告する．循環器疾患の症状だけでなく，リハビリテーションの中止基準も熟知しておくとよい．

B 呼吸器疾患

1 感染性呼吸器疾患

呼吸器の感染症は上・下気道および肺におこる感染症である．呼吸器は身体内部と外部の接点となるため，感染がおこりやすい．

a 肺炎

肺炎とは，さまざまな病原体による肺胞の炎症である．間質に病変が認められる間質性肺炎とは異なる．日本人の死因の第5位を占める疾患であり，その90％以上は65歳以上の高齢者である．肺炎は発症した場所により，市中肺炎（病院外で日常生活を営んでいる人に発症），院内肺炎（入院後48時間以上経過して発症），医療・介護関連肺炎（前者の中間に位置する肺炎で，誤嚥性肺炎が主）に分類される．

[原因]　急性気管支炎から波及しておこることが多い．市中肺炎では，肺炎球菌，黄色ブドウ球菌，インフルエンザ桿菌によるものが多い．院内肺炎では，緑膿菌などのグラム陰性菌によるものや，メチシリン耐性黄色ブドウ球菌（MRSA）肺炎の頻度も高い．医療・介護関連肺炎の大部分は誤嚥性肺炎である．

[症状]　発熱，咳，痰，呼吸困難，全身倦怠感が主な症状である．高齢者では，食欲不振，不整脈，傾眠傾向，行動異常など，呼吸器症状以外が前面に出ることがある．

[留意点]　高齢者では脱水になりやすいため，注意が必要である．また，数日の臥床であっても廃用をおこしやすく，早期離床や全身耐久性の向上をはかる必要がある．肺炎予防のため肺炎球菌ワクチンやインフルエンザワクチンなどの接種も有効である．

b 誤嚥性肺炎

誤嚥性肺炎とは，細菌が唾液や胃液とともに肺に流れ込んで生じる肺炎である．高齢者の肺炎の70％以上が誤嚥性肺炎といわれ，加齢とともに嚥下機能や咳反射が低下することが大きな要因となっている．誤嚥とは食べ物や唾液などが誤って気道へ入ってしまう状態である．本来入るべきものでない異物が消化管へ入る誤飲と区別する．誤嚥には，むせ込みのある顕性誤嚥と，むせずに本人も気づかないうちに繰り返す不顕性誤嚥がある．

[原因]　健常人でも誤嚥はおこるが，咳反射により喀出され肺炎をおこすことはない．誤嚥性肺炎は，口腔咽頭内の細菌が少量ずつ肺内に吸引される不顕性誤嚥によるものが多い．

[留意点] 誤嚥性肺炎は反復しておこることが多いため，口腔ケアや食事姿勢の工夫などにより予防するとともに，摂食・嚥下リハビリテーションが重要である．

C 肺結核

肺結核は，結核菌により肺に炎症をおこす疾患である．日本の結核罹患率は欧米諸国と比較して高く，中蔓延国とされている．また，結核患者の半数以上が60歳以上である．結核は2類感染症に分類されるため，発生後ただちに最寄りの保健所へ届け出が必要である．

[原因] 排菌者の咳やくしゃみなどによる空気感染である．しかし，結核菌が気道内に吸入されても必ず感染するわけではなく，多くの場合，初感染結核は自然治癒し発病しない．高齢者では免疫能の低下により，休眠していた結核菌が再燃し発病することが多い．

[症状] 咳，痰（血痰や喀血），微熱，盗汗（寝汗），全身倦怠感，体重減少を示すが，無症状のことも多い．

[留意点] 抗結核薬による治療では6～9か月間，継続して正しく服薬する必要がある．また，栄養，休息・睡眠，禁煙・禁酒など生活指導も大切である．

2 慢性閉塞性肺疾患（COPD）

慢性閉塞性肺疾患（chronic obstructive pulmonary disease; COPD）とは，タバコの煙を主とする有害物質を長期に吸入することで生じた肺の炎症疾患である．従来の慢性気管支炎と肺気腫も現在ではCOPDとして一括されている．最大の危険因子はタバコの煙であり，COPD患者の約90％に喫煙歴がある．

[原因] タバコの煙を主とする有害物質を長期に吸入することで生じる．

[症状] 長期にわたる咳，痰が主症状であり，進行すると呼吸困難，倦怠感や体重減少，食欲不振が高頻度に出現する．重症例では樽状胸郭，口すぼめ呼吸，呼気延長を認める．

[留意点] 呼吸困難感は不安を増強させ，うつ状態となることもある．また労作時の息切れや息苦しさから不活発となりやすい．個人の自立度と活動レベルを高めるため，栄養指導，禁煙指導，在宅酸素療法（home oxygen therapy; HOT），薬物療法などを含めた，包括的呼吸リハビリテーションが有効である．作業療法では呼吸パターンとADLの適合，効率的な動作の工夫などにより，活動許容範囲内で楽に日常生活が行えるよう支援する．在宅酸素療法を処方されている場合には，酸素の濃度や機器の取り扱い，火気への注意など，在宅酸素療法機器のリスク管理が必要となる．

3 肺癌

日本における死因の第1位は悪性腫瘍で，そのうち肺癌は男性の死因の第1位，女性も大腸癌に次いで第2位を占めている．肺癌は小細胞癌（15％）と非小細胞癌（85％）に分けられる．非小細胞癌は主に腺癌，扁平上皮癌，大細胞癌からなる．小細胞癌は喫煙との関係が濃厚で，増殖が速く，転移することが多い．

[原因] 喫煙は最も重要な発症要因である．

[症状] 咳，痰，血痰のほか，進展すれば呼吸困難，胸痛，体重減少を認めることが多い．脳に転移すれば頭痛や痙攣が，骨に転移すれば疼痛などの症状が生じる．偶然，胸部X線写真で見つかることが多い．

[留意点] 高齢者では自ら訴えることが少なく，合併疾患も多いと症状が見逃されやすい．また，外科手術や化学療法の実施により，呼吸機能の低下や廃用症候群がおこりやすい．

4 気管支喘息

気管支喘息は，気道閉塞と気道の慢性炎症により，喘鳴（ぜいぜい，ひゅうひゅうという呼吸音），

呼吸困難など気道閉塞による症状を特徴とする．
[原因] アレルギー，感染，心理的要因，遺伝的要因など種々の要因により生じる．
[症状] 主症状は発作性の呼吸困難，喘鳴，咳，痰である．特に夜間や早朝にかけて多く，季節の変わり目にも多い．喫煙は増悪因子であり，そのほかに発作の原因物質，冷気，急激な運動も誘因となる．
[留意点] 発作は治療により，あるいは自然に寛解する．発作寛解後は再発しやすい．発作の誘因となるものとの接触を避けるなど，発作予防が重要である．

5 間質性肺炎（肺線維症）

　間質性肺炎は，肺間質（肺胞壁や肺胞を取り囲んで支持している組織）の炎症により，線維性変化を伴う疾患である．肺線維症は間質性肺炎の終末像で，肺が縮小した状態である．
[原因] 原因不明のものを突発性間質性肺炎という．膠原病（関節リウマチ，多発性筋炎・皮膚筋炎，全身性強皮症など），粉塵，薬剤，放射線，ウイルスなども原因となる．
[症状] 乾性咳嗽（痰を伴わない空咳），息切れや呼吸困難が主な症状である．
[留意点] 風邪などの感染を契機に，急激に病状が悪化することがあり，注意が必要である．

6 作業療法実施における留意点

　呼吸器疾患も循環器疾患と同様，リスク管理は重要である．脈拍や動脈血酸素飽和度（SpO_2）などのバイタルサインの変化に注意し，酸素吸入中であれば，酸素療法の種類と流量の確認をする．高齢者は息苦しさの自覚症状がなくても，SpO_2が低下している場合もあることを忘れてはならない．また，リハビリテーションの中止基準も熟知しておく．
　呼吸困難感は活動性を低下させる．そのため，ADL場面における息切れや呼吸困難を伴いやすい動作，姿勢，環境などの評価は重要となる．呼気に合わせて動作を開始する，動作をゆっくり行う，呼吸困難が強くなる前に休憩をとるといったADL動作の指導など，ADL・QOL向上への介入は作業療法士が積極的に行う．

C 神経疾患

1 脳血管障害（CVD）

　脳血管障害（cerebrovascular disease；CVD）は，脳出血，脳梗塞，くも膜下出血の3つに分類される．脳梗塞はさらに脳血栓と脳塞栓に分けられる．また，脳梗塞の前駆症状として一過性脳虚血発作（TIA）がある．病巣の位置と広がりにより症状は異なるが，意識障害，運動麻痺，感覚障害，高次脳機能障害などが突然おこる．現在，癌，心疾患，老衰に次いで第4位を占める主要死因の1つで，高血圧，糖尿病，脂質異常症，心房細動，喫煙，過度の飲酒など，生活習慣と関連するものが多い．

(1) 脳出血
　脳実質内に出血がおこったもので，高血圧症を基盤として発症する高血圧性脳出血が多い．好発部位は被殻，視床，皮質下，小脳，脳幹である．部位や出血量によるが，運動麻痺などの神経症状や意識障害が突然出現し，急速に進行・完成する．

(2) 脳梗塞
　脳血管の閉塞に伴う脳組織の壊死によりおこる．動脈硬化により脳血管に血栓が形成され，詰まらせたものが脳血栓症であり，血栓が心臓など脳以外から血流を介して運ばれ，脳の血管を詰まらせたものが脳塞栓症である．脳血栓症は夜間に発症することが多く，数日かけて悪化し症状が完成する場合もある．意識障害は比較的軽く，神経症状が前景に立つ．脳塞栓症は急激かつ重症のこ

▶表1 神経変性疾患の分類

錐体外路症状	パーキンソン病，多系統萎縮症，進行性核上性麻痺，大脳皮質基底核変性症
小脳の症状	脊髄小脳変性症，運動失調
運動神経の症状	筋萎縮性側索硬化症
大脳の症状	アルツハイマー病，レビー小体型認知症

〔宮越浩一（編）：改訂第2版 高齢者リハビリテーション実践マニュアル．p56，メジカルビュー社，2022より改変〕

とが多く，意識障害，失語，共同偏視などの症候を伴うことが多い．

(3) くも膜下出血

くも膜下腔内に出血がおこる．原因の多くは脳動脈瘤の破裂であり，そのほかに脳動静脈奇形などが原因となる．突然発症する激しい頭痛と意識障害，髄膜刺激症状として項部硬直（頭頸部を他動的に前屈させると抵抗がある）が特徴的である．

(4) 一過性脳虚血発作
　　　（transient ischemic attack；TIA）

脳虚血状態による脳局所症状が一過性に生じるが，24時間以内（通常15分以内）に回復するものをいう．TIA発症後，放置すれば脳梗塞を発症する危険性が高いことから，脳梗塞の前駆症状として重要視されている．

[留意点] 高齢者では加齢に伴う変化や複数の疾患の併発があり，廃用症候群をおこしやすく，運動障害やADL低下は遷延化しやすい．発症直後からの早期リハビリテーションが行われるが，身体面・精神面で不安定な状態にあるため，注意や配慮が必要である．

2 神経変性疾患

神経変性疾患とは，ある系統の神経細胞群が脱落していく疾患であり，その病態メカニズムが解明されていないものも多い．表1に神経変性疾患の分類を示すが，ここではパーキンソン病を取り上げる．

■パーキンソン病（PD）

パーキンソン病（Parkinson's disease；PD）は慢性進行性の神経変性疾患である．発症年齢は10～80歳代までと幅広いが，中年以降の発症が多く，高齢化に伴い発症率，有病率は増加している．

[症状] 静止時振戦，筋固縮，寡動・無動，姿勢反射障害の4大徴候が特徴である．

(1) 静止時振戦

安静時振戦が特徴的で，特に手指で著明に出現し，一側性に始まることが多い．1秒間に5回前後の拇指と示指や中指をすり合わせるような反復運動（丸薬丸め運動）や下肢に出現する．

(2) 筋固縮

四肢の関節を他動的に動かしたときに感じる抵抗であり，筋緊張の亢進状態を反映する現象である．ガクガクとした断続的抵抗は歯車様固縮といい，パーキンソン病の特徴である．鉛管を曲げるような一定した持続的抵抗は鉛管様固縮といい，下肢にみられやすい．

(3) 寡動・無動

動作の開始が遅く動作緩慢な現象を寡動といい，進行すると無動となる．表情が乏しくなる仮面様顔貌，小声で抑揚がなく早口の構音障害，嚥下障害，書いた文字が徐々に小さくなる小字症，歩行時の手の振りが少なくなったり，歩行開始の1歩目が踏み出せなくなったりするすくみ足や小刻み歩行などが特徴的な症状である．

(4) 姿勢反射障害

立位姿勢は，頸部はやや伸展，上半身はやや前屈，肘や膝はやや屈曲であることが多い．姿勢の保持が困難となり，外力が加わると姿勢を立て直せなくなる．歩き始めると加速歩行となり，軽く押されただけで突進する症状（突進現象）がみられる．

上記のほかに，便秘や起立性低血圧などの自律神経症状，抑うつ，自発性低下，認知症といった精神症状などもみられる．

[留意点] レボドパ（L-dopa）の投与が長期になると，薬効時間の短縮や服薬に関係なく急激な症状

変動が出現し，ADL や QOL に大きな影響を与えるため，1日の生活リズムを考慮した対策が必要である．

3 作業療法実施における留意点

高齢者は発症前からの機能低下があることも少なくない．病前の生活状況などを本人や家族に聞いておく必要がある．

また，神経変性疾患は緩徐進行的に悪化する．そのため長期的な視点をもちながら，特徴的な病態を把握したうえで，障害の重症度に応じた介入が必要となる．

D 運動器（骨・骨格筋）疾患

1 骨粗鬆症

骨粗鬆症とは，骨量の減少と骨質の劣化により骨折のリスクが高まった状態をいう．合併症として最も重要なのが骨折であり，胸腰椎圧迫骨折，橈骨遠位端骨折，大腿骨近位部骨折の発症頻度が高い．

[分類・原因] 骨粗鬆症は骨量減少に関連する因子によって，原発性骨粗鬆症と続発性骨粗鬆症に分けられる．前者は加齢，閉経後の骨量減少によって発症し，後者は内分泌疾患や消化器疾患など，さまざまな疾患に合併する骨代謝異常や不動による骨への力学的負荷の減少によって発症する．

[症状] 慢性の腰背部痛，円背や側彎といった姿勢の異常，身長短縮などが生じる．転倒や軽度の外力でも骨折しやすい．

[留意点] 骨折予防のためには骨自体の強度のみならず，関節可動域や筋力など運動機能の維持・増強や転倒防止のため環境整備が高齢者には重要となる．

2 変形性関節症（OA）

変形性関節症（osteoarthritis; OA）とは，関節軟骨の変性・摩耗と，それに伴う軟骨および骨の増殖性変化をきたす疾患である．関節の変形によって運動制限と疼痛が増強され，関節拘縮をきたす．身体のほとんどの関節で変形はおこるが，最も頻度が高いのは膝関節であり，次いで股関節，手指に生じやすい．

[症状] 動作開始時の痛みや安静で軽減する疼痛，関節可動域制限や軋轢音（あつれきおん），局所の熱感や腫脹などがあげられる．

（1）変形性膝関節症

変形性関節症のなかで最も多く，加齢，肥満などが増悪因子である．主症状は膝の運動痛であり，関節の可動域制限が生じる．日本人では内反変形が多く，膝内側の疼痛とO脚変形が認められる．生活上では杖の使用や正座を控えるなど，膝への負担がかかる動作には注意が必要である．

（2）変形性股関節症

変形性股関節症の多くは，臼蓋形成不全などの原疾患に続発する二次性のものとされている．主な症状は歩行時や荷重時の疼痛であり，末梢や体幹への放散痛もしばしば認められる．進行すると跛行（はこう）や安静時痛も生じる．股関節周囲の可動域の減少や筋力低下により，日常生活に支障をきたす．生活上では，免荷が重要であり，杖の使用や長時間の歩行，立ち座りの繰り返し動作を避け，洋式の生活にするなど，股関節への負担の軽減が必要である．

（3）変形性脊椎症

変形性脊椎症では，椎間板と椎間関節の軟骨の変性がおこる．主な症状は疼痛であり，進行すると脊椎の可動域制限や神経症状を引きおこす．脊椎の変性は頸椎や腰椎に生じやすい．生活上では，中腰での作業を避け，硬めのベッドをすすめるなど椎間板と関節軟骨への負担の軽減が必要である．コルセットの使用も有効であるが，長期間

の装着による体幹の筋力低下に注意する．寛解期には腹筋の強化が必要となる．
[留意点] 肥満との関連が大きいため，減量指導は必須である．薬物療法により炎症や疼痛を軽減させながら，運動療法が行われる．

3 関節リウマチ(RA)

関節リウマチ(rheumatoid arthritis; RA)は，全身の複数の関節が左右対称性に侵される多発性関節炎である．はじめは滑膜炎であるが，軽快と増悪を繰り返し，軟骨や骨が破壊され，進行すると関節の変形と機能障害を引きおこす．好発年齢は40～50歳代で，女性に多い．60歳以上で発症する高齢発症リウマチも増加してきている．
[原因] 炎症をおこす原因はいまだ明らかではないが，自己免疫疾患であるといわれている．
[症状] 初期症状は朝のこわばり(起床時に手指の屈伸が困難)である．関節に疼痛，腫脹，発赤，熱感が生じ，指関節に始まり全身関節にみられる．進行すると関節の不安定性が出現したり，逆に関節の拘縮が生じたりする．発生しやすい関節の拘縮や変形は表2のとおりである．
[留意点] 痛みの強いときは，自分で痛みをコントロールしながらの適度な関節運動を行う．日常生活では適度に休憩をはさみながら，関節に負担のかからない方法で行うなど注意が必要である．また，変形防止のためのスプリントや装具，自助具の使用なども必要となる．

4 後縦靱帯骨化症(OPLL)

後縦靱帯は椎体と椎間板の後面に沿い，脊柱管の前壁を縦走する靱帯である．この靱帯が肥厚，骨化し，緩徐に脊髄を圧迫して脊髄障害を呈するものが後縦靱帯骨化症(ossification of posterior longitudinal ligament; OPLL)である．原因不明で，欧米人に比べアジア人に多く，中年以降の男性に多く発症する．

▶表2 関節リウマチ(RA)で発生しやすい関節の拘縮や変形

関節・部位	拘縮・変形
顎関節	拘縮による開口制限
頸椎，環軸関節	脱臼
肩関節	上方亜脱臼，拘縮
肘関節	掌側への亜脱臼
手関節	尺側への亜脱臼，手関節強直
中手指節関節 (MP関節)	尺側偏位変形，掌側への亜脱臼
指節関節 (IP関節)	スワンネック変形，ボタン穴変形，動揺関節，伸筋腱断裂
股関節	屈曲拘縮，大腿骨頭壊死
膝関節	動揺関節，屈曲拘縮，脛骨後方亜脱臼
足関節	骨破壊
中足部	足根骨破壊，扁平足，足関節強直
前足部	外反母趾，槌指，腓側偏位

[症状] 頸椎に好発し，初期では頸部痛，肩こりや頸椎可動域が減少する．脊髄の圧迫により，上肢のしびれ，手指の巧緻性低下，下肢の痙性麻痺による歩行障害などが出現する．
[留意点] 頸椎の安静を保持するため頸椎牽引やカラー装着が行われる．転倒などの外傷をきっかけに重篤な脊髄症状が発現することがあり，注意が必要である．

5 作業療法実施における留意点

運動器疾患はADLの低下をきたすことが多いため，予防的な介入のほか，住環境や介護力など環境因子に関する情報収集が重要となる．また，体幹装具などを使用している場合には，着用する時間の確認，着脱方法や皮膚の観察事項など正しく理解する必要がある．しかし，高齢者は装具管理が不十分な場合もあり，介護者への指導も並行して行う．

E 内分泌代謝疾患

1 糖尿病(DM)

糖尿病(diabetes mellitus; DM)は、膵臓から分泌されるインスリン作用の不足により、慢性の高血糖をきたす疾患である。合併症には急性合併症と慢性合併症があり、慢性合併症は大血管障害と細小血管障害に分けられる。細小血管障害の糖尿病性網膜症、糖尿病性腎症、糖尿病性神経障害症は3大合併症といわれ、失明、腎不全、下肢の壊疽など、重篤な結果をもたらすこともある。

[原因] 遺伝因子と、肥満、運動不足、ストレス、感染などの環境因子が大きな影響を及ぼす。1型糖尿病(インスリン依存型)は膵β細胞の破壊によるものである。2型糖尿病(インスリン非依存型)は成人発症の90%以上を占め、高齢者はこのタイプが多い。

[症状] 口渇、多飲、多尿、体重減少が特有の症状であるが、多くの軽症例では自覚症状がない。高齢者では症状が出にくく、高血糖や低血糖を見過ごしやすく、重症化しやすい。

[留意点] 食事療法、運動療法、薬物療法により血糖を適正にコントロールすれば、合併症を予防することができる。高齢者の血糖コントロールは、低血糖の危険性を重視し、個人の状況に応じ緩やかに設定されている。

2 脂質異常症

脂質異常症は高脂血症と同義で、血液中の脂質濃度が異常値となる疾患である。血中のLDLコレステロールや中性脂肪の高値だけでなく、HDLコレステロールの低値も脂質異常症とされる。LDLコレステロールが高く、HDLコレステロールが低いほど動脈硬化のリスクが上昇する。

[原因] 大部分は生活習慣や治療可能な病態によっておこり、一部は遺伝性である。食事による脂質の過剰摂取、エネルギーの過剰摂取のほか、脂質代謝異常、ほかの疾患からの続発など、さまざまな要因で生じる。

[症状] 脂質異常症そのものは無症状であるが、動脈硬化により狭心症、心筋梗塞、閉塞性動脈硬化症、脳梗塞などを合併する。

[留意点] 治療は食事療法、肥満解消や運動の励行など生活習慣の改善が基本となる。高齢者では厳しい食事療法は栄養状態の悪化を、運動療法は運動器疾患をまねく可能性があるため、注意が必要である。

3 甲状腺疾患

a 甲状腺機能亢進症

甲状腺機能亢進症は、種々の病因により甲状腺ホルモンが過剰産生され、全身の代謝亢進状態が生じた病態である。病因の多くはバセドウ(Basedow)病であり、女性に多く発症する。特徴的症状である、甲状腺の腫大(甲状腺腫)、眼球突出、頻脈をメルゼブルグ(Merseburg)の3主徴といい、心房細動を合併しやすい。

[症状] 頻脈、体重減少、手指振戦、発汗過多、精神的ないらだちなど多彩な症状を呈する。

[留意点] 高齢者では、甲状腺腫や眼球突出が明らかでないことが多く、また食欲低下、うつ状態、無気力、無表情が前面に出る場合も多い。
不整脈の合併も多く、加齢に伴う心機能の低下がある場合には心不全をおこしやすい。

b 甲状腺機能低下症

甲状腺機能低下症は、種々の病因により甲状腺ホルモンの産生または作用の低下により生じる病態である。甲状腺自体に異常がある原発性と、それより高位の下垂体、視床下部に異常がある中枢性に分類される。原発性の大部分は慢性甲状腺炎(橋本病)で女性、高齢に多い。

[症状] 皮膚の変化が特徴的で、乾燥し、蒼白で、

指で押しても圧痕を残さない浮腫が生じる．その他，無気力，易疲労感，寒気，動作緩慢，記憶力低下，便秘，嗄声（声の音質の異常で，声のかれ，かすれ）などの症状がある．

[留意点] 生じる症状が高齢者の加齢に伴う変化や不定愁訴に似ており，認知症やうつ病と誤認されやすい．症状の変化を日ごろから気にとめ，甲状腺機能低下症の可能性がないか疑うことも早期発見につながる．

4 作業療法実施における留意点

糖尿病や脂質異常症を併存疾患に有する高齢者は多い．また高血圧，頻脈，浮腫の症状や不眠，抑うつ，意欲低下といったリハビリテーションの阻害因子となる症状が，内分泌代謝疾患により引きおこされていることもある．代謝系や内分泌系の仕組みを理解することは，リスク管理のために重要となる．

F 精神疾患

高齢者の健康や生活に影響を及ぼす精神疾患には，うつ（depression），せん妄（delirium），認知症（dementia）があり，3Dといわれている．認知症については，I章8「認知症」（→66ページ）で詳しく説明する．

1 せん妄

せん妄は軽度から中等度の意識混濁に，幻覚，興奮などの精神症状を呈する特殊な意識障害である．特定の原因疾患のみで発生するのではなく，大脳辺縁系の過剰興奮と中脳・視床・皮質系の活動低下が脳内でおこっていると考えられている．また，症状から認知症やうつ病と間違えられることも多く注意が必要である（▶表3）．

[症状] 落ち着きのなさ，徘徊，興奮，幻覚，不

▶表3 せん妄と認知症の鑑別

	せん妄	認知症
発症	急性発症	緩徐な発症
基本症状	意識障害，注意障害，幻視，興奮	記憶障害，認知障害
持続時間	数日～数週間	永続的
経過	変動する	緩徐に進行する
日内変動	あり（夜間に増悪）	なし
睡眠障害	あり（昼夜逆転）	まれ
環境の影響	多い	まれ

眠や夜間覚醒，注意障害，記憶障害，見当識障害など，多彩な症状を呈する．症状は数時間から数日のうちに比較的急性に発症し，特に夜間に増悪するといった日内変動がみられる．

また，せん妄は不安定な状態や活動性の増加と制御喪失を生じる過活動型，不活発さや傾眠を主体とする低活動型，過活動型と低活動型の両方の症状が現れる混合型に分類される．

[留意点] 高齢者はせん妄を発症することが多く，さらに難治性となることも多いため，早期発見とせん妄を引きおこす誘因を取り除くことが重要である．

2 老年期うつ病

老年期うつ病の発症には，家族や友人との死別，経済力や社会的地位の喪失といった喪失体験，対人葛藤，身体疾患など身体的・心理的・社会的要因が大きく影響し，単独あるいは重なり合って発症の契機となる．また，凝り性，几帳面，完璧主義などといった性格傾向も原因の1つといわれている．

[症状] 高齢者の特徴として，頭痛，肩こり，めまい，易疲労感，不眠のほか，食欲低下，胃部不快感，便秘，下痢といった消化器症状といった身体症状を強く訴えることがある．

身体症状が強く出現し，気分の落ち込みなど感

▶表4　うつ病と認知症の鑑別

	うつ病	認知症
発症	比較的急性的に発症	緩徐な発症
基本症状	抑うつ症状，心気的症状	記憶障害，認知障害
経過	やや長い経過をたどる	緩徐に進行する
日内変動	あり（朝方に強く，夕方に軽快）	なし
病識	あり	なし
睡眠障害	あり（早朝覚醒や過眠）	まれ
典型的な妄想	心気妄想	物とられ妄想
質問への応答	遅延や「わからない」という	会話のテンポは保たれるが，つじつま合わせや取り繕いがみられる
日常生活	何もできないと訴えるが，自分でできることも多い	日常生活に支障をきたし，しばしば介助を要する

情面の抑うつ症状が目立たないものを仮面うつ病という．また，活動性が低下，思考や行動の制止，記憶力など知的機能の低下が前面に出現し，認知症に似た症状を呈するものを仮性認知症という．認知症の初期においても，抑うつ感が出現することが多く注意が必要である（▶表4）．

[留意点]　怠けや気持ちのもちようではなく，病気であること，心身の休養が必要であることを本人や周囲が理解する必要がある．また，励ましはかえって焦りが強くなるため，善意からであっても叱咤激励は避ける．

希死念慮を見逃さないよう，予防策を講じる必要がある．

3 作業療法実施における留意点

高齢者の精神疾患には，老年期神経症や老年期パーソナリティ障害のほか，若くして精神障害を発症し高齢期まで持続するものもある．精神疾患をもっていようといまいと，他の高齢者と同様に，今，困っていることや不自由さを軽減する対応が必要となる．

G 皮膚疾患

1 瘙痒のある疾患

高齢者の皮膚は，発汗や皮脂分泌能の低下により水分量が減少し，乾燥しやすく，痒みを感じやすくなる．

老人性乾皮症は皮膚の乾燥が原因でおこり，脂腺の発達が悪い腰部，四肢に多く認められる．痒みは入浴後や就寝時に強い．石鹸の過度の使用や熱い風呂への長時間入浴は，乾燥を増悪させる．湿度が低下する冬季に多い．

皮膚に発疹がなく，痒みだけを訴える場合を皮膚瘙痒症という．痒みが全身にわたる汎発性皮膚瘙痒症，陰部や肛門にみられる限局性皮膚瘙痒症に分けられる．

2 感染性皮膚疾患

おむつ使用時など湿潤，不潔になりやすい部分に発生しやすい皮膚カンジダ症，水痘・帯状疱疹ウイルスの再活性により生じる帯状疱疹，ヒゼンダニの皮膚寄生による疥癬などがある．

特に疥癬は集団発生する場合があるので注意を要する．直接感染だけでなく，衣類や寝具からの間接感染もあり，消毒が必要となる．

3 作業療法実施における留意点

作業療法士は皮膚疾患に対し積極的にかかわることは少ないが，高齢者の皮膚にはさまざまな疾患が生じる．そのため，清潔保持，外用薬の塗布，衣服の素材，室温管理など，皮膚病変に配慮した生活の工夫に作業療法士の視点は役に立つ．皮膚

疾患に関する知識や基本的な対応方法を理解しておく．

H 眼疾患

眼の加齢変化は40歳前後から自覚されるようになる．眼の老化は生活を不便にし，QOLを低下させる．

1 加齢性白内障

白内障とは，カメラのレンズに相当する透明な水晶体が混濁し視力低下をきたす疾患である．60歳以上で原因を特定できない水晶体の混濁を加齢性白内障という．50歳代で60％，80歳代では大部分の人が罹患する．

水晶体の混濁により外から入ってきた光が散乱し，物がかすんで見えたり，明るいところでまぶしく感じたりする，物が二重に見える，視力が変わりやすく不安定などの症状が出現する．

2 緑内障

緑内障は，眼圧の上昇や視神経の脆弱性などにより視神経が障害され，それに対応した視野障害をきたす疾患である．40歳以上の有病率は5.0％で，日本における中途失明原因の1位となっている．眼圧が正常範囲であっても緑内障を発症する正常眼圧緑内障が大半を占める．

主な症状は視神経障害による視力・視野障害で，慢性的に進行し初期は自覚症状に乏しい．そのため，視野異常が進行した末期になって受診し診断されることが多い．急激な眼圧上昇をきたし，眼痛，頭痛，嘔吐など訴える急性緑内障発作をおこす病型もある．

3 糖尿病性網膜症

糖尿病性網膜症は，糖尿病の代表的な合併症の1つであり，網膜毛細血管の障害により視力低下や失明を引きおこす．血糖コントロールが不良であったり，糖尿病罹患期間が長かったりすれば発症リスクは高くなる．現在，糖尿病性網膜症は中途失明原因の2位となっている．

4 作業療法実施における留意点

老化に伴う視力低下は誰にでもおこる．ADLやQOLの向上，転倒などのリスク軽減のため，照明を含む住環境の調整が必要となる．

●引用文献
1) 日本高血圧学会高血圧治療ガイドライン作成委員会（編）：高血圧ガイドライン2019. p18, ライフサイエンス出版, 2019
2) 日本リハビリテーション医学会リハビリテーション医療における安全管理・推進のためのガイドライン策定委員会（編）：リハビリテーション医療における安全管理・推進のためのガイドライン第2版. pp23–31, 診断と治療社, 2018

●参考文献
3) 医療情報科学研究所(編)：病気がみえる Vol.12 眼科. p178, メディックメディア, 2019
4) 楽木宏実, 他：高齢者高血圧診療ガイドライン2017. 日老医誌 54:236–298, 2017
5) 日本循環器学会/日本心不全学会合同ガイドライン：急性・慢性心不全診療ガイドライン（2017年改訂版）. 2018
https://www.j-circ.or.jp/cms/wp-content/uploads/2017/06/JCS2017_tsutsui_h.pdf
6) 厚生労働省：令和3年（2021）人口動態統計（確定数）の概況. 2022
https://www.mhlw.go.jp/toukei/saikin/hw/jinkou/kakutei21/index.html
7) 医療情報科学研究所(編)：病気がみえる vol.2 循環器. 第5版, メディックメディア, 2021
8) 医療情報科学研究所(編)：病気がみえる vol.7 脳・神経. 第2版, メディックメディア, 2017
9) 大内尉義(編)：標準理学療法学・作業療法学 専門基礎分野 老年学. 第5版, 医学書院, 2021
10) 浅野嘉延(編)：なるほどなっとく！内科学. 改訂3版, 南山堂, 2023

8 認知症

A 認知症とは

1 認知症の定義

　認知症とは，一度正常に発達した認知機能が後天的な脳の器質的疾患または障害により持続的に低下し，日常生活や社会生活に支障をきたした状態であり，疾患そのものではない．わが国では過去に，「痴呆症」という表現が使われていたが，否定的な意味合いが強いことから2004年より「認知症」を行政用語として用いている．しかし，いまだに認知症という言葉には否定的なイメージをいだいている人が多いのが現実である．

　介護保険法（第五条の二）では，認知症を「アルツハイマー病その他の神経変性疾患，脳血管疾患その他の疾患により日常生活に支障が生じる程度にまで認知機能が低下した状態」と定義している．つまり，なんらかの原因で認知機能が低下したことで，今までの社会生活が自立できない状態であり，「生活障害」ともとらえることができる．

2 認知症の診断基準

　2023年に発行された米国精神医学会による「精神疾患の診断・統計マニュアル第5版（Diagnostic and Statistical Manual of Mental Disorders, Fifth Edition; DSM-5-TR）」[1]では，いわゆる認知症を指す言葉が major neurocognitive disorder という表現になった．DSM-5-TR における認知症の診断基準は表1のとおりで，今までの社会生活の自立が阻害されるまでに認知機能が低下した状態を指している．この major neurocognitive disorder は，病因に外傷性脳損傷やHIV感染など若年発症のいわゆる高次脳機能障害も含むため，従来の高齢発症の認知症（dementia）よりも，少し広い概念である．

　また，DSM-5-TR や国際疾病分類第11版（International Classification of Diseases 11th Revision; ICD-11），介護保険法の改正後における

▶表1　DSM-5-TR における認知症の診断基準

診断基準の概要（以下 A～D を満たす）	
A	1つ以上の認知領域（複雑性注意，実行機能，学習および記憶，言語，知覚−運動，社会的認知）において，以前の行為水準から有意な認知の低下があるという証拠が以下に基づいている． 1）本人，本人をよく知る情報提供者，または臨床家による，有意な認知機能の低下があったという懸念，および 2）標準化された神経心理学的検査によって，それがなければ他の定量化された臨床的評価によって記録された，実質的な認知行為の障害
B	毎日の活動において，認知欠損が自立を阻害する（すなわち，最低限，請求書を支払う，内服薬を管理するなどの，複雑な手段的日常生活動作に援助を必要とする）．
C	その認知欠損は，せん妄の状況でのみ起こるものではない．
D	その認知欠損は，他の精神疾患によってうまく説明されない（例：うつ病，統合失調症）．
病因による下位分類：アルツハイマー病，前頭側頭葉変性症，レビー小体病，血管性疾患，外傷性脳損傷，物質・医薬品の使用，HIV感染，プリオン病，パーキンソン病，ハンチントン病，他の医学的状態，複数の病因，特定不能の病因	

〔American Psychiatric Association（原著），日本精神神経学会（日本語版用語監修），髙橋三郎，大野　裕（監訳）：DSM-5-TR 精神疾患の診断・統計マニュアル．pp659–661，医学書院，2023 より作成〕

認知症の定義では，いずれも「記憶障害」が必須ではなくなった点が共通している．これは，アルツハイマー(Alzheimer)型認知症に限らず，レビー(Lewy)小体型認知症や前頭側頭型認知症など，必ずしも記憶障害が初発症状とは限らない認知症も明らかになってきた背景がある．

さまざまな認知機能の低下で生活障害が生じるという定義の変遷は，身体機能に限らず精神心理機能と生活行為との関連を評価し，具体的支援を提供する作業療法士にとって，より理解しやすいものになった．

3 認知症の疫学

2024年に厚生労働省の研究班が発表した推計（認知症及び軽度認知障害の有病率調査並びに将来推計に関する研究）では，2025年には認知症者数が約472万人に達し，65歳以上の約13％が認知症となる見込みである．また最近の研究では，2045年には東京都を除く全道府県で，65歳以上高齢者の認知症有病率が25％を超え，12の県で30％を超えることが予測されている[2]．世界保健機関WHOの報告書 Global Health Estimates (GHE)[3] では，2019年の全世界の死因第7位が「アルツハイマー病およびその他の認知症」で，増加の一途をたどっている．

2024年の全国の中学生数は過去最少の約314万人（文部科学省：令和6年度学校基本調査速報値）であることを考えると，推計472万人という数字がいかに身近であるかがわかる．認知症は，もはや医療だけの問題ではなく，社会全体における課題である．

4 認知症と区別すべき病態

DSM-5-TRをはじめとした認知症の診断基準では，認知機能の低下がせん妄によるものではないこと，統合失調症やうつなどの精神疾患ではないことが明記されている〔第Ⅰ章7F「精神疾患」（→63ページ）参照〕．特に，うつ病は記憶障害を認めるため認知症のようにみえる（仮性認知症）場合があるが，「老年期うつの検査-15-日本版」（GDS-15-J）などのスクリーニング検査や睡眠状況，抑うつ的な訴えの聴取などから把握が可能である．一方で，うつ病は認知症発症のリスクと関連が高く[4]，アルツハイマー型認知症やレビー小体型認知症の初期では約1/3にうつ症状を認めるとの報告[5]もある．つまり，認知症とうつ病は異なるものだが，複雑に関連している．

せん妄は，急激に生じて変動する精神神経症状を呈する病態であり，通常は短期間で変動する注意や意識の変化と，記憶や見当識の低下などの認知機能障害を伴う．せん妄は，薬物や環境などさまざまな要因で誘発されるため，適切な医療が必要であり，近年では予防の重要性も指摘されている．一方で，認知症高齢者はせん妄になりやすく，特に入院加療中は認知症とせん妄が混在している場合があるため，入院前の情報なども併せて評価する必要がある．

5 軽度認知障害と認知症

軽度認知障害（mild cognitive impairment; MCI）は，認知症の前段階で，以前の水準と比べると軽度の認知機能の低下を認めるものの，手段的日常生活活動（instrumental activities of daily living; IADL）などの複雑な生活動作も代償手段や工夫でなんとか実施できる状態，つまり生活自体は自立した状態を指す．DSM-5-TRでは認知症である major neurocognitive disorder に対し，mild neurocognitive disorder という言葉で軽度認知障害を表現している．

作業療法士としては，図1のような連続したイメージでとらえることが重要である．アルツハイマー病を例にとらえれば，認知症を発症する20～30年前から，アミロイドβ異常蓄積などの病理的変化が生じ（図1の緑色部分），徐々に神経原線維変化といった病理所見とともに，神経細胞の脱落

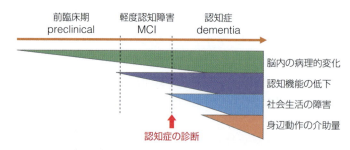

▶図1　認知症に移行するまでのイメージ
アルツハイマー病やレビー小体病などの代表的な神経変性疾患において，原疾患の発症から認知症の状態に移行するまでの過程を表している．病理的変化の進行で認知機能が徐々に低下すると軽度認知障害となり，さらに認知機能が低下して日常生活に支障をきたすと認知症となる．
〔山口智晴：認知機能の低下と認知症予防. Medical Rehabilitation 206：17-23, 2017 より改変〕

が生じれば認知機能が低下し，MCI となる（図1の紫色部分）．認知機能の低下が進行し，今まで自立していた社会生活が自立できなくなると，ある時点で医学的に「認知症」と診断され（図1の青色部分），進行とともに徐々にセルフケアなどの ADL も介助が必要になる（図1の橙色部分）．つまり，本人とすればある日突然に認知症になり，認知症の対応が必要になるのではない．作業療法士として，進行とともに生活行為の遂行において支障が増えていくといった連続した視点が重要である．

B　認知症の分類と治療

1　認知症の原因と分類

　認知症は，脳の疾患や病態による1つの症候群で疾患そのものではない．たとえば，アルツハイマー病により海馬や連合野の神経細胞が脱落し，記憶障害や見当識障害を中心とした認知機能が低下すると，服薬の管理や買い物などが難しくなり日常生活の自立に支障をきたす．この場合は，アルツハイマー型認知症となる．
　認知症となる原因には，神経変性疾患や血管性疾患，正常圧水頭症，内分泌機能異常症，欠乏性疾患などがあり（▶表2），分類の方法によっては数十種類ある．認知症の原因疾患を知ることは，具体的な治療の第一歩であり，そのために専門医による鑑別診断が重要になる．ただし，生身の人間はこのように学術的な区分で明確に分けられない場合もあり，アルツハイマー病変に脳血管病変も加わり，混合型として複雑な症状を示すこともある．

▶表2　認知症の原因となる主な疾患（代表的な一例）

疾患群	主な疾病名
神経変性疾患	●アルツハイマー病 ●レビー小体病 ●前頭側頭葉変性症 ●大脳皮質基底核変性症 ●進行性核上性麻痺 ●嗜銀顆粒性認知症
脳血管性疾患	●多発梗塞性認知症 ●小血管病変性認知症 　（多発ラクナ梗塞性認知症やビンスワンガー病） ●慢性硬膜下血腫
正常圧水頭症	●特発性正常圧水頭症
内分泌機能異常症	●甲状腺機能低下症 ●下垂体機能低下症
欠乏性疾患	●ビタミン B_1 欠乏症 ●ビタミン B_{12} 欠乏症など

▶表3 抗認知症薬の種類と作用機序など

抗認知症薬	商品名	作用機序	副作用
ドネペジル塩酸塩	アリセプト®	ChEI：コリンエステラーゼ阻害薬	悪心，嘔吐，下痢
ガランタミン臭化水素酸塩	レミニール®		悪心，嘔吐
リバスチグミン	イクセロン® パッチ リバスタッチ® パッチ		皮膚症状
メマンチン塩酸塩	メマリー®	NMDA 受容体拮抗薬	めまい，傾眠，頭痛，便秘

2 年齢による分類

65歳未満で発症した認知症の総称を若年性認知症という．認知症を発症する年齢によって区分する概念で，原因疾患は含まれない．その背景には，若年性認知症では就労や社会生活の困難さから，経済的に困窮している場合が多く，家族の生活に与える影響も多いことがある．

わが国の若年性認知症有病率は18〜64歳人口10万人あたり50.9人（全国で約3.57万人）と推計され，約6割が発症時点で就労していたがその大半が退職を余儀なくされ，半数以上が世帯収入の減少を感じ，約1割が生活保護となっていた[6]．たとえば，働き盛りの50歳代男性の事例で考えると，妻は生活費や子の学費のために働こうとするも，夫の介護だけでなく80代の親の介護が加わり十分に働けず，経済的に疲弊する．また，年ごろの子が認知症の父の言動に困惑し，認知症になった本人も周囲との関係性や父としての役割の変化に悩み，家族全体が疲弊していく姿が思い浮かぶ．

この例から，若年発症と高齢発症では，必要な支援が異なることはわかるであろう．そのため，若年性認知症支援コーディネーターや若年性認知症コールセンターなど，若年性認知症に特化した支援も整備されつつある．

3 病型の割合

わが国における過去の調査では，認知症全体に占めるアルツハイマー型認知症の割合が約68%，次いで血管性認知症が約20%，レビー小体型認知症が約5%と続き，アルツハイマー型認知症が最多であった[7]．若年性認知症を対象とした全国調査では，2018年時点でアルツハイマー型認知症が53%，血管性認知症が17%，前頭側頭型認知症が9%，頭部外傷による認知症4%，レビー小体型認知症4%の順に多いとされた[6]．

4 薬物療法

わが国でアルツハイマー型認知症の保険適用となっている抗認知症薬には，大きく分けてコリンエステラーゼ阻害薬とNMDA受容体拮抗薬がある（▶表3）．また，薬剤の形状も通常の錠剤だけでなく，飲みやすい口腔内崩壊錠や内服ゼリー，貼付剤（粘着型のパッチ）など複数種類ある．これらは主に進行の遅延と症状の緩和が期待されているが，アルツハイマー病の原因そのものに対する治療薬ではない．また，高齢者では副作用の報告や効果が限定的との指摘もあり，フランスでは2018年から4つの抗認知症薬が保険適用外となっている．

C 認知症の症状

1 認知機能障害

認知症の中核的な症状としては認知機能の低下がある．DSM-5-TRでは，次に示す6つの認知領域のいずれか1領域以上の低下による生活障害を認知症の基準としている．

6つの認知領域とは，
①複雑性注意（持続性注意や分配性注意，選択性注意などの注意機能全般）
②実行機能（ワーキングメモリや計画性，意思決定，思考の柔軟性などの機能）
③学習と記憶（即時記憶や近時記憶，遠隔記憶など）
④言語（呼称や喚語，流暢性などの表出性言語，言語的指示理解などの受容性言語）
⑤知覚-運動（視知覚や視覚構成などの視覚認知だけでなく道具操作など知覚を意図的動作と統合する機能）
⑥社会的認知（社会通念に即した行動や周囲への配慮，心の理論など他者の意図理解に関する機能）

である．それらの高次認知機能が低下することで，さまざまな生活行為における課題が生じる（▶表4）．作業療法士としては，認知機能の低下とそれに伴って生じる生活障害をていねいに評価し，アプローチしていくことが求められる．

2 行動・心理症状（BPSD）

a BPSDの定義

国際老年精神医学会は，認知症の行動・心理症状（behavioral and psychological symptoms of dementia; BPSD）について「認知症患者にしばしば出現する知覚や思考内容，気分あるいは行動の障害による症状」と定義している（▶表5）．BPSD

▶表4 各認知領域と低下することで生じる生活行為の課題例

認知領域	地域社会での生活において苦手になること
複雑性注意	置き忘れや，探し物，火の不始末など，複数同時作業が苦手になる
実行機能	効率的な作業や先を見据えた行動が苦手になり，時間がかかる
学習と記憶	同じ話を繰り返し，同じ物の買いだめ，約束の忘却が増える
言語	他者との会話や言葉を介したやりとりが苦手になる
知覚-運動	衣類の着脱や道具の操作が苦手になり，道に迷う
社会的認知	相手に配慮した言動や社会的ルールの遵守が苦手になる

〔山口智晴：「認知症とともに生きる」ために「活かす」作業療法士の視点．OTジャーナル 56(12)：1245-1250, 2022より〕

は，認知症患者の多くに認めるもので，特に生活機能や在宅生活の継続に影響を及ぼすだけでなく，本人や家族のQOLや介護者の負担感などに影響する[8]ため，できるかぎり予防的にかかわることが求められる．

b 医学的な視点としてのBPSD

BPSDは医学用語であり，認知症患者に現れる「症状」を指す．症状は病気などによる肉体的・精神的に「異常な状態」を指し，腹痛などの症状と同様に診断・治療が必要なものである．つまり，BPSDは認知症の人に現れた異常な状態で，原因を考え適切に対処（治療）することが必須となる[9]．

BPSDはさまざまな症状があるが，国際老年精神医学会では最も対応に苦慮するBPSDとして，妄想やうつ，幻覚，攻撃的行動などをあげている．また，一般的で対応しやすく入院や施設入所には直結しにくいBPSDとして，繰り返しの質問や後追い，アパシー（→149ページ）などをあげている．

攻撃的な行動や妄想は，誰がみても明らかに病的な症状として早急な対応が必要であることと判断されるが，繰り返しの質問や後追いなどの症状

▶表5 代表的なBPSDの症状

最も一般的で対応に苦慮するBPSD
- 心理症状：妄想，うつ，幻覚，不眠，誤認，不安
- 行動症状：攻撃的行動，徘徊，不穏

一般的で対応に苦慮するBPSD
焦燥性興奮(agitation)，不適切な行動，性的逸脱，大声

一般的で対応しやすく，入院などに直結しにくいBPSD
泣く，罵り，繰り返しの質問，後追い，アパシー

〔International Psychogeriatric Association: The IPA Complete Guides to Behavioral and Psychological Symptoms of Dementia (BPSD) — Specialists Guide, 2015 より作成〕

▶表6 BPSDの背景にある原因とその具体例

BPSDの原因	具体例
生物学的要因 遺伝的要因や神経伝達物質による影響	ADの精神症状とセロトニン2A受容体(HTR2A)遺伝子多型との関係．ADの焦燥感とD1ドパミン受容体遺伝子やドパミントランスポーター遺伝子の多型が関連．セロトニン，ドパミン，ノルアドレナリンがそれぞれBPSDと関連がある
構造的変化	脳の萎縮部位など器質的な変化（例：前頭前野の萎縮による脱抑制，後頭葉の機能低下による幻視など）
臨床的要因	年齢（例：若年で抑うつや不安が強い傾向），性別（女性で不安，男性で攻撃性の傾向），合併症や身体機能など
精神的・個人的要因	病前の抑うつ傾向や過敏性，病前性格など
社会的・環境要因	個室確保，不快刺激の軽減，空間の多様性，小規模が有用など
介護者要因	介護者のかかわり方や介護者との関係性など

〔International Psychogeriatric Association: Behavioral and Psychological Symptoms of Dementia, Better Mental Health for Older People. BPSD slide kit, 2011 より作成〕

は医学的緊急度が低く，周囲に気づかれにくい症状である．しかし，常時一緒に過ごす介護家族にとっては非常に心的負担が多い症状で，ケアの視点からは注意が必要である．

c BPSDの原因と対応

国際老年精神医学会では，BPSDの原因について生物学的要因（神経伝達物質や脳の器質的変化など）に加え，年齢・性別や合併症などの臨床的要因，精神的要因，社会的や環境的な要因，介護者による影響など，多彩なものがあることを指摘している(▶表6)．

たとえば，認知症の人に攻撃的行動や興奮を認めた際，その背景には生物学的要因として，前頭前野の萎縮などが考えられる．一方で，病前から不安が強く細かいことを決めてから行動したい性格であるにもかかわらず，介護者が先の見通しも提示せずに急に入浴などの行動を急かすので，不安が強まって落ち着かなかった可能性もある．もしくは，病前から不仲な介護家族が，本人のミスに対してそのつど指摘することで，本人が怒って大声を出してしまったのかもしれない．このように，脳機能の低下から直接的に生じるものから，もともとの性格や周囲の環境などにより二次的に生じるものまで，BPSDにはさまざまな背景があり，症状の背景を適切に把握することが対応のスタートになる．

d BPSDの誤解

わが国では，記憶障害などの認知機能の低下による「中核症状」と，中核症状にさまざまな要因が加わり二次的に生じる「周辺症状」という考えが過去にあった．たとえば，記憶障害により約束を忘れたこと（中核症状）に対し，家族がミスをきつく指摘したことが重なり本人が怒りっぽく落ち着かなくなった（周辺症状）という考え方である．現在も「BPSD＝周辺症状」と表現されていることもあるが，先述のとおりBPSDの原因にはさまざまな要因があり，周辺症状のように二次的に生じるものだけではない．認知症の人にみられるさまざまな症状を，BPSDと表現して終わらせるのではなく，症状の原因をアセスメントして適切な対応をすることで，予防的にかかわることが必要である．

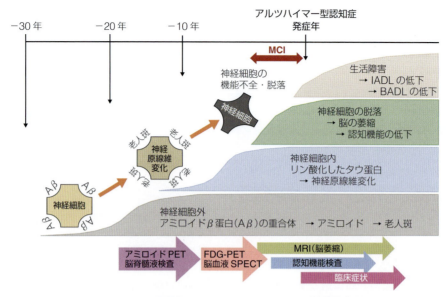

▶図2 アルツハイマー病の病理的変化とアルツハイマー型認知症の進行・指標

D 代表的な認知症病型

1 アルツハイマー型認知症（ATD）

アルツハイマー型認知症（Alzheimer-type dementia; ATD）は，アルツハイマー病によって引きおこされる認知症であり，認知症の原因の約半数を占める．アルツハイマー病は，神経細胞内や細胞間に生じる病理的変化を初めて報告したアロイス・アルツハイマー（Alois Alzheimer, 1864–1915）氏にちなんで命名された病気である．神経変性疾患であり，①神経細胞外にアミロイドβ蛋白の重合体が異常に蓄積して老人斑が形成され，②神経細胞内にはリン酸化したタウ蛋白が線維状に蓄積して神経原線維変化を生じ，③神経細胞が機能不全に陥ることで神経伝達物質のアセチルコリンの減少や神経細胞の脱落につながり，④脳が萎縮するとともに認知機能の低下が生じ，⑤結果的に日常生活の自立が難しくなる（▶図2）．

この流れからもわかるとおり，アルツハイマー型認知症として生活障害を生じるようになる約20年前からアルツハイマー病の病理的変化は進行している．徐々に進行して神経細胞が脱落して脳が萎縮することで，MRIの画像上で海馬の萎縮が確認され，認知機能検査にて記憶や見当識の低下といった認知機能の低下を認めるようになる．近年の科学技術向上により，より初期段階から病理的な変化を知る指標が開発され，アミロイドの異常な沈着を防ぐ抗体医薬も実用化されつつある．しかし，現状では認知症を発症して神経細胞が脱落した段階では，根本的に治療する技術は確立されていない．

なお，2018〜2020年の米国における死因の第6位はアルツハイマー病（2020年のみ新型コロナウイルスCOVID-19の影響で7位）であり，英国では「アルツハイマー病とその他の認知症」が死因の第2位である．国によって統計手法が異なるため順位を単純に比較することはできないが，アルツハイマー病はいずれ死に至る進行性の神経変性疾患である．アルツハイマー型認知症の進行過程を表したFAST（Functional Assessment Staging of Alzheimer's Disease）（▶表7）にも，最期

▶表7 Functional Assessment Staging of Alzheimer's disease (FAST)

Stage	臨床診断	特徴
1	正常	主観的・客観的な機能低下なし
2	年齢相応	物忘れや仕事の困難さの訴え．物の置き忘れを訴える
3	境界域	複雑な仕事が困難となる．新しい場所への旅行が困難となる
4	軽度のアルツハイマー型認知症	買い物や金銭管理，ホームパーティーの計画など複雑な仕事が困難となる
5	中等度のアルツハイマー型認知症	TPOに応じた衣服の選択が困難．入浴に説得が必要なことがある
6a	やや重度のアルツハイマー型認知症	独力で正しい順に服を着ることが困難
b		入浴に介助を要する．介助を嫌がる
c		トイレでの後始末が困難となる
d		尿失禁
e		便失禁
7a	重度のアルツハイマー型認知症	語彙が6個以下
b		「はい」など語彙が1つになる
c		歩行能力の喪失
d		座位保持機能の喪失
e		笑顔の喪失
f		頸部固定不能，最終的に意識消失

〔Reisberg B: Dementia: A systematic approach to identifying reversible causes. *Geriatrics* 41(4):30–46, 1986；山口晴保：認知症の正しい理解と包括的医療・ケアのポイント．第2版, pp62–66, 協同医書出版社, 2010 より作成〕

のstage 7に頸部固定が不能となり最終的に意識消失することが示されている．だからこそ早期に診断を受け，自分自身の財産や今後の医療・ケアの方針を自分で決め，認知症とともによりよく生きていく方法を周囲と相談しながら実践していくことが重要である．

[症状]
①初期
　軽度の記銘力障害と見当識障害，ワーキングメモリの低下による注意障害などを認める．記銘力は，過去数日間のエピソード記憶について不確かになる近時記憶障害が著明で，見当識は日付や曜日などの認識があやふやになる．そのため，重要な約束や公民館活動の予定を忘れる，同じ話を繰り返すなどの言動で周囲に気づかれることが多いが，日ごろから他者との交流が少ない生活をしていると気づかれにくい．記憶と注意の悪さから，置き忘れやしまい失くしなども増え，電話や来客に気が逸れて鍋を焦がすといった火の不始末などもみられる．また，そのような言動から社会参加の機会が減少し，手の込んだ料理やお洒落を面倒くさがるなどのアパシー（無為・無気力・無関心）を認める．徐々に金銭管理や服薬管理も難しくなり，ゴミ出しの予定を間違える，回覧板を紛失する，外出先で道に迷うなど，周囲にも気づかれるようなIADLを中心とした生活障害を生じるようになる．一方で，身体機能は比較的保たれており，手続き記憶や意味記憶，言語機能も比較的保たれているため，周囲のサポートがあれば在宅生活の継続が可能な場合も多い．

②中期～後期
　記銘力や見当識の低下が顕著となり，生活全般

の管理が難しくなる．また，視空間認知や人物の認知などが難しくなるとともに，着衣失行や観念失行のような道具操作の困難さを認めるようになる．そのため，家事動作や金銭管理などのIADLだけでなく，入浴や更衣，排泄などのセルフケアにも支障をきたす．入浴を例にとると，そもそも入浴自体がおっくうになり頻度が減り，シャンプーとリンスを弁別できずに間違える，髪や体を洗い忘れる，入浴前と同じ衣類を着る，洋服の前後左右がわからず更衣に時間を要すなど各動作工程において，注意や記憶の障害に加え，失認や失行などの影響を強く受けるようになる．また，頭頂連合野の機能低下に加えて，前頭連合野の機能低下により計画立てた行動ができず，自身の状況を客観的に把握することも難しくなるため，状況にそぐわない発言や盗害妄想などの訴えを認める場合がある．とりとめのない会話や挨拶などで表面的に取り繕う反応が多いが，本人は忘れることや周囲からミスを責められることなどに不安やストレスを感じていることが多く，周囲との関係が悪化するとBPSDの症状も強まる．後期になると独居での在宅生活の継続が困難になり，認知症対応型共同生活介護(グループホーム)などの施設入所となることが多い．

③後期〜終末期

終末期に向けて言語機能や運動機能は著しく低下し，ADLは全介助状態となり，最終的に大脳の広範な機能が低下し失外套症候群となる．意思疎通は困難で，四肢は拘縮して寝たきり状態となるが，そのころには食事の摂取量が低下し，嚥下機能の低下による誤嚥性肺炎なども重なり天寿を全うすることが多い．

2 レビー小体型認知症(DLB)

レビー小体型認知症(dementia with Lewy bodies; DLB)は，神経変性疾患による認知症としてはアルツハイマー型認知症に次いで頻度の高い認知症だが，認知症全体に占める割合は1割以下とされる．レビー小体型認知症は，神経細胞に異常凝集したαシヌクレインを主要構成成分としたレビー小体が神経細胞に出現することで発症するとされる．このレビー小体はパーキンソン(Parkinson)病にも認められ，レビー小体型認知症ではパーキンソニズムを認める．また，パーキンソン病の経過中に認知機能障害が出現して進行する場合は，認知症を伴うパーキンソン病(Parkinson's disease with dementia; PDD)とされるが，両者は厳密に区別することが難しいため，レビー小体を病理学的特徴とするすべての病態を包括する概念でレビー小体病(Lewy body disease; LBD)としてとらえる動きもある．

レビー小体は，末梢交感神経節や内臓自律神経系にも存在するため，レビー小体型認知症では起立性低血圧や便秘などの症状もみられ，全身性の疾患として理解する必要がある．初期ではMRI画像での脳萎縮など器質的変化は認めにくいが，脳血流SPECTによる後頭葉の血流低下やmetaiodobenzylguanidine(MIBG)心筋シンチグラフィでの取り込み低下を認める．

[症状] 注意や覚醒レベルの変動を伴うため認知機能に変動を認め，初期では記憶障害はさほど目立たずに，むしろ注意や遂行機能，視空間認知において障害を認めることが多い．そのため，記憶障害が目立つアルツハイマー型認知症では買いだめが多くみられるのに対し，レビー小体型認知症ではスーパーマーケットの通路で買い物カートを操作しながら対象の品物を探すことが難しくなるなど，生活上の課題も異なる．

特徴的な症状としてはリアルな幻視があり，「黒い虫が床を這っている」とほうきで床を掃いたり，「この子たちにお菓子をあげる」と床にお菓子を並べたりと，幻視に対して実際に行動を伴うことがある．ほかにも，家人を他人と間違える人物誤認や「誰かが押し入れの中に住んでいる」と幻の同居人を訴える誤認，レム睡眠行動異常症(rapid eye movement sleep behavior disorder; RBD)，抗精神病薬に対する感受性の亢進，パーキンソニズム，

▶表8　レビー小体型認知症にみられる特徴的な症状

中核的特徴
- 認知機能の変動(注意や覚醒)
- リアルな幻視(小動物や子供など)
- レム睡眠行動異常症(認知機能低下以前からの場合も)
- パーキンソニズム(動作緩慢, 筋固縮, 転倒)

支持的特徴
- 抗精神病薬への過敏性
- 姿勢の不安定性, 繰り返す転倒
- 自律神経症状(失神, 便秘など)
- うつ, 不安

自律神経症状, うつや不安症状といった BPSD など, アルツハイマー型認知症とは異なる症状が特徴的である(▶表8). 特に, パーキンソニズムに加えて起立性低血圧などの自律神経症状, 視覚認知障害などが重なると転倒を繰り返すことがあり, 注意が必要である.

3 血管性認知症(VaD)

血管性認知症(vascular dementia; VaD)は, 脳血管障害に起因する認知症の総称で幅広い概念である. わが国における認知症の原因では, アルツハイマー型認知症に次いで多く, 全体の約2割程度を占めるとされる. また, アルツハイマー病の病変に血管性病変も合併している混合型認知症もみられる.

診断の基準によっても分かれるが, 特に皮質領域に梗塞を生じる多発梗塞性認知症, 皮質下にラクナ梗塞を主体とした多発ラクナ梗塞性認知症, 白質病変を主体としたビンスワンガー(Binswanger)病などに分類される.

[症状] 段階的に悪化するともいわれるが, 背景にある血管障害の病態によっても異なる. ラクナ梗塞や多発梗塞など, 脳の複数個所に梗塞や微細出血などの病変がある場合が多く, 反応の緩慢さや軽度の構音障害, ごく軽度の運動麻痺を認めることが多い. 初期では記憶障害より, 全般性注意障害や遂行機能障害などを認め, アパシーや抑うつなどの精神症状が加わることで, まだらな認知機能低下の印象を受ける. 場合によっては感情失禁や言語障害, 嚥下障害, 尿失禁などを認めることもあり, リハビリテーション専門職としては個別的な評価が重要になる.

高血圧や糖尿病, 心疾患などがリスク因子であり, それら合併症に対する治療薬を服用していることが多い. 症状の悪化を防ぐためにも, 症状に応じた受診の継続や服薬管理, 血糖値測定などの合併症の管理についても, 評価や介入が必要となることが多い.

4 前頭側頭型認知症(FTD)

前頭側頭葉変性症(frontotemporal lobar degeneration; FTLD)はわが国の指定難病となっており, 前頭葉と側頭葉を中心とした神経変性を認める神経変性疾患だが, 臨床的には前頭側頭型認知症という用語が使われることが多い. また前頭側頭型認知症(frontotemporal dementia; FTD)は, しばしば行動障害型前頭側頭型認知症(behavioral variant frontotemporal dementia; bvFTD)を指す用語として使われる場合もある. FTD はその背景病理所見や臨床症状から, bvFTD, 進行性非流暢性失語(progressive non-fluent aphasia; PNFA), 意味性認知症(semantic dementia; SD)の3つに大きく分類される(▶図3).

[症状] bvFTD は, 初期から前頭葉症状が顕著にみられ, 反社会的行動(マナー違反や万引き, 無銭飲食, 交通違反など社会規範を遵守しない)や常同行動(机を叩く, 同じ動作を繰り返す, 毎日同時刻に同じ店に行く時刻表的生活など), 病識低下(初期から自身の状況を正しく認識できない)などの症状を認め, 他者に対する配慮も難しくなるため社会生活に早期から支障をきたすことが多い.

PNFA は, 初期から日常生活において言語障害を顕著に認め, 特に発話における失文法と発語失行がみられる(発話が努力的で, 音韻の歪みも

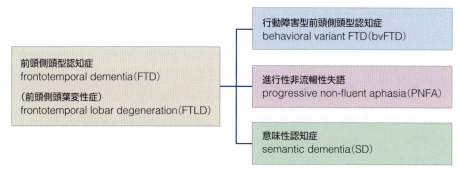

▶図3 前頭側頭型認知症の分類

▶表9 その他の認知症とその特徴的な症状

認知症の分類		特徴的な症状
神経変性疾患	大脳皮質基底核変性症 corticobasal degeneration（CBD）	● 全般性の認知機能低下＋多彩な認知機能障害 （遂行機能障害や性格変化などの前頭葉症状，失語，視空間認知障害など） ● 四肢の動作拙劣（失行症様の症状）
	進行性核上性麻痺 progressive supranuclear palsy（PSP）	● 核上性眼球運動障害（上下の運動），頸部後屈 ● 歩行時すくみや前後方向の転倒，無動 ● 認知機能障害（保続・衝動性，思考緩慢，記憶障害など）
	嗜銀顆粒性認知症 argyrophilic grain dementia（AGD）	● 高齢発症，記憶障害で発症，緩徐な進行 ● 左右差を伴う側頭葉内側面前方（特に海馬）の萎縮 ● 頑固，易怒性，被害妄想，性格変化などの症状
治療可能な認知症	特発性正常圧水頭症 idiopathic normal pressure hydrocephalus（iNPH）	● 脳脊髄液が通常より多く頭蓋骨内に貯留 ● ①歩行障害（すり足・ワイドベース），②認知機能障害（反応緩慢など），③尿失禁を認める ● 手術の適応で症状改善の可能性
	慢性硬膜下血腫	● 硬膜下の血腫で脳が圧迫されて認知機能障害 ● 除圧により症状改善の可能性
	その他	甲状腺機能低下症やビタミンB_{12}欠乏など

ある）．複雑な文は聴理解も難しくなるが，単語の理解やものの意味や知識は保たれるのが特徴である．

SDは，物品呼称と単語理解における障害を認め，ものの意味（知識）の障害を認めるが，復唱などは可能で視空間認知や知覚運動も保たれる．病前は問題なく読めていた「海老」「三日月」「小豆」などの熟字訓（漢字本来の読みと異なるもの）を「カイロウ」「サンニチツキ」「コマメ」などと読む表層失読などが認められる．

5 その他の認知症

作業療法の実践場面では，さまざまな原因によって認知症になった人を対象とする．認知症の原因疾患は数十種類あるが，表9に比較的高頻度に作業療法場面で遭遇する認知症を示す．大脳皮質基底核変性症や進行性核上性麻痺は，転倒リスクが高く失行症様の行為の障害がある．嗜銀顆粒性認知症は，顕著な記憶障害と易怒性などから介護家族とトラブルになっている場合も多い．また，治療可能な認知症は早期の医学的治療で改善

可能性が高まるため，作業療法士もその特性をよく把握しておく必要がある．

●引用文献
1) American Psychiatric Association（原著），髙橋三郎，大野　裕（監訳）：DSM-5-TR 精神疾患の診断・統計マニュアル．医学書院，2023
2) Nakahori N, et al: Future projections of the prevalence of dementia in Japan: Results from the Toyama Dementia Survey. *BMC Geriatr* 21(1):602, 2021
3) World Health Organization（世界保健機関）：Global Health Estimates ホームページ．https://www.who.int/data/global-health-estimates/
4) da Silva J, et al: Affective disorders and risk of developing dementia: Systematic review. *Br J Psychiatry* 202(3):177–186, 2013
5) Kazui H, et al: Differences of behavioral and psychological symptoms of dementia in disease severity in four major dementias. *PLoS One* 11(8): e0161092, 2016
6) 粟田主一：若年性認知症の有病率・生活実態把握と多次元データ共有システム．AMED 研究「わが国における若年性認知症有病率・生活実態把握」調査研究報告書，2020
7) 朝田　隆，他：都市部における認知症有病率と認知症の生活機能障害への対応．平成 23 年度～平成 24 年度総合研究報告書，厚生労働科学研究費補助金認知症対策総合研究事業，2013
8) International Psychogeriatric Association: The IPA Complete Guides to Behavioral and Psychological Symptoms of Dementia (BPSD)—Specialists Guide, 2015
9) 山口晴保：BPSD を正しく理解し予防につなげる．山口晴保，他（共著）：認知症ケアの達人を目指す．pp2-42，協同医書出版社，2021

第Ⅱ章

高齢期作業療法の実践

GIO 一般教育目標 2. 高齢期の作業療法を有効に実践できるようになるために，その実践過程の基本的枠組みを理解する．

SBO 行動目標

2-1）作業療法の対象者は，尊厳が守られなければならない存在であることを具体的に述べることができる．
- □ ①老いの普遍性と人権・尊厳について，クラスの中で意見を述べ合える．
- □ ②高齢者の自立支援について，クラスの中で意見を述べ合える．
- □ ③尊厳保持につながる家庭復帰について友人に説明できる．
- □ ④本来の作業療法実践と尊厳の実現について友人と意見交換できる．

2-2）高齢者の生活の見方についてクラス討議に参加できる．
- □ ⑤生活とは ADL のことだけではないことを友人と話し合える．
- □ ⑥生活の実態をとらえることの重要性について，クラスの中で発表できる．
- □ ⑦高齢者ならではの生活の具体的な見方・とらえ方について友人に説明できる．

2-3）各病期における作業療法の過程およびリハビリテーションマネジメントについて説明できる．
- □ ⑧病期の考え方と，高齢者がたどる病期の流れを友人と意見交換できる．
- □ ⑨各病期の特徴と，それに応じたリハビリテーションの役割をクラスの中で発表できる．
- □ ⑩生活期リハの現状における課題について友人に説明できる．
- □ ⑪リハマネジメントと自立支援型介護について家族に説明できる．

2-4）実施場所に応じた治療・援助内容について，事例をあげて表現あるいは口述することができる．
- □ ⑫医療保険における病床種別および介護保険における施設種別を列挙できる．
- □ ⑬地域包括ケア病棟と医療療養病床の違いを友人に説明できる．
- □ ⑭地域包括ケア病棟での作業療法と医療療養病床での作業療法について友人と意見交換できる．
- □ ⑮認知症治療病棟の対象者と，そこでの作業療法について友人に説明できる．
- □ ⑯介護老人保健施設と介護老人福祉施設の役割の特徴について友人に説明できる．
- □ ⑰生活環境整備のあり方をふまえ，作業療法士がかかわる在宅支援について友人に説明できる．
- □ ⑱ケアマネジメントのプロセスと作業療法のあり方について友人と意見交換できる．

2-5）一般高齢者および認知症高齢者に対する作業療法と介護予防との関連を述べることができる．
- □ ⑲一般高齢者に対する作業療法について，クラスの中で意見交換できる．
- □ ⑳介護予防とは何か，また介護予防における作業療法の役割について友人と話し合える．
- □ ㉑認知症高齢者に対する作業療法と今後の方向性について，クラスの中で意見を述べ合える．
- □ ㉒認知症の人の視点をもつことが重要である理由を友人に説明できる．

1 作業療法士が理解しておくべき人権と尊厳

A 高齢者の人権

1 老いの普遍性と人権・尊厳

『真理』
生まれて　老いて　病んで死ぬ
だれにも避けられない　永遠の真理
真理の中に　生かされている　わたしのいのち
（相田みつを著「幸せはいつも」[1]より）

　生まれると同時に死に向かい始めるのが生物の宿命であるなら，生きるとは老いることでもある．死がそうであるように，老いもまたすべての人に普遍的に訪れる．

　すなわち，高齢者ケアの現場で出会う要介護や認知症の高齢者は，決して自分と違う特別な存在などではないということだ．皆さんも，いずれそうなるのである．今後，臨床でそうした対象者を目の前にしたときに，その人のことを数十年後の自分の姿であるととらえ，その人におこっている問題に自分ごとの意識で向かい合えるようになることが，高齢者（の人権や尊厳）を支援する者としての出発点（基本姿勢）となろう．

2 人権とは何か

　人権とは，人間らしく，安心して，自由に生きられることといったように，人が生まれながらにもっている基本的な権利のことである．つまり，生命や健康が守られることや，衣食住が満たされること，自分らしく生きられることなど，人が人として当たり前に生きるための権利のことである．

　しかし，老いれば老いるほど健康や心身機能は損なわれ，日常生活を送ることも大変となり，人間らしく生きることすら危うくなってくる．自分らしく生きるなんてもっと難しい．そんな当たり前が当たり前でなくなっていく生活は，人権が守られているとはいいがたい．

　作業療法が取り組む対象者の当たり前の生活を実現するための実践は，人権を守るための実践でもあるという認識で臨むことが重要である．

3 憲法に保障された人権と尊厳

　日本国憲法は，第11条で基本的人権を「侵すことのできない永久の権利」と定め，この人権尊重主義を，憲法全体を貫く最も基礎的な原理としている．

　そして，第25条で生存権を，第13条で個人の尊重（尊厳）と幸福追求権をすべての国民に保障している．もちろん，寝たきりの人も重度の認知症の人も「すべての国民」の1人にほかならない．

　つまり，人はどのような状態にあろうとも，①日常的に安定した人間らしい生活を送ること（生存権），②自分らしく生きること（個人の尊重），③望む豊かな生活を営めること（幸福追求権）が，普遍的な権利として保障されているのである．

　高齢期作業療法が目指す実践意図（目的）も，ま

さしくこれら3つと共通である．このことを認識して，日々の実践にあたらなければならない．

4 エイジズム

エイジズム（ageism；年齢差別）とは，個々人がもつ個性や人間性を無視して，年齢に付随する固定観念や年齢規範だけをもとに，個人または一定の年齢集団を一面的にとらえることである．本来，すべての年齢層を対象とする概念だが，主には高齢者というだけの理由で偏見をもたれたり，差別を受けたりすることを指す言葉として使われる．「年のせい」と何かの理由を一義的に高齢に求めたり，「いい年をして」と高齢を理由に批判したり機会を奪うことは身近な根強いエイジズムである．

医療現場では，高齢というだけで治療方針が消極的となりやすいなど，高齢患者がエイジズムにより治療上の不利益を被る危険性が指摘されている．高齢者介護の現場でよくみられる，幼児語で話しかけたり子ども扱いをしたり，名前ではなく「おばあちゃん」などと呼んだりすることはエイジズムによる不適切なケアである．高齢者というだけで「弱々しい」「できない・わからない」「お世話が必要」といった脆弱で能力の低い存在であるとの偏見でとらえ，どうせ失敗するだろうからと役割や作業などを最初からさせないようにしたり，生活行為などについ介助の手を出しすぎるのもまたそうである．それにより，能力を発揮する機会を奪い，廃用に至らせてしまうことにもなりかねない．

ほかにも，好きなTV番組は時代劇，好きな音楽は民謡・演歌，好きなことは盆栽・縫物といった，高齢者にいだいてしまいがちなイメージもエイジズムの一端である．

エイジズムによる問題は，偏見や差別により尊厳が損なわれることだけでなく，それにより無意識に高齢者の権利や機会が失われるところにある．高齢者を支援する者に求められるのは，対象者を固定観念に当てはめて画一的にとらえるのではなく，1人ひとりに関心をもちよく知ろうとすること，1人の人として尊重し，個性や人間性を大事にしたかかわりをすることにほかならない．

B 高齢者の人権を擁護する

1 虐待の早期発見と通報義務

わが国では，虐待を防止し高齢者の権利擁護と養護者の支援促進を目的として，2005年に「高齢者虐待の防止，高齢者の**養護者**🔑に対する支援等に関する法律」（以下，高齢者虐待防止法）が公布され，2006年より施行されている．

本法の主眼は，虐待の早期発見と早期対応にある．そのため，虐待を受けたと思われる高齢者を発見した人は市町村へ通報するよう努めること（努力義務）と，生命・身体に重大な危険が生じている場合は通報しなければならないこと（義務）が定められている．これらは**養介護施設従事者等**🔑以外のすべての人を対象としたものである．なお，証拠や当事者の自覚がなくとも，虐待があったと合理的に考えられる場合は通報が求められる．

一方，養介護施設従事者等には，自身が働いている施設などで高齢者虐待を発見した場合は，生命・身体への重大な危険が生じているか否かにかかわらず通報することが義務化されている．これは，養介護施設従事者等の高齢者虐待の発見・対

> **🔑 Keyword**
>
> **養護者** 高齢者を現に養護（介護・世話）している家族，親族，同居人などのこと．
>
> **養介護施設従事者等** 養介護施設（老人福祉施設，有料老人ホーム，介護老人福祉施設，介護老人保健施設，介護医療院，地域包括支援センターなど），または養介護事業（老人居宅生活支援事業，居宅サービス事業や介護予防サービス事業，地域密着型サービス事業，居宅介護支援事業など）の業務に従事する者．

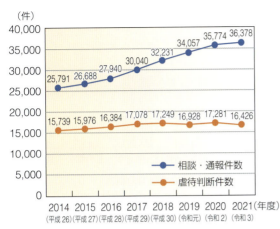
a. 養護者による

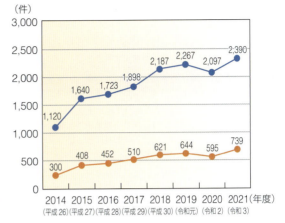
b. 養介護施設従事者等による

▶図1　高齢者虐待の相談・通報件数と虐待判断数の推移
〔厚生労働省老健局高齢者支援課：(資料1)令和3年度「高齢者虐待の防止，高齢者の養護者に対する支援等に関する法律」に基づく対応状況等に関する調査結果. p2, 2022 より〕

応に対する役割と責任の重さを表すものである．なお，高齢者虐待の相談や通報を行うことは守秘義務違反にはならない．

2 虐待の発見通報事例

　ある日，筆者が担当する通所リハビリテーション(以下，リハ)利用者が，毛糸の帽子を目深にかぶり，大きなマスクをしてリハ室に現れた．見えているのは目の部分だけである．その様子に違和感を覚え，個室に誘導し，本人の了解を得て帽子とマスクをはずさせてもらったところ，左顔面に大きなあざを発見．本人に訳を尋ねても「転んだ」の一点張り．

　しばらく話して打ち解けてくると，ようやく「娘に叩かれた」と告白．聞けば，叩かれるのは日常的らしい．「私が悪いんだよ．いつももたもたして失敗ばかりで，娘に迷惑ばかりかけているから」と必死にかばい，「誰にも言わないで」と涙を流して懇願．しかし，筆者は地域包括支援センターへ通報をし，その日のうちに事実確認が行われた．

　娘は，泣きながら次のように語っていたという．
- 悪いことをしているという自覚はあったが止められなかった．良心の呵責にさいなまれていた．
- 見つかって止めてもらえてホッとした．このままだとどうなっていたかわからなくて怖かった．

母娘は2人暮らし．娘は介護と仕事で心身ともに疲れてストレスが溜まり，いつもいらいらしてはつい怒鳴ったり，叩いたりしてしまっていたらしい．

　この利用者は，安全確保優先のためそのまま当施設へ入所となった．娘は頻回に面会に訪れ，物理的には離れることになったものの，それにより心理的には解放され，むしろ寄り添った親子関係が形成されていった．

　リハの場面で虐待に気づくことはある．1対1で利用者と心身ともに密度濃く長期間かかわるリハ専門職ならではの特性が早期発見に果たす役割は大きい．

3 高齢者虐待の実態

　高齢者虐待の通報・相談件数と虐待判断件数の推移について図1に示す．

　虐待は，隠れて行われたり隠蔽されたりする傾

▶表1　養介護施設従事者等による高齢者虐待の類型（定義）

身体的虐待	高齢者の身体に外傷が生じ，または生じるおそれのある暴行を加えること
介護・世話の放棄・放任（ネグレクト）	高齢者を衰弱させるような著しい減食または長時間の放置その他の高齢者を養護すべき職務上の義務を著しく怠ること
心理的虐待	高齢者に対する著しい暴言または著しく拒絶的な対応その他の高齢者に著しい心理的外傷を与える言動を行うこと
性的虐待	高齢者にわいせつな行為をすることまたは高齢者をしてわいせつな行為をさせること
経済的虐待	高齢者の財産を不当に処分することその他当該高齢者から不当に財産上の利益を得ること

〔厚生労働省老健局高齢者支援課：Ⅰ高齢者虐待防止の基本. 市町村・都道府県における高齢者虐待への対応と養護者支援について（国マニュアル）. 令和5年3月改訂, p4, 2023 より〕

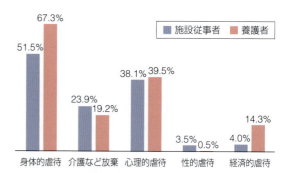

▶図2　高齢者虐待の類型の割合
〔厚生労働省老健局高齢者支援課：（資料1）令和3年度「高齢者虐待の防止，高齢者の養護者に対する支援等に関する法律」に基づく対応状況に関する調査結果. p3, p9, 2022 より作成〕

向が強いこと，被虐待者が認知症などの場合，事実認識（自覚）や記憶が難しいこと，自覚ができても，恩義や世間体，報復を気にしてがまんしたり，あきらめて訴えなかったりする場合があること，虐待の知識や発見意識がないと気づきにくいことなどから，顕在化するのは実態の一部であるといえる．加えて，発見（顕在化）時の通報義務などに対する認識や周知が十分ではないことや通報に対する心理的ハードルの高さなどから，発見されていても通報に至っていないケースが多いことも推測される．すなわち，この件数は虐待実態の全貌を表すものではなく，もっと多くの虐待事案が潜在していると認識する必要がある．虐待問題は，決して違う世界の出来事ではなく，身近な問題としてとらえなければいけない．

養介護施設従事者等による虐待の発生要因をみると，「教育・知識・介護技術などに関する問題」が56.2％，「職員のストレスや感情コントロールの問題」が22.9％，「虐待を助長する組織風土や職員間の関係の悪さ，管理体制など」が21.5％，「倫理観や理念の欠如」が12.7％となっている[2]．また，被虐待者の76.4％が認知症高齢者の日常生活自立度Ⅱ以上[3]という，高齢者虐待特有の状況がみられる．これらは，高齢者虐待発生の背景と

問題の所在（本質）を理解するために非常に重要となる．

高齢者虐待の類型（定義）とその発生割合について表1と図2に示す．虐待の早期発見には，各類型ごとの虐待の具体例を知っておくことがポイントとなるので，しっかりと確認をしておこう（引用文献3の10～12ページ参照）．

4　不適切なケア

介護現場では，人手不足，業務の多忙さ，ストレス，効率性優先・非対象者本意となりがちな業務姿勢，一斉介護・流れ作業介護などの機械的対応，理念や倫理・接遇意識の希薄さ，認知症ケアなどの知識の不足，安易なケアや行動抑制の容認などを背景要因として，**不適切なケア**🔑が発生しやすい．

虐待が顕在化する前には，表面化していない意図的虐待や，意図はないが結果的に虐待を行ってしまっている非意図的虐待が発生している．そして，そのなかには「緊急やむをえない場合」以外

> 🔑 **Keyword**
> **不適切なケア**　提供者の自覚の有無にかかわらず提供される適切ではないケア行為や倫理的に問題のあるケア行為（▶表2）．「虐待の芽」と呼ばれる．本人のために必要なケアでも，無理強いや配慮不足は不適切なケアとなる．

▶表2 不適切なケアの一例

- あだ名や呼び捨て，○○ちゃん呼び，友達感覚で接したりする(タメ口)
- 対象者が自分でできることでも時間がかかるからと介助をしてしまう
- 対象者からの依頼や要望に対して「ちょっと待って」と放置する
- 食事や入浴を嫌がる対象者に無理やり食べさせたり入浴させたりする
- プライバシーへの配慮に欠けた声掛けや介護行為
- トイレの訴えがあっても「おむつをしているのだからそこにして」と言う
- 排泄があっておむつ交換を訴えても，定時交換まで交換しない
- 低いソファに座らせるなどして自力では動き出せない体勢に置く

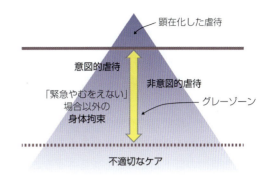

▶図3 不適切なケアを底辺とする高齢者虐待の概念図(作:柴尾慶次)
〔認知症介護研究・研修仙台センター:施設・事業所における高齢者虐待防止学習テキスト. 介護現場のための高齢者虐待防止教育システム, p13, 2009 より〕

の身体拘束も含まれる．また，明確な虐待行為の周辺には，虐待とは言い切れないグレーゾーン行為も発生している．さらにさかのぼれば，底辺には不適切なケアが発生しており，それが見逃されたり見過ごされたりして蓄積することで，グレーゾーン行為へ，虐待へとエスカレートしていく(▶図3)．

虐待の問題は，不適切なケアからの連続性でとらえ対応することが必要である．表面化していない虐待の早期発見はきわめて重要だが，この場合，残念ながら虐待はすでに発生してしまっている．根本的に求められるのは，虐待もグレーゾーン行為も発生しないようにすること(未然防止)である．すなわち，「虐待の芽」(不適切なケア)を，できるだけ小さい芽(些細な不適切なケア)のうちに見つけ摘み取ることである．しかし，本来目指すべきは，芽が出ないようにする(適切なケアの提供が当たり前となる)ことであろう．

5 身体拘束

私たちは，日常生活を送っているなかで自分の意思と関係なく縛られたりすることなどありえない．しかし，介護現場では介護者側の都合を優先させた結果として身体拘束が根強く行われてきた．そのため介護保険施設などでは，緊急やむを

▶表3 「緊急やむをえない場合」の3要件

切迫性	利用者本人や他の利用者らの生命または身体が危険にさらされる可能性が著しく高いこと
非代替性	身体拘束その他の行動制限を行う以外に代替する介護方法がないこと
一時性	身体拘束その他の行動制限が一時的なものであること

〔厚生労働省「身体拘束ゼロ作戦推進会議」:身体拘束ゼロへの手引き―高齢者ケアに関わる全ての人に. 2001 より〕

えない場合の3要件(切迫性・非代替性・一時性)すべてを満たす場合を除き，**身体拘束**などの行動制限行為は禁止となる(▶表3)．そして，その確認・判断は，各施設で設置が義務づけられる身体的拘束適正化検討委員会などにおいて組織的・客観的かつ慎重に行われなければならない．

この「緊急やむをえない場合」は，きわめて例外的な状況であるとの認識が必要であり，ケアの工夫のみでは十分に対処できないような「一時的に

🔑 Keyword
身体拘束 徘徊，他人への迷惑行為などの問題行動を防ぐために，車椅子やベッドに拘束する，向精神薬を過剰に服用させる，自分で開けられない部屋に隔離するといった行動の自由そのものを奪うことや，車椅子やベッドからの転落や転倒といった事故を防止するために，これらに拘束するといった行為のこと(禁止対象となる具体的行為については，参考文献4を参照)

発生する突発事態」のみに限定されるという理解が求められる．なお，この「緊急やむをえない場合」の適正な手続きを経ずに行われた身体拘束などは，原則として高齢者虐待に該当する行為と判断される．

身体拘束は，高齢者に不安や怒り，屈辱，あきらめといった大きな精神的苦痛を与えるだけでなく，認知機能の低下やせん妄を誘発させることにもなりやすい．また，関節拘縮や筋力低下といった身体機能の低下，局所圧迫による褥瘡などを引きおこすこともある．さらに，拘束されている高齢者を見た家族に，ショック，悲嘆，混乱，苦悩，後悔，罪悪感といった精神的苦痛を与えることともなる．縛られる人の気持ちと，親兄弟など愛する人が縛られている姿を見た人の気持ち，この両方を自分に置き換えて想像してみてほしい．身体拘束は，施設全体の士気の低下をまねくとともに，介護保険施設などに対する不信や偏見を生じさせることになるという理解も必要である．

6 スピーチロック

スピーチロックとは，言葉によって対象者の行動を抑制することであり「言葉による拘束」とも呼ばれる．身体拘束の温床や前段階ともなる不適切なケアとして，昨今，高齢者介護の現場において防止への取り組みが重点化され行われている．

「（早く）○○して！」「○○しないで！」「どうして○○するの！」といった，命令語や禁止語，相手の自尊心を傷つける言葉や相手の気持ちやペースを無視した言葉などが該当する．スピーチロックは，人権や尊厳を大きく損なわせるだけでなく，精神心理状態に影響を及ぼし，BPSD（認知症の行動・心理症状）悪化の原因となったり，意欲や活動性を低下させ能力の廃用状態をまねいてしまったりする．

また，職員の意識やケアの質の低下，施設全体の雰囲気の悪化ももたらすことになる．スピーチロックのような否定的な言葉が飛び交う施設では，前向きに頑張ろう，チャレンジしてみようというリハの雰囲気はつくれない．

高齢者ケアの場では，広義の身体拘束として，①フィジカルロック（物理的な拘束），②ドラッグロック（薬物による拘束），③スピーチロック（言葉による拘束）が認識されている．なかでもスピーチロックは，誰でもいつでもどこでも簡単にできてしまうという点，こちらに拘束の意図がなくとも拘束が成立してしまうという点で，他の2つとは明確に異なる．それが怖さであり，なくしていくことの難しさであるといえる．

また言葉はなくとも，醸し出す威圧的な態度や雰囲気でも人は抑制されてしまうものである．普段何気なく発している言葉やとっている態度が相手にどう受け取られているのか，常に考えながら使うように心がけなければいけない．

7 悪性の社会心理

パーソン・センタード・ケア🔑を体系化したキットウッド（Tom Kitwood）は，パーソン・センタードではない，パーソンフッドを損なう17個のケア行為を明らかにし，「悪性の社会心理」と名づけた（▶表4）．

このような人権や尊厳を著しく損なわせる対応は，認知症ケアに限らず，高齢者ケアにかかわるすべての人が行わないように心がけなければならない．

> 🔑 **Keyword**
> **パーソン・センタード・ケア**　認知症の人を1人の「人」として尊重し，その人の視点や立場に立って考えながらケアを行う認知症ケアの考え方．周囲の人々や社会とかかわりをもち，1人の人として認められ，尊重されていると実感できることを「パーソンフッド」と表現し，最も重視されるべきこととした．

▶表4 悪性の社会心理

1	だましたり，あざむくこと	10	後回しにすること
2	のけ者にすること	11	差別すること
3	能力を使わせないこと	12	非難すること
4	人扱いしないこと	13	急がせること
5	子ども扱いすること	14	中断させること
6	無視すること	15	わかろうとしないこと
7	怖がらせること	16	あざけること
8	強制すること	17	侮辱すること
9	区別すること（レッテルを貼ること）		

〔水野　裕：実践パーソン・センタード・ケア─認知症をもつ人たちの支援のために．ワールドプランニング，p81，2008より〕

▶表5　自立の概念

1	真の自立とは，人が<u>主体的・自己決定的に生きること</u>を意味する
2	自立生活は，隔離・差別から自由な，<u>地域社会における生活</u>でなければならない
3	<u>生活の全体</u>に目を向けなければならない
4	<u>自己実現</u>に向けての自立が追求されなければならない
5	福祉の<u>主体的利用</u>でなければならない

※特に下線で示したキーワードに注目して理解したい．

〔大熊由紀子：「自立」VS「自立」．物語・介護保険，第3話，介護保険情報7月号，40-43，社会保険研究所，2004より〕

C 高齢期作業療法の実践における人権と尊厳

1 自立とは

　自立とは「自己決定に基づいて主体的な生活を営むこと」と定義される．従来の解釈である「他の援助を受けずに自分の力で身を立てること」から，この解釈へと認識が変わる契機となったのが，1980年に厚生省社会局に設置された「脳性マヒ者等の全身性障害者問題研究会」における自立の概念の議論・確認である（▶表5）．ここで示された概念は，40年以上を経過した現在にあっても，対人支援職が根本におくべき自立のとらえ方として，そして自立を支援するにあたっての基本姿勢（要件・要点）として認識すべきものである．

2 支援を受けることと自立の関係

　「人の手助けを借りて15分で衣服を着，仕事に出かけられる人間は，自分で衣服を着るのに2時間かかるために家にいるほかない人間より自立している」[4]．有名なIL（independent living；自立生活）の考え方である．これは仕事や社会参加の機会を犠牲にしてでも，介助などの支援を受けずに自分でできることに意義をおくような自立生活よりも，主体的に支援を受けることでその機会を実現し，それにより自尊心や自己有用感も得ながら自分らしくQOLの高い充実した生活を送ることに意義をおく生活のほうが，より自立した生活であるという考えを示すものである．

　この考え方からは，支援を受けることと自立とは決して対立関係にあるものではないと理解することができる．支援を受けることを自立生活のために否定的なものととらえるのではなく，より自立した生活を実現させるための手段としてとらえ，活用していけるようにしたい．

　この考え方は，要介護高齢者の生活支援にあっては最も基礎となる支援姿勢となる．

3 高齢者の自立支援

　主体的に生きるとは，自らの意思（欲求）を示し実現することである．したがって，高齢期をどう生きるのかは，十分な判断や意思表示が難しくなり，身体も思うように動かなくなっていくなかにあって，どう自分の意思（欲求）を実現し続けていけるのかということである．これを支援していくことが高齢者の自立支援の根本理念となる．

人の行動は，欲求とそれを満たそうとする意欲を動機としておこってくる．だからこそ，自らの欲求を自覚し示すことが難しくなる高齢者の自立支援にあたっては，対象者のなかにある欲求（したい・ありたい）を積極的に導き出し，その実現へ向かう意欲を引き出す工夫が重要となる．本人の意思（欲求）に基づかない，支援する側の論理や意向だけによって行われる自立支援は，自立の強要にもなりかねず注意すべきである．

4 人権・尊厳を支えることの意味

高齢者ケアの理念は，「自立支援」と「尊厳の保持」であり，これは介護保険法の基本理念でもある．端的にいえば，自立とは生活（人生）において，その主体者でいられることを意味する．これは，対人支援にかかわるすべての実践者が基盤におくべき理念や目標であり，人権と尊厳を支えることの意味そのもの（本質的理解）でもある．

自立支援と人権や尊厳を支えることとは，本質的に軌を一にするものなのである．

5 主体者としての存在を支える

主体者とは，自分の意思に基づいて行動する者のことであり，たとえるなら「物語の主人公」である．そして，高齢期は「人生という物語の最終章」である．高齢者の主体者としての存在を支えるとは，対象者が自分の人生という物語の最終章を主人公として生き切れるように支援することである．しかし，高齢や要介護になると，往々にして自分の物語（人生）なのに自分が主人公でなくなってしまう．人生の主導権を失う（奪われる）ことは，QOLを低下させるだけでなく，人権や尊厳が奪われた状態だといえる．

私たちは，常に対象者を主人公として人生の物語のこれからの展開を考え，彼らが主人公であり続けるには何をすべきか考えていかなければいけない．

6 尊厳保持につながる家庭復帰

要介護の状態になっても住み慣れた家に住み，家族と暮らし続けたいと誰もが願っている．われわれが実践対象とする，病院や施設に暮らす要介護高齢者は，その切実な願いをいったんあきらめざるをえなかった人々である．その辛さに加え，自分の身体が思うままにならない辛さ，これまで地域で醸成してきた社会関係や人間関係を喪失する辛さ，馴染んだライフスタイルを変えざるをえない辛さ，新しい生活環境に適応しなければならない辛さのなかに，病院や施設で暮らさざるをえなくなった要介護高齢者は生きているのである．

高齢者にとって，自分がつくり守ってきた家（house）と，自分の人生の証（存在証明）であり自分の存在意義を確認できるつながりである家族（family）で構成される，家庭（home）で再び暮らせるということは，尊厳の保持につながる非常に大きな意義をもつ．だからこそ，実践目標（理念）に家庭復帰と在宅生活の継続を位置づけて取り組む必要がある．

7 かけがえのない個人

人はどのような状態や状況で生きていようとも，1人ひとりがそれぞれの生きてきた歴史をもつ，かけがえのない存在である「個人」として尊重されなければならない．

高齢者の尊厳ある暮らしを支援するということは，その人の今まで営んできた生活を尊重し，その生活を要介護状態になっても営めるように環境を整備しながら，生活のしづらさや困りごとに向き合って支援することでもある．

その際に重要なのは，自分たちの価値観で対象者の生活をとらえないことである．価値観や生活観（ライフスタイル）というものは，長い人生のなかで形成された，まさに対象者の「その人らしさ」そのものであり，これを認め実現を目指すことか

ら尊厳保持の実践が始まるのである．

8 doing と being

要介護高齢者は，他者からの支援によって自らの生活が成り立っていることから，「迷惑ばかりかけて申し訳ない」「厄介者」「生きていてもしょうがない」と感じてしまっていることがよくある．「自分は不要な存在である」「生きていても仕方がない」と感じている状況は，人としての尊厳が最も奪われている状態であるといえる．それは対人支援のあり方の根本が問われている状況といえよう．

対人支援の基盤は，人としての存在そのもの(being)を尊ぶ姿勢である．そのうえで作業療法では，何をしたか(doing)に向き合う実践によって，尊厳の実現に向き合うのである．なぜなら作業療法は，人を作業的存在(occupational being)としてとらえているからである．それは，「何かができる」「役割を果たせる」という作業欲求を満たせる実感を，対象者本人がもてるように支援することでもある．この作業実感は，まさしく生きている実感そのものであり，それは対象者のなかに生きる力を湧き出させるものでもある．これが作業療法ならではの尊厳の実現に対する1つの考え方である．

また，何もできない人と思っていた対象者の「何かしている」「何かができる」ところを他者が見られるようにすることで，その見方（存在価値の認識）も大きく変わることになる．それは，とかく人は人としての存在価値を being より doing に見いだそうとしているからにほかならない．対象者への見方（認識）が変われば，当然のことながら支援のあり方も変わることになる．これが高齢者の尊厳の実現に大きな意義をもたらす．

9 本来の作業療法の実践と尊厳

さて，あなたのところへリハに来た対象者が，食べこぼしやお茶をこぼした染みで汚れたままの服を着ていたら，次のうちどう行動するだろうか．
①「訓練」には影響しないので何もしない．
②病棟に連絡して着替えさせ，次から汚れていたら必ず着替えさせてから連れて来るように言う．
③食事のときにエプロンをしているかを確認し，していないならしたほうがよいと助言する．
④食事は介助で食べさせるほうがよいと助言する．

もし，汚れた服の対象者が，あなたの親だったらどうだろう．悲しく，そして辛くならないだろうか．自分だったらどうだろう．恥ずかしく，そして情けなくならないだろうか．想像してみよう．

当然だが，上記の選択肢にわれわれが選ぶべきものはない．作業療法士であれば，汚したあとの対処法でも汚さないための防止法でもなく，食べこぼす原因を明らかにして，自分でこぼさずにしっかりと食べられるためにはどうするのかを考えるものである．つまり，どう行動するかとの問いには「まずは急ぎ，食事場面を見に行き，食事動作と食事姿勢と食器などの食事環境を評価する」と答えられることが必要だろう．

この作業療法そのものと呼べる思考と実践により，この人がこぼさないで食べられるようになれたら，当然服は汚さないですむようになる．そうすれば人前で恥をかかなくてすむし，家族にも迷惑かけたり辛さや悲しさを味わわせたりせずにすむ．このことにより対象者の尊厳はどれだけ回復されるだろうか．そして何よりも，自分でしっかりと食事することができる満足感や自尊心の回復がもたらす人権や尊厳の実現の意義はきわめて大きいといえよう．

本来の作業療法実践は，人権や尊厳の支援そのものであることを理解して，積極的に作業療法の力を発揮してもらいたい．

●引用文献

1) 相田みつを：しあわせはいつも. p6, 文化出版局, 1995
2) 厚生労働省老健局高齢者支援課：(資料1)令和3年度「高齢者虐待の防止，高齢者の養護者に対する支援等に関する法律」に基づく対応状況等に関する調査結果. p2, 2022
https://www.mhlw.go.jp/content/12304250/000871876.pdf
3) 厚生労働省老健局：市町村・都道府県における高齢者虐待への対応と養護者支援について. 厚生労働省ホームページ, 2023
https://www.mhlw.go.jp/content/12300000/001092086.pdf
4) 定藤丈弘, 他(編)：自立生活の思想と展望—福祉のまちづくりと新しい地域福祉の創造をめざして. p8, ミネルヴァ書房, 1993

●参考文献

5) ロバート・バトラー, 内薗耕二(監訳)：老後はなぜ悲劇なのか？アメリカの老人たちの生活. メヂカルフレンド社, 1991
6) アードマン・B・パルモア(著), 鈴木研一(訳)：エイジズム—高齢者差別の実相と克服の展望. 明石書店, 2002
7) 鳥羽美香：エイジズムと社会福祉実践 専門職の高齢者観と実践への影響. 文京学院大学研究紀要, 7(1):89–100, 2005
8) 厚生労働省「身体拘束ゼロ作戦会議」：身体拘束ゼロへの手引き—高齢者ケアに関わる全ての人に. 2001

2 高齢期作業療法の実践過程

A 高齢期作業療法実践における生活のとらえ方

　高齢期作業療法の実践意図は，高齢期にある対象者1人ひとりがその最期の時まで，日常的に安定した人間らしい生活を送れること，自分らしい，望む豊かな生活が送れることの実現を，作業療法の考え方と技術によって支援することにある．

　そのために，高齢期ならではの生活のとらえ方を理解しておくことが不可欠となる．

1 高齢期における生活概念の変化

　生活は，ライフスタイル🔑という言葉に象徴されるように，自分らしさと直結するものである．また，ライフステージの各過程で，質的にも量的にもその意味が変遷することが特徴である．

　多様かつ個別的であった生活も，高齢期の訪れとともに徐々に画一的なものとなり，生活に自分らしさを求めることが難しくなってくる．さらに要介護などの状態になると，生活に占めるセルフケアに費やす時間的・身体的・心理的・環境的負担の割合が増加してくる．そして，その状態の進行とともに，次第に「生活」が「介護」と同義になってきてしまう．

> 🔑 **Keyword**
> **ライフスタイル**　衣食住などの，生活におけるその人特有の行動様式だけでなく，その人それぞれの人生観，培われてきた価値観や習慣，文化などを含めた「個人の生き方」そのものを意味する言葉．

2 生活とはADLのことだけではない

　一般に生活は，セルフケア，すなわちADLと同義にとらえられがちである．しかし，実際には，要介護高齢者が在宅生活においてセルフケアに費やしている時間は，起床から就寝までの間の約20％にすぎない（▶図1）．つまり，残りの80％はIADL（手段的日常生活活動）や他者との交流，趣味活動や余暇活動に使われているのである．

　では，この20％と80％のどちらに自分らしさや暮らしの豊かさはあるだろうか．この視点でと

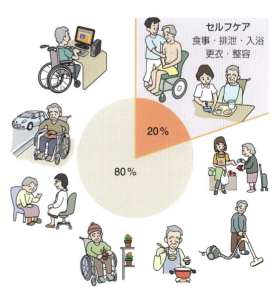

▶図1　要介護者が起床から就寝までで過ごす時間割合
〔山永裕明（監），野尻晋一（著）：リハビリテーションからみた介護技術．p16，図1-11，中央法規出版，2006より改変〕

らえると，人が生きて（生活して）いくうえで，この80%がいかに大きな意味をもつかがわかる．生活はADLだけで成り立つものではないのだ．

ところが要介護状態が進行し，さらには施設生活となると，この重要な80%の部分はどんどん小さくなり，果ては20%の部分だけで毎日の生活，すなわち残りの人生を送ることを余儀なくされる．人が日常的に安定した人間らしい生活を送るためには，ADLに着目することが前提となる．そのうえで，人生完結の時期にあって自分らしい，望む豊かな生活を送るために，作業療法士はこの80%の部分にもっと目を向けていく必要がある．

3 生活の実像・実態をとらえることの重要性

高齢者の生活の実像・実態は，いわゆるADL評価だけではつかめない．おむつ交換時のにおいや移乗介助時の腰の辛さ，認知症による激しい介護抵抗など，要介護高齢者の生活の現場に満ちているリアルな介護の実態を理解できなければ，真の生活の全体像を把握することはできない．とかくリハビリテーション（以下，リハ）専門職は，生活をADLの自立度や動作の評価でとらえられたかのように認識しがちなので注意したい．

しばしば，リハ専門職と介護支援専門員（ケアマネジャー）や介護職，本人・家族間での解決すべき課題に対する認識の差を耳にする．リハ専門職が（医学的視点で）問題点ととらえることと，介護職や家族などが（生活的視点で）解決を切に願っていることとが合致していない．これは，要介護者のリアルな生活（介護現場）に対するリハ専門職の認識や意識が低いことに起因すると思われる．

作業療法士は，生活をターゲットにし，クライアント中心を謳う専門職である．まずは本人・家族が感じている大変さや苦労，思いや願いといった要介護高齢者の生活ニーズの本質を知る（寄り添ってとらえる）ことが求められる．

4 高齢者ならではの生活の見方

a 起居・移乗・移動

起居・移乗・移動は，それ単体でとらえるのではなく，その後に連なる具体的な生活行為との連動性・関係性をもってとらえるようにする．また，その自立度の向上は，対象者の生活に対する自立度や積極性も向上させ，活動や参加の促進につながることが期待される．それは，生活を豊かにし，不活発な生活を防止することにも寄与する．

要介護高齢者の場合，起居・移乗の状況は介護負担に直接影響する．昼夜を問わず毎日繰り返される起居・移乗介助による介護負担は，在宅生活の継続を阻む大きな影響因子となる．

対象者の在宅復帰や在宅生活継続の実現のためには，復帰先や実際の生活場所での起居・移乗・移動の状況を把握することが不可欠となる．

高齢者介護施設では，対象者個々の心身機能・構造や能力に合っていない車椅子が安易に提供されてしまっていることが多々あり，移乗・移動の能力発揮の妨げになっていることがある．またそれは，不良姿勢やそれに伴う苦痛や転落事故，上肢のリーチ機能低下などを引きおこす原因ともなる．ゆえに，移乗・移動は，シーティング🔑の観点からもとらえておくことが重要となる．

高齢者の場合，転倒・転落事故は防ぐべき最大のリスクであるとの認識で移乗・移動をとらえることは不可欠だが，それゆえに，過度なリスクマネジメント状態となりやすいこと（転倒事故防止のために安易に車椅子使用とされてしまうなど）も十分に留意しておきたい．

b 食事

高齢者の食事をとらえるうえで欠かせないの

> 🔑 **Keyword**
> **シーティング** 使用する人に合わせて適切な車椅子や椅子を選択し，最適な状態に設定・調整するための理論と技術．

は，能動性の担保という視点である．それは，まさに食事行為における自分らしさの実現であり，食事のQOL（満足度）は，自らの意思で思うように食べる行為にその本質があるからだといえよう．

高齢者施設などでは，自力摂取だと時間がかかり食事時間内に終われない，食べこぼしが多くなるといった理由で過介助されてしまう傾向があり，これは主体性を無視した不適切なケアとなる．

また，介護負担の視点も必要となる．長時間の食事介助や見守りは介助者の大きな負担となり，在宅生活継続の阻害因子となる．さらに要介護高齢者の場合，食事は容易に命を奪う存在になりうるという視点を忘れてはならず，これによる精神的な介護負担も在宅をあきらめる因子となる．

要介護高齢者の場合，食事については姿勢や環境からの影響という観点からもとらえることがポイントとなる．たとえば，シーティングで姿勢を整えたり，食器を変えたり自助具を導入したりするだけで自立度が向上することは多々ある．

高齢者からは「楽しみは食べることくらい」という言葉をよく耳にする．最期まで安全に，自分らしく食事を楽しめるよう支援することは，尊厳の保持という観点からも大事なとらえ方となる．

c 入浴

高齢者では，浴室における転倒事故のリスクが高いことから，入浴をとらえる際には，洗体などの直接的な入浴動作よりも，浴室内での歩行や浴槽の出入りといった，入浴に伴う移乗・移動動作の能力やリスクをとらえることが主となる．

入浴は，排泄と同様にプライバシーにかかわる生活行為である．人に見られながら，洗われながらの入浴とはどんな気持ちだろうか．誰もが入浴介助を受けることを大きな心理的負担や苦痛に感じるものである．それは，要介護高齢者であっても変わりない．だからこそ，陰部など，自分の体はできるかぎり自分で洗いたいという切実な願いに向かい合うとらえ方が重要となる．

高齢者介護施設では，介助者側の都合で入浴が過介助になっていることも多いので注意したい．

また，要介護高齢者の体臭の問題は切実であり，介護負担や，家族や他者との関係性を悪化させる原因ともなる．入浴など全身の清潔保持にかかわる行為は，単なる清潔保持という面からだけでなく，社会とのかかわりという参加の側面からもその意義をとらえなければいけない．

d 整容

整容には，人として社会とかかわるための準備（身だしなみ）という意味（意義）がある．身だしなみとは，人にかかわる際に相手に不快感を与えないようにするための身支度のことである．つまり整容は，参加を促進し，人間関係や社会生活を円滑にするための行為ととらえることが重要である．

また，整容はQOLという視点からとらえることも大事である．おしゃれ，すなわち身なり（服装やファッション，髪形や化粧など）を整え美しく装うことは，自分らしさを表現（実現）するための手段でもある．加えて，誰でもおしゃれをすると気分が高揚し活動意欲も高まるように，整容を精神・心理的側面からもとらえなければいけない．

高齢者は，要介護になったり，施設に入所したりすると化粧やおしゃれをあきらめてしまう．支援する側も，生活の必需行為ではないことから，それをニーズとして取り上げようとはしない．しかし，人が人としての尊厳をもって生きるために，自分らしい豊かな生活を送るためには，化粧やおしゃれは大切な生活行為の1つであり，作業療法士はもっと積極的に向き合うことが望まれる．

e 排泄

要介護高齢者は，排泄に介助を要していることが多く，おむつ使用となっている人も少なくない．心身が思うようにならなくなり，ついには排泄すら思いのままにできなくなる喪失感や落胆，おむつをされてそこに排泄をせざるをえないときの屈辱感はどれほどのものだろう．さらにそこに，人

に介助される（見られる）という羞恥心も加わるのだ．日々これを感じながらの生活は，尊厳が守られているとはいえない．排泄は，尊厳に向き合う生活行為としてもとらえなければいけない．

排泄介助は，家族が感じる介護負担のなかでも最大のものであり，このために対象者との在宅生活をあきらめることも多い．ゆえに，家族の願いは「自分で排泄できるようになってほしい」であり，それが在宅生活実現の条件になる場合も多い．そして，本人の願いもまた「自分で排泄できるようになりたい」である．この願いには，「家に帰りたい」「家で暮らし続けたい」という切実な思いが込められているのである．排泄は，活動レベルだけでなく，参加レベルの願いを実現するための要素としてもとらえなければいけない．

要介護高齢者の排泄は，起居・移乗・移動・姿勢の視点からとらえる必要がある．要介護高齢者のなかには，尿便意があっても起居・移乗・移動がうまくできないことで，トイレに行くのが大変，その最中に失敗してしまう，介助が大変（心身ともに介護負担が大きい）といった理由からおむつ使用になっている人が多い．また，麻痺や筋力低下，可動域制限により上肢・手指機能が低く，下衣をうまく下ろすことができない，認知症でトイレの場所がわからない，下ろしにくい下衣を着用しているといったことで排泄に失敗し，おむつ使用となる場合もある．便器上での座位姿勢が不安定という理由でそうなっていることもある．

このように，要介護高齢者の場合，排泄機能に決定的な問題があってというよりも，他の問題が起因や要因となっておむつ使用になりやすい傾向がある．

一方，要介護高齢者の排泄は，環境という視点からとらえることも重要である．トイレ内だけでなく，ベッド周囲の環境からトイレまでの動線も含めた環境を評価することがポイントとなる．在宅復帰を想定した場合は，復帰先となる自宅の排泄にかかわる環境の評価が必要となる．

f 更衣

高齢者の場合，本人の心身機能・構造や能力に合っていない衣類であったり，それらに合わせた着脱衣の方法を知らなかったりすることで，着脱衣の自立度が低くなっていることがよくある．

また認知症高齢者では，着衣失行の評価だけでなく，季節や気温に合わせての服装選びや衣服の調整ができるかという評価も，生命の安全を守るために重要となる．これは高齢者全般にも通じる．

在宅では，着脱衣動作がうまくできない，大変という理由で，衣服を着替えずに生活している高齢者も多く，体臭問題の原因ともなっている．

要介護高齢者では，介助がないと下肢装具などを適切に装着できない場合が多く，介助者がいないことで間違った装着のしかたをし，それが原因で転倒してしまうケースもある．衣服だけでなく装具類の着脱能力の評価も重要である．

更衣も整容と同様に社会参加を促進し，社会生活を円滑にするための身だしなみである．おしゃれは豊かで生き生きとした生活を演出する．好きな服を自ら選び着られることで自分らしさを表現できる．こうしたQOLという観点から更衣をとらえることが大事となる．それは，主体的・自己決定的に生きる「自立」のための第一歩にもなる．

g IADL（手段的日常生活活動）

IADL（instrumental activities of daily living）🔑は，要介護高齢者ではあまり着目されることはなく，特に介護施設に入所しているとIADLを自分で行う機会も必要性もないことから，その傾向は

> 🔑 **Keyword**
> **IADL（instrumental activities of daily living）**　手段的日常生活活動．広義のADL．self careを中心とする狭義のADLに対して，人間が生活者として自立するための社会的諸活動に関係する．家事，レジャー，仕事，屋外活動，近隣への移動，調理，交通機関の乗降，社会相互関係などがある．

より顕著となる．しかしIADLは在宅生活を送るうえで，時にADL以上に重要となる．まずは対象者の在宅生活環境ごとに，必要となるIADLを明らかにし，その遂行能力を把握する．

独居や高齢者世帯の場合，要介護高齢者であっても調理や洗濯，掃除などを自分で行う必要性が出てくる．家庭内の役割としてこれらを行っていた人の場合は，再び役割を果たせることによる自己有用感の獲得，さらに自分の存在を実感できることや自分らしさの再獲得にもつながる．この場合，自宅で実際に使う道具や機器などを用いて，自分の能力とのギャップ分析を行う．

表1は，安全で快適な在宅生活を送るためには不可欠となるIADLである．そして，これらは生命を守るうえでも重要な動作となるので，高齢者の生活を支えるためにはぜひ把握しておきたい．外出にかかわる動作は社会との接点として，また受診や買い物の機会の確保という点において，非常に重要なIADLとなる．とりわけ，自動車の乗降動作は重要であり，在宅生活で実際に使用される車を想定しての乗降動作の評価を行う．

IADLは，個々のライフスタイルや興味関心，趣味などによって必要となる動作やその重要度に個別性があることが特徴である．たとえば，高齢者でもスマートフォンを社会とつながるためのツールや娯楽として手放せない人は多い．要介護となっても，それらを使用し続けられることは，自分らしさやQOLの観点からも重要である．

余暇活動

高齢者の**余暇時間**🔑は，65〜69歳で約8時間に達し，85歳以上では9時間を超え，実に1日の1/3以上の時間を占めていることになる[1]．また，約9割の高齢者が余暇時間に満足していると

> **表1 在宅生活を送るうえで把握したいIADL**
> - 携帯電話（スマートフォン）の受発信操作
> - 固定電話や子機の受発信操作
> - テレビのリモコン操作
> - エアコンや暖房器具の操作
> - ペットボトルなど，飲み物の蓋を開ける
> - 水栓器具の適切な操作
> - 薬を間違わずに飲める
> - 薬の分包の端を破って薬を落とさないように取り出せる
> など

いい，約8割が余暇活動に生きがいを感じているという[1]．これは，要介護状態にある高齢者にも当てはまるだろうか．

健康高齢者の場合，自らの意思と行動で余暇時間の満足度を高めることができるが，要介護高齢者ではそれはきわめて難しい．だからこそ，要介護高齢者1人ひとりにとっての意義ある余暇時間を過ごせるための支援が重要となる．それは要介護高齢者に意欲を生み出し，活発な生活づくりのきっかけとなるだけでなく，生きがいづくりにつながる支援ともなろう．何より，とかく生活の意味がセルフケアや介護ととらえられがちな要介護高齢者のQOLを高めることになるといえる．画一的なレクリエーションだけではその実現は難しく，そのためには，その人に合った余暇活動を見つけることが重要となる．

対象者の興味や関心，趣味歴や余暇活動歴，仕事も含めた「昔取った杵柄」や馴染みの活動の情報を，エイジズム的思考に陥らぬよう注意して把握する．また，ほかの人の余暇活動の様子や作品を見てもらったり，既存のグループ活動に参加してもらったりして，その様子や反応を観察することもよい．実際に活動を行ってもらう際には，その内容が本人の作業遂行能力に見合っているか注意する．能力を大きく上回る場合，失敗・挫折体験を味わわせてしまいかねず，自信を失わせ，活動に対して拒否的にさせてしまいかねない．

> 🔑 **Keyword**
> **余暇時間** 1日のうちで，労働・睡眠・セルフケアや家事その他の生活を営むうえで必要となる時間を除いた，自分の思うように過ごすことのできる時間．自由時間．

B 高齢期作業療法の実践過程

　高齢期だからといって，実践過程が他の領域と変わることはない．ただ，介護保険領域においては，常にケアプラン（居宅サービス計画・施設サービス計画）と連動した実践が求められる．
　ここでは，主に介護保険領域における実践過程について，高齢期に特有な内容を解説する．

1 評価

　高齢期作業療法の評価は，情報収集，面接，観察，検査測定，全体像の形成，統合と解釈のプロセスで展開される．
　高齢期の評価にあたって重要なポイントとなる，「廃用の評価」「環境影響の評価」「介護負担感の評価」の考え方と，高齢期作業療法の現場で使われる各種評価スケールについては，本書と同シリーズの『作業療法評価学 第4版』を参照されたい．

a 情報の収集

(1) サービス開始前の情報収集

　介護保険領域においては，サービス開始までに，適切なリハ実施に必要となる情報が収集される．
　通所リハや訪問リハの場合，リハ計画は居宅サービス計画に基づき立案されなければならないため，担当ケアマネジャーより居宅サービス計画の情報（解決すべき具体的な課題や目標など）を入手する．また，主治医から診療情報を入手する．
　介護老人保健施設などの場合，主治医からの診療情報，在宅で担当していたケアマネジャーがいればケアマネジメント情報を入手する．また，入所前（ないしは入所直後）に，対象者が復帰後に生活することが見込まれる居宅を訪問して，具体的な生活環境とそこでの生活状況や困りごとの情報を収集する．これは，在宅復帰を目的とした（役立つ）リハを提供するためにほかならない．

(2) 他部門からの情報収集

　他部門から情報を収集するのは，多角的な視点からの情報を得るためである．要介護高齢者の状態は変化しやすいことから，このプロセスは初回だけでなく，その後も適宜頻回に行われる．

①看護・介護職員からの情報

　情報収集の際には，複数の職員から得るようにする．それは，職員ごとの知識の程度や介護に対する姿勢の違い，個々の対象者にいだいている思いやその関係性などによって，対象者や対象者におこっている事象に対するとらえ方が違うことがあるからである．
　対象者の生活を実際に支えている看護・介護職員からのADLの実行状況や行われている介護の状況についての具体的な情報は，評価や課題の焦点化に不可欠である．また，介護職員が感じる介護負担感は，在宅では家族が感じることになるので，非常に重要な評価情報となる．
　看護・介護職員は，限られたマンパワーや時間で幅広く多くの業務をこなしているため，情報収集にあたっては聞きたい情報をあらかじめ伝えておくことで，欲しい情報が効率的に得られやすくなり，職員らに迷惑もかけずにすむ．

②薬に関する情報

　薬剤情報は注意深く得ておきたい．高齢者は，肝臓や腎臓の機能低下により代謝や排泄までの時間がかかることで薬の効果が強く出すぎたり，多剤併用の傾向があることから，副作用の問題が発生しやすかったりする．症状としては，ふらつきや転倒，物忘れ，うつやせん妄，食欲低下や便秘，認知機能や運動機能の低下，不活発などが発生しやすく，障害状態の形成に大きな影響を及ぼす．
　服薬情報（種類や数，服用時間，副作用など）を把握し，リスクへの備えや障害状態への影響分析，リハプログラムの内容や実施時間を検討する際の参考にする．また高齢者には，認知機能や視力の低下による飲み忘れや誤服用などの問題も発生しやすくなるので，これらについても把握しておく．

③相談員からの情報

　介護家族の情報(キーパーソン,年齢や健康状態,介護力,家族状況,対象者との関係など)は,在宅復帰や在宅生活継続の実現のために不可欠となるので,支援相談員などから適宜得ておく.

b 面接

　面接は,対象者とのリハに関する契約関係や2者関係(信頼関係)の構築,ニーズの聞き取りとしても非常に重要な評価プロセスである.しかし,高齢者というだけで理解力の低い存在や従属的な存在と認識されがちなために,肝心の本人との面接が疎かになり,家族からの聞き取りだけに終わってしまう傾向が強い.まずは高齢者本人の語りに真摯に耳を傾け,困りごと,望む生活,「したいこと」「できるようになりたいこと」,率直な思いなどを引き出さなければいけない.これは,対象者の自己決定と個人の尊厳を尊重し,その人らしい生活(人生)の実現を目指すクライアント中心の作業療法実践の肝となる非常に重要なプロセスであり,そのスタートとなる.

　重度の認知症や意識障害で本人が自ら語ることが難しい場合は,家族から聞き取ることになるが,この際に大事なのは家族としてではなく,「○○さんだったらどうお答えになるでしょう? ○○さんになったつもりでお答えください」と,本人に成り代わって語ってもらえるように誘導することである.家族としての思いや願い,希望や意向は,別に聞き取るようにする.

(1) 高齢者への配慮

　高齢者は,生きてきた時代背景や相手への遠慮から積極的に本音を表さない傾向があるので,面接の際には,質問に対する表情の変化や反応といった非言語的表現を注意深く観察する.また,理解力や言語表現力が低下している場合も多いので,こちらの質問内容が正確に伝わっているか,対象者が伝えたかった内容はこれで合っているかを常に確認しながら進めるとともに,余裕のある時間設定をし,対象者が落ち着いて話せるように配慮する.専門用語などは使わず,できるだけわかりやすい言葉や表現を心がけるとともに,選択肢を示してそこから選んでもらうなど,回答しやすい工夫をする.質問攻めになってしまわないよう注意し,待ちの姿勢をもって臨む.

　そうしたていねいな対応が,信頼関係を築くことにもつながっていく.時間に余裕をもって行うことは大事だが,時間を長くかければよいということではなく,高齢者は疲れやすいことから,疲労状態を注意深く確認しながら,1回で終わらせようとせずに複数回に分けて行う配慮も必要である.

　対象者に対して,子ども扱いするような話し方や馴れ馴れしい話し方になってしまうことはあってはならず,常に人生の先輩として敬意を払って接することを忘れないようにする.高齢者は聴力・聴覚に支障があることが多いので,個々の対象者の状態に適した聞き取りやすい音量や音域,速さを探りながら面接する.高齢者=耳が遠い=大声というステレオタイプな対応とならないように注意する.

(2) 面接において聞くこと

　面接では,対象者の個人因子(ライフスタイルや価値観,人生史やライフイベント,昔取った杵柄など)にかかわる情報や,対象者の訴え(主訴)についての聞き取りを行う.さらに,すぐには自宅を訪問しての環境評価ができない場合には,住居情報(住居の種類・家屋内・玄関周囲・自宅周囲・道路交通状況など)を得るようにする.この際,段差や家具の位置,動線などを聞き取りながら,対象者や家族と一緒に間取り図を描き,家屋構造やそこでの対象者の動きについて立体的かつ具体的なイメージを共有化できるようにしたい.

　対象者へのニーズの聞き取りは,初回だけでなく随時行っていくことが必要である.状態の変化に伴ってニーズも随時変化するため,この面接を効果的に行うことで,対象者のリハに向かう意欲や生活意欲を高めることにもなる.

c 観察

作業療法士が対象者の生活場面に出向き観察することは，評価のためのという以外にもリアルな生活や介護の実態を目の当たりにして感じてくるという大事な意味ももつ．また，現場にいることで，介護職員からの情報が得やすかったり，連携や協働が促進されたりする効果もある．

高齢者の場合，残存能力が生活のなかでADLに生かされているか，能力はあるのに生かされていないADLはないか，環境による影響はどうかという視点で観察することがポイントとなる．

高齢者では，自立と評価されているADLであっても，長時間かかっていたり，危険な方法や無理な方法で行っていたりして，在宅生活を送るうえではもっと楽に（効率的に）できる方法や安全な方法を検討したほうがよい場合も多いので，そうした側面からの観察も大事である．

高齢者は，昼夜でのADLの実行状況に差があることが多い．在宅生活を想定した場合，夜間のADLの自立度や安全性，介護負担は，在宅復帰の重要な因子となるので忘れずに把握しておく．作業療法士が夜間の状況を直接観察することは難しいので，介護職員などから情報を得る．そのうえで，昼夜の違いを分析することが重要となる．

観察は，ADLだけでなく生活のあらゆる場面において行われる．周囲の人とのかかわり方や対人関係，余暇時間の過ごし方，作業活動時の注意力や集中力，理解力，リスク場面などは重要な観察事項である．認知症の人の場合は，どんな場面で笑顔がみられるか，落ち着いていられるか，逆にどんな場面で行動・心理症状（behavioral and psychological symptoms of dementia；BPSD）が発生しているか，などの観察情報が評価に役立つ．

d 検査測定

高齢者だからといって，検査測定の内容や手技に違いはない．ただ，実施にあたっては，老化自体による心身機能・構造の変化からの影響や，それらにより発生しやすくなるリスクに対する認識を十分にもって注意深く臨むことが求められる．

たとえば，理解力や視力・聴力の低下により検査測定場面での意思疎通や指示理解がうまくいきにくかったり，疲れやすいことで評価が想定どおりに進まなかったりする．ほかにも，骨密度や心肺機能の低下により，評価の際の運動負荷時には細心の注意が必要となる．加えて，筋力やバランス感覚といった基本的な運動機能が低下していることから，転倒・転落事故にも十分に気をつける．

これらの影響やリスクへの配慮によって，再現性のある信頼性の高い評価結果が得られにくいだけでなく，能力が低めに評価されやすいという高齢者ならではの特徴も認識しておく必要がある．また，成人であれば1回で終わるような検査も，高齢者では数回に分ける必要も出てくる．

e 全体像の形成（評価のまとめ）

この過程は，これまでで得られた情報をICFモデル図の枠組みを活用して整理統合することによって，プラス面（利点）もマイナス面（問題点）も含めた現在の対象者の状況を全体的（全人間的）に把握することを目的とする．つまり，対象者の生活機能の全体像を描くことであり，「評価のまとめ」ともいうべき過程である．

f 統合と解釈（課題の焦点化）

この過程では，ICFのモデル図の枠組みを活用して整理統合されたさまざまな評価情報間の因果関係などの関係性を解釈し，発生している課題とその背景（要因）を分析・探求する．そして，働きかけるべきターゲットを明らかにする．

この過程は，対象者にとって目標を掲げて取り組んでいくべき課題を焦点化し，その解決の可能性や方向性を探求する過程でもある．そして，その課題が解決されることで，この対象者の生活がどうなっていくのかを考察（予後予測）する．これにより，向かい合うべき課題はより焦点化される．

2 目標設定とプログラム立案

a 目標設定に際しての視点と意味

目標設定の際には，①対象者視点に立っているか，②対象者の真の思いや願いに基づくものか，③具体的か，④対象者や家族にもわかりやすい内容や表現か，⑤この目標の達成により実現が期待される生活のイメージが描けるか，という視点でとらえてみる．

これにより，対象者本人や家族が，目標を明確に認識できるようになることで自ら意欲的に取り組めるようにするためだけでなく，ケアマネジャーや他職種がリハの目標を理解しやすくなり，ケアプランや他のサービス計画に反映・連動してもらいやすくもなる．また，目標が具体的だとプログラムも具体的になり，対象者も取り組みやすくなる．

以下に通所リハ事例を用いて，目標設定の際に作業療法士がどのように思考したのかを説明する．

(1) 長期目標

左片麻痺で車椅子（杖歩行可），認知機能問題なしの65歳主婦の希望は「台所仕事ができるようになりたい」であった．しかし，面接時の会話から浮かび上がった真の願いは「夫と住み慣れた家で末永く暮らし続けたい」にほかならなかった．さらに「再び主婦としての役割を果たせるようになりたい」という決意も伝わってきた．そこからは，役に立っている（有用感），必要とされている（存在感）という実感を得たいという切実な思いも強く感じられた．また，この対象者は料理好きで，何より手料理を夫がいつも「美味しい」と言って食べてくれることがこのうえない喜び（生きがい）であったことが伺えた．そこで，最終的な目標を「妻としての役割を果たし，生きがいを感じながら夫といつまでも一緒に暮らし続けられる」と描いたうえで，長期目標（12か月後）を「夫の好きな料理をつくることができる」と設定した．

(2) 短期目標

料理ができるようになるためには，自宅台所環境での食材準備動作，包丁動作，調理器具を扱う動作，左右への移動動作が杖なし立位で安定してできる必要があった．杖なし立位で模擬調理動作はできたが耐久性が低く，転倒危険性もみられた．さらに，左上肢麻痺が重度のため右片手での調理動作の必要があった．実際に行うと，包丁動作が難しく，食材を必要な大きさに切る工程の難易度が高く，食材によっても難易度が違っていた．

短期目標は，長期目標到達のために達成していくべきステップ（段階）の一段一段であり，達成度を測る指標であるため，達成条件を具体的な状態で示す必要がある．そのため，3か月後の達成を目指し，短期目標を「立位で，野菜を必要な大きさに切ることができるようになる」と設定した．

b プログラムの立案

このようにして考えられた長期および短期目標のもと，以下をプログラムとして立案した．

①自宅を訪問し，台所で実際に本人に立って調理器具類を使ってもらったうえでの台所環境評価と必要な動作能力の査定
②立位耐久性向上と機能的立位能力向上を目的とした立位での手工芸の実施
③自助具の導入・使用練習と立位・片手での包丁動作練習（実際の野菜を用いて）
④夫に本人の思いを伝えるとともに，目標やこれから作業療法で行うことについて説明
⑤立位で前後左右に動く練習，杖なし歩行練習
⑥自宅での自主練習指導
⑦左上下肢の関節可動域運動

このプログラムに，3か月後より隔週で実際に料理を作成するプログラムを追加し，工程数，難易度ともに低い料理から徐々に高い料理へと上げていった．ほぼ同時期に，担当ケアマネジャーに調理援助のための訪問介護の導入依頼をし，自宅での訪問介護員との共同調理の機会をつくり出すとともに，夫にもお願いして夫との共同調理の

機会をつくってもらった．このときに設定していた6か月後の達成を目指す短期目標は「他者のサポートや見守りのもとで料理がつくれるようになる」であった．9か月経過時点で長期目標は達成され，1年を区切りに通所リハは卒業となった．

3 リハビリテーション計画書

介護保険でのリハでは，国が定めた様式によるリハ計画の作成が求められるため，これらの様式について知っておく必要がある．

通所リハや訪問リハ，介護老人保健施設や介護医療院においては，「リハビリテーション計画書（別紙様式2-2-1，2-2-2）」〔巻末資料1の表1（→234ページ）参照〕で作成される．なお，医療保険での様式である「リハビリテーション実施計画書（別紙様式21の6）」は，この別紙様式2-2-1と共通の様式となり，医療保険から介護保険のリハに移行する場合の情報提供時に役立つようになった．

昨今，リハ・栄養管理・口腔管理の取り組みが一体となって運用されることで，より効果的な自立支援・重度化予防につながることが期待されている．リハの負荷や活動量に応じて必要エネルギー量や栄養素を調整することが筋力・持久力およびADL維持・改善に効果をもたらす．また，口腔・嚥下機能を適切に評価することで，適切な食事形態や摂食方法の提供につながり，食事摂取量の維持・改善などに効果をもたらす．

これを推進するため，リハ・栄養管理・口腔管理それぞれの評価や計画等を一体的に記入できる様式「リハビリテーション，栄養，口腔に係る実施計画書〔別紙様式1-1（通所系），1-2（施設系）〕」〔巻末資料1の表2（→236〜239ページ）参照〕が定められ，施設や通所での活用が推奨されている．

これらの様式は，あくまで制度上必要な最低限の様式（リハに関するインフォームドコンセント用の書式）であるとの認識が必要である．

リハ計画は，ケアプランと協調し，両者間で整合性が保たれることが何より重要となる．リハ計画をより有効なものとする観点から，リハに関する情報伝達（日常生活上の留意点や介護の工夫など）や連携を通じて，家族，看護・介護職員による生活行為への働きかけを行うことが求められる．

4 実施と再評価

計画書どおりプログラムが展開され，定期的に見直されることになる．この際「（おおむね）3か月ごと」と再評価（計画書の見直し）の期間が定められるが，これは最低限の期間であり，短期目標の達成状況やADL状態などの変化があったときには，期間に関係なく直ちに再評価を実施して新たな目標設定など計画変更をする．そのために普段から積極的に情報収集に努め，常にモニタリングの視点をもつようにする．

見直された計画は，少なくとも3か月ごとに担当ケアマネジャーなどに情報を提供するとともに，通所リハの場合，必要に応じてケアプラン（居宅サービス計画）の変更を依頼する．

5 リスクに対する備え

リスクは予防が第一だが，急変や事故の発生がつきものである高齢期実践の場では，それに加えて，おこった緊急事態にいかに迅速かつ適切に対処できるかも重要となる．病院内であれば，急変などの発生に際して，すぐに医師が駆けつけられるが，在宅などではそれは難しいため，自らの対処が求められる．対処のしかたが即，命にかかわることから，事前の十分な備えが大事となる．

まず，個々の対象者のリスク情報をあらかじめ得ておくこと，加えて病名などから，発生する可能性のあるリスクを想定しておくことが重要となる．ただし，在宅や施設の対象者は主病名が明確でなかったり，病名と症状が合致していなかったりする場合も多いので，病状自体をしっかり把握しておくことが大事である．ほかにも，人工呼吸器や酸素療法，ペースメーカーや透析のシャント，

気管切開，導尿，人工肛門，胃瘻や経鼻栄養，中心静脈栄養などの状態にある対象者は多いので，そうした医療行為やリスクについての知識や情報を得ておくことが望まれる．

また，対象者の状態や状況について，他サービスの担当者と定期的かつ随時に，互いに情報共有ができるようにする．高齢者は，生活環境の変化時や処方薬変更時にリスクが高まるので注意すべきである．リハ中のリスク管理については「リハビリテーション医療における安全管理・推進のためのガイドライン」[2]などを用いるが，高齢者の場合は，これらの基準を参考にしつつも，変化の度合いで管理をすることが大事になるので，対象者の普段の血圧などの数値を把握しておくことが重要となる．情報不足は，最大のリスク発生要因であるとの認識を忘れないようにしたい．

次に，一次救命処置（basic life support; BLS）の手順[3]や基本的な応急処置の方法（止血法，気道異物除去法，心肺蘇生法，AED操作，熱中症の対応法など）はマスターしておきたい．そして，急変時などにあわてないように，連絡先情報（主治医，家族，担当ケアマネジャーなど）を明確にしておく．加えて119番通報時に，対象者の状態（誰が，どこで，いつ，何をしているときに，どうなって，現在どんな状態なのか）と既往歴・現病歴を要領よく伝えられるようにしておく．

軽度でも「いつもと違う」症状が観察されたら，その情報を医師や担当ケアマネジャーなどに伝えることが，重篤な経過をたどるのを防ぐことにつながる．高齢者は，痛みや不調を我慢してしまう傾向も強いので，それを鋭敏に察する観察能力もリハ中の事故や急変を防ぐには必要である．

認知症高齢者のリスクに対する備えとして，BPSDの状況と発生の契機についての情報を得ておく．不意な危険動作に対する注意も必要である．また，異食や収集癖がある場合には，作業で使用する物品の十分な管理が必要となる．

6 地域移行（社会参加）

これまでの高齢期実践の過程には，リハを卒業する（復職など社会へ復帰する）という，他領域では当たり前の認識がほとんどなかった．そのため，高齢者は加齢に伴い身体機能が低下し続けることもあって，リハサービスが漫然と提供され続けてしまうことにもつながっていたといえる．

リハサービスを受けている高齢者の場合，いわゆる「よくなった」からといって，若年者のような支援全部からの卒業は困難だが，必要な支援を受けながらの「いったんリハは卒業」は可能性がある．国は，これを評価する介護報酬（移行支援加算）を設けてそれを推し進めている．通所リハや訪問リハ利用者のADLやIADLが向上して家事や社会への参加につながり，他のサービス（通所介護や一般介護予防事業など）に移行できた場合に，事業所に対する加算という形で評価される．

これからの地域包括ケアの時代に必要とされるのは，地域での生活へとつなげるためのリハであり，高齢者に地域で「生活する人」になってもらうためのリハであるといえよう．

● 引用文献

1) 長寿科学振興財団：高齢者の余暇活動と生きがい感．健康長寿ネット，2019
   https://www.tyojyu.or.jp/net/kenkou-tyoju/tyojyu-shakai/koreisha-yokakatsudo-ikigaikan.html
2) 日本リハビリテーション医学会 リハビリテーション医療における安全管理・推進のためのガイドライン策定委員会（編）：リハビリテーション医療における安全管理・推進のためのガイドライン．第2版，診断と治療社，2018
3) 日本蘇生協議会（監）：JRC蘇生ガイドライン2020．医学書院，2021

3 病期に応じた治療・援助内容の違い

リハビリテーション（以下，リハ）における病期とは，疾患や外傷の状態，それに伴う障害状態の経過を主に発症からの時間軸に沿って区分した時期をいう．通例，「急性期」「回復期」「生活期（維時期）」の3期に分けられるが，これに現代の保健・医療・介護における重点的取り組み課題を表す，「予防期」と「終末期」を加えて理解することが求められている（▶表1）.

予防期は未発症の段階なので，厳密にいえば病期の一相に加えるのは適当ではないといえる．また，終末期は時間軸の区分で一概にくくれるものではない．しかし，元来ある病期の前後にこの両期を置いてとらえることで，健康な状態から人生最期の時まで，作業療法士としてどのようにかかわる必要があるのか（そのあり方）を一連のものとして整理・認識できるようにしてくれる．

予防期については，第Ⅱ章 5「介護予防の作業療法」（➡132 ページ）および第Ⅲ章 1「健康高齢者のケース」（➡158 ページ）でふれるため，ここではその他の病期について述べる．

A 急性期

急性期とは，疾病や外傷を発症してまだ間もない，症状の変化が急激に現れるなど病状が不安定な時期を指す．期間的には，発症から 14 日程度がその目安とされている．これは急性期病院での入院期間が，医療制度的に 14 日以内が推奨されている（14 日を超えると診療報酬が大きく減額される）ことによるものといえる．

一方，急性期リハは，発症から 1 か月程度の期間で展開されるものを指すといわれる．これは発症，手術または急性増悪日から 30 日間は早期リハ加算が算定できることによるものといえる．

そして，診療報酬がさらに減額されることにな

▶表1 作業療法士が対象者とかかわる時期と内容

時期	内容
予防期	対象となる人々の健康状態を理解し，その健康状態を維持して，疾病の罹患や疾病による障害を防ぐ目的で作業療法士がかかわる
急性期	疾病の発症初期で心身機能に急激な変化がおこり，その結果，それまでの生活機能が失われることになる．この時期は，心身の不安定な状態が継続しているため，その点への配慮に基づく適切な作業療法の提供が必要となり，対象者の基本的能力や応用的能力へのかかわりが中心となることが多い
回復期	疾病の予後予測をふまえて，生活に必要な機能や活動能力を獲得できるように，到達目標で具体的な目標を設定する．立案した作業療法計画に沿って治療・指導および援助を実施し，基本的能力と応用的能力，社会的適応能力の回復・獲得を目指す
生活期（維時期）	症状や障害が安定して，疾病や障害の再燃・再発，悪化を予防することに重点がおかれる時期である．さらに，IADL などの個人生活への適応能力，対人関係や社会参加などの社会生活の向上を援助するなど，対象者の生活における活動範囲を拡大する．復帰先は自宅の場合や，種々の理由により自宅以外の施設などになる場合もある
終末期	癌を中心に緩和ケアが行われているが，癌以外にも進行性疾患などで終末期を迎える対象者もおり，疾患の別を問わず対象者の QOL をどう高め，あるいは維持していくのかが課題となる．終末期には疾患の治療や機能回復・向上を目標とするより，むしろ対象者の満足や価値といった視点からのかかわりが求められる

〔日本作業療法士会学術部（編著）：作業療法ガイドライン（2018 年度版）．pp20-21, 日本作業療法士協会, 2019 より作成〕

る30日を基準に，次期である回復期のリハを担う病院などに移っていくことになる．

急性期は医療の必要度や依存度が高く，生命の危機など突然の容態変化にも迅速に対応できなければならないため，急性期リハは主に医学的管理体制が整っている医療機関で行われる．

1 急性期の特性とリハビリテーションに求められる役割

脳卒中や外傷，整形外科手術後は，できるだけ早期からリハを開始することで，寝たきりや廃用症候群の防止，後遺症の軽減，早期のADL向上をはかることが強く推奨されている．発症後1〜2日での開始となることも珍しくないため，まだ意識障害や合併症を併発している場合も少なくなく，リハに際しては病状やバイタルサインの管理，運動負荷の調整など，徹底したリスク管理下での慎重な実施が求められる．

急性期は，ベッド上安静が優先されることで廃用症候群が必発してくる時期である．また，突然の入院による急な環境の変化や過度の安静による刺激の激減などにより，せん妄状態を呈したり，BPSD（行動・心理症状）の発生などの認知症の増悪をきたしたりすることも多い．これらは予備力や適応力が低くなっている高齢者に非常に発生しやすいので注意と適切な対応が必要となる．急性期に従事するリハ専門職は，この廃用症候群やBPSDの徴候を常にチェックし，早期の対応をチームで展開していく役割を果たす．

ベッド上ポジショニングや関節可動域運動などは可能なかぎり早期からの開始が望まれ，ベッドのギャッチアップ練習などもバイタルサインに十分に注意をしながら慎重に開始する．障害状態に応じた適切な体位変換方法などの検討や助言も，リハ専門職の果たすべき大事な役割である．

早期のADLへのアプローチは活動レベルでの予後を良好にするために重要であり，特に起居動作や座位保持，食事動作や嚥下機能，排泄動作のリハ開始に向けた評価は早期より行う．起居や座位保持および車椅子への移乗と操作能力の獲得は，寝たきり防止につながるだけでなく，その後のADLに連なる前提となる動作として意味があり重要となる．食事動作では，誤嚥リスクや食形態をしっかり把握したうえで摂食動作の作業工程分析を行い，安全な自力摂取を目指す．作業療法士には，姿勢や自助具などでのかかわりが求められる．排泄動作では，早期より尿器やポータブルトイレなどを使用しての排泄方法や動作の指導・練習が求められる．

2 脳機能の廃用防止

急性期では，ベッド上で寝ている時間が長いため脳への情報入力が著しく寡少な状態に陥りやすく，脳機能の廃用状態がつくり出されてしまう傾向がある．特に意識レベルが低い場合にその傾向が強いので，さまざまな感覚刺激を用いてアプローチを行い，意識障害の改善や脳機能の廃用防止を目指すことが重要である．

温冷刺激や触覚刺激などの表在覚刺激，関節可動域運動などによる深部覚刺激，姿勢変化などによる平衡覚刺激，歌や声かけなどの聴覚からの脳への刺激を活用し反応をみる．開眼状態にある場合には，フルリクライニング車椅子などを使用してさまざまな場所に連れて行くなどして視覚からの脳への刺激を入れる．視覚や聴覚への刺激を検討する際には，本人が好んで見聞きしていたものを活用するとよいので，あらかじめ家族から情報を収集しておく．さらに，意識状態によって，指の追視や模倣，じゃんけん，文字読みなどをしてみる．廃用症候群の予防というと身体機能のみの対応となりやすいが，それ以上に脳機能の廃用を防ぐことが非常に重要であり，それは作業療法士こそが力を発揮すべき役割であるといえる．

▶表2 回復期リハビリテーションを要する状態および算定上限日数

	回復期リハを要する状態	算定上限日数
1	脳血管疾患，脊髄損傷，頭部外傷，くも膜下出血後のシャント手術後，脳腫瘍，脳炎，急性脳症，脊髄炎，多発性神経炎，多発性硬化症，腕神経叢損傷などの発症もしくは手術後の状態または義肢装着訓練を要する状態	●算定開始日から起算して150日以内 ●高次脳機能障害を伴った重症脳血管障害，重度の頸髄損傷および頭部外傷を含む多部位外傷の場合は，算定開始日から起算して180日以内
2	大腿骨，骨盤，脊椎，股関節もしくは膝関節の骨折または2肢以上の多発骨折の発症後または手術後の状態	●算定開始日から起算して90日以内
3	外科手術後または肺炎などの治療時の安静により廃用症候群を有しており，手術後または発症後の状態	●算定開始日から起算して90日以内
4	大腿骨，骨盤，脊椎，股関節または膝関節の神経，筋または靱帯損傷後の状態	●算定開始日から起算して60日以内
5	股関節または膝関節の置換術後の状態	●算定開始日から起算して90日以内
6	急性心筋梗塞，狭心症発作その他急性発症した心大血管疾患または手術後の状態	●算定開始日から起算して90日以内

〔厚生労働省保険局医療課：令和4年度診療報酬改定 I-3 医療機能や患者の状態に応じた入院医療の評価-⑰回復期リハビリテーション病棟入院料に係る見直し．令和4年度診療報酬改定の概要 入院Ⅱ（回復期・慢性期入院医療），令和4年3月4日版，2022 より改変〕

3 急性期リハビリテーションの留意点

　急性期は急変がおこりやすいので，個々の対象者の病状と医学的リスク・禁忌などをしっかりと理解して実践にあたらなければならず，何より医師・看護師との連携が欠かせない．また，突然生命にかかわるような病になったこと，それにより身も心も生活も思うようにいかなくなってしまったことで，対象者や家族は大きく戸惑い，今後の生活（人生）を見通すことができず強い不安と混乱に陥っている時期でもある．そのため，今後の生活について，作業療法士ならではの視点からの支持的なかかわりは非常に重要となる．

　急性期においては，対象者は低下してしまった身体機能の回復にしか意識が向かなくなる傾向がある．作業療法士の役割としては，その気持ちを十分に尊重したうえで，活動・参加や精神心理面にも焦点を当てることを忘れないかかわりができることが求められる．それが，回復期リハへと切れ目なくつなげることに役立つのである．

B 回復期

　回復期は，病状が安定し，回復を目指して積極的に密度の濃いリハを展開していく時期であり，回復期リハ病棟が主な提供場所となる．この病棟では，回復期リハを要する状態と算定日数の上限が定められている（▶表2）．そのため，回復期は，発症後1～6か月が目安とされている．

　しかし，在院日数の短縮化や報酬算定上の問題により，高齢者の場合，急性期病院からそのまま生活期を担う介護老人保健施設（以下，老健）へ入所となることも増えており，回復期リハで求められるような機能や役割を老健が担う必要も多くなってきている．また，急性期病院から直接自宅へ復帰し，生活期リハである通所リハや訪問リハを利用して在宅生活を送る場合も多い．

1 回復期リハビリテーションの特徴

　回復期リハ病棟は，急性期病院での治療を終えたもののすぐに自宅生活などへ戻るには不安があ

る患者を受け入れ，引き続き治療と多くの専門職がチームで展開する．集中的なリハにより，早期の在宅や社会への復帰を目指す病棟である．

その主な特徴を，以下に整理する．

①1日最大9単位（1単位＝20分）＝3時間と長時間のリハを行うことができる．

②1回のリハ時間を20分や40分と短くして頻回に行ったり，60分の集中的（長時間）リハを3回行ったりなど，対象者の障害状態や体力，意欲や心理状態，体や心への負担を考慮してカスタマイズされたリハを行うことができる．

③リハ室だけでなく，起床から就寝までの間に行われる食事や排泄，更衣や整容などのADLも含めた生活そのものをリハ（の機会）ととらえたサポート（生活に密着したリハ）が受けられる．

④休日に関係なく365日体制でリハが提供される．

⑤退院後の生活場所となる自宅などを退院前に対象者とともに訪問し，家屋状況や家屋改修・福祉用具の導入状況の調査や指導，その状況に合わせて強化したいリハの見極めなどをする．

2 作業療法士に求められる役割

作業療法では，在宅復帰を主な目標に，ADLやIADLの向上へ働きかけるアプローチを行うとともに，役割の創出や社会参加の実現へ向けてのアプローチも開始する．

そのために，以下のようなことが求められる．

①自宅など，退院後の生活場所となる住環境の評価

②自宅など，退院後の生活場所となる住環境での生活に必要となるADLやIADL能力の分析（作業分析）

③現在のADLやIADL能力の評価

④②と③を照らし合わせてのギャップ分析

⑤明らかになったギャップを埋めるための方法（能力向上のために必要な心身機能の向上のためのリハ，リハ場面でのADLやIADLの模擬動作練習，実生活場面でのADLやIADL動作の実践練習，自助具や福祉用具の検討と使用練習，住宅改修など住環境整備など）の検討

⑥具体的な住環境整備の提案〔本人，家族，退院後に担当する介護支援専門員（ケアマネジャー）など〕

⑦家族への介助方法の指導や，一緒に生活をするうえでの留意点の確認などの生活指導，心理面に対する支持的サポートなど

⑧認知機能や高次脳機能，精神機能の評価と回復へ向けてのアプローチ

⑨病棟での実際のADL実践場面に働きかけることになる．看護師などへの指導・援助

⑩家庭復帰へ向けて，入院前（病前）の対象者がどのような生活を送っていたか（ライフスタイル），どのような人であったか（対象者らしさ，価値観，趣味，生きがい，家庭内外での役割，社会参加の状況など）の情報収集と共有

⑪役割や社会参加，趣味や生きがい，自分らしさなどを取り戻したり，新たに創出および再構築したりするためのアプローチ

⑫対象者にとっての「意味ある作業」を見いだし，実現させるためのアプローチ

回復期の作業療法では，このあとに続く生活期へと切れ目なくかつ効果的にリハをつなぐための実践が求められる．そのためには「心身機能」や「活動」レベルの目標や取り組みだけに終わることなく，この段階から役割の創出や社会参加などの「参加」レベルの目標を十分に見据えた取り組みを開始することが重要であり，それを生活期を担当する作業療法士やケアマネジャーなどへと，バトンを渡していくことが大事である．

C 生活期（維持期）

生活期は，「維持期」に代わる表現として，2010年に出された地域包括ケア研究会報告書での使用を機に広く認識されるようになった．それまでの

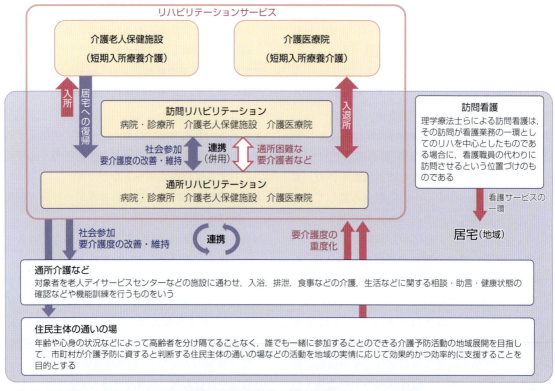

▶図1　生活期リハビリテーションが対象となる高齢者が利用可能なサービス・活動
〔厚生労働省老健局老人保健課：「介護保険事業(支援)計画における要介護者等に対するリハビリテーションサービス提供体制の構築に関する手引き」．p6, 三菱総合研究所, 2020 より改変〕

文字通りの心身機能の維持的な意味だけでなく，個人生活への適応(活動)や社会生活の向上(参加)など，対象者を生活機能全体でとらえ維持向上させていくことの重要性を認識すべき時期であることを意味するものといえる．また生活期は，生活の質(QOL)の改善を目指して取り組むことの大事さを伝えるものでもある．

なお，この時期は疾病や障害の再燃・再発・悪化を予防し，健康状態や心身機能の状態を維持することにも重点をおく必要がある時期であることに変わりはないことから，維持期という表現も生活期と併せて使われている．

急性期や回復期を担う病院から退院し，住み慣れた在宅などでの生活に移行するのがこの時期である．入院前とは大きく異なる心身機能状態での生活場所への移行は，たとえその場所が住み慣れた家であったとしても，実際には，まったく新たな生活の始まりを意味するものといっても過言ではない．その理解をもとに「生活の再構築」へ向けてのかかわりが求められることになる．

疾病や心身機能障害の時期別分類ベースで成り立っているといえる「病期」という概念から離れ，生活機能ベースでとらえる生活期というとらえ方は，この時期におけるリハのあり方を的確に言い表してくれているものといえよう．

1 生活期リハビリテーションとは

生活期リハとは，リハ専門職のみならず多職種によって構成されるチームによる生活機能の維持と向上，自立生活の推進，介護負担の軽減，QOLの向上を目的とするアプローチである[1]．

急性期・回復期リハは医療保険から給付されるが，生活期では医師が医療保険でのリハの継続が

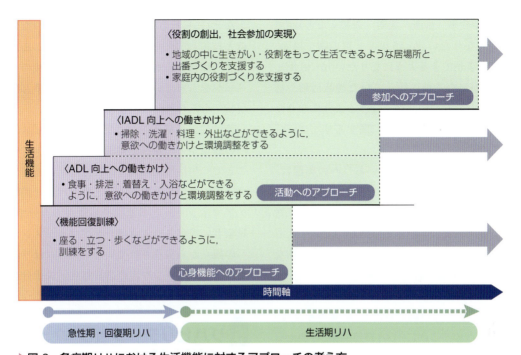

▶図2 各病期リハにおける生活機能に対するアプローチの考え方
〔高齢者の地域における新たなリハビリテーションの在り方検討会:高齢者の地域における新たなリハビリテーションの在り方検討会報告書. p7, 2015 より改変〕

必要と判断した場合などを除き,介護保険からの給付となる(医療保険と介護保険の併用は基本的に不可で,介護保険優先となる).

生活期リハの対象となる高齢者が利用可能な介護保険サービスおよび活動について図1に示す.「訪問看護」におけるリハ専門職の訪問は,区分上ではリハサービスではないが,提供されるサービスの内容は訪問リハとほぼ変わらない.

また,生活期リハの対象となる高齢者は,通所介護(における機能訓練)や住民主体の通いの場などへの移行を目指すことが求められることから,それらのサービスなどとの連携といった視点で理解をしておくことも重要となる.

2 生活期リハビリテーションのあり方

時間軸の経過とともに急性期・回復期リハから生活期リハへと移り変わっていくが,その推移のなかで,生活機能の構成要素である「心身機能」「活動」「参加」のそれぞれに,そのときの状態やニーズに合わせてバランスよくアプローチしていくことが重要となる(▶図2).

また,急性期・回復期から生活期へと切れ目のないリハ提供の実現が強く求められる.図2の考え方に沿い,それぞれの時期で今後のリハ展開もしっかりと見据えて,今どんなアプローチが求められるのかを考え展開していくことで,病期が移り変わっても切れ目なくかつ効果的にバトンをつないでいくことが可能となるのである.

3 生活期リハビリテーションの現状

通所リハにおける本人のリハ継続理由は,「身体機能を治したい」が78.8%,次いで「筋力をつけたい」が75.4%と身体機能の改善に対するニーズが高い.一方で「日常生活を送るうえでの基本的な

動作（移動や食事，排泄，入浴，着替えなど）ができるようになりたい」が55.9％，「買い物や掃除，料理など家事ができるようになりたい」が36.3％，「病気やけがになる前に行っていた趣味活動や仕事をするなどの社会的活動をできるようになりたい」が42.3％と，活動や参加に関するリハニーズも少なくない[2]．

しかし，実際に提供されているリハの実態は，「筋力トレーニング」86.7％，「関節可動域訓練」74.6％，「歩行訓練（屋内）」71.1％と身体機能に対するリハの実施度合いが非常に高く，「排泄・入浴などのADL訓練」8.2％，「調理・掃除・買い物などのIADL訓練」2.2％，「社会参加訓練」2.5％と，活動や参加に対するリハはほとんど行われていない[2]．また，リハ専門職の目的も「心身機能維持」が約5割を占め，これに「心身機能回復」も加えると6割強になるなど，その意識も心身機能に偏っていることがわかる[2]．

4 生活期リハビリテーションの課題

第1に，高齢者のニーズは多様であるにもかかわらず，身体機能に偏った画一的なリハばかりが提供され，活動や参加なども含めたバランスのとれたリハが提供できていないことである．

第2に，高齢者の「より楽しく生きたい」「より豊かに生きたい」「より高い生活機能を実現したい」という気概や意欲，主体性を引き出せておらず，これを実現させるリハもできていないことである．これは生活期のリハが，ただ漫然と機能訓練が提供され続けている場にすぎなくなってしまっていることを意味するものといえる．すなわち，高齢者が自ら「なりたい」「したい」を思い描き，その実現へ向けて頑張ろうと思えるための取り組みが行えていないことを表している．

第3に，通所リハなどでADLやIADLが向上した対象者を，地域の通いの場（通所介護や介護予防・日常生活支援総合事業，老人クラブやサロンなど）に移行させる取り組み（参加へつなげる視点と技術）が足りていないことである．また，リハ専門職自体，対象者の通所リハ終了後の生活イメージをもっていないままにリハに従事している現状[2]もみられ，改善が求められる．

第4に，多職種間および各居宅サービス間のリハの観点からの連携や協働がうまくできていないことで，生活機能の向上や自立生活の推進に結びついていないことである．とりわけ，介護職員やケアマネジャーとの連携や協働が不十分であり，対象者に提供される介護やケアマネジメントがリハの観点から提供されていない．これはリハ専門職が，ケアプランや実際の日常生活に十分にかかわれていないことを表しているといえよう．

5 リハビリテーションマネジメント

リハマネジメントは，調査（Survey），計画（Plan），実行（Do），評価（Check），改善（Action）のサイクルの構築を通じて，「心身機能」「活動」「参加」にバランスよくアプローチするリハが提供できているかを継続的に管理することによって，質の高い生活期リハの提供を目指すものである[3]．図3に訪問リハおよび通所リハでのリハマネジメントのプロセスを示す．生活期リハの展開にあっては必須となるので，各プロセスでの実施内容などについてしっかりと理解しておきたい．

訪問リハや通所リハでは，これらのプロセスを展開することが加算につながる．老健では，リハマネジメントは基本報酬に包括化され，実施されることがリハサービスの標準となっている．

6 自立支援型介護の実現

生活期リハは，いかに多職種協働のチームアプローチを形成して対象者の生活に密接に関連して展開できるかがそのポイントとなる．そして，最もその意義が大きいのが，対象者の生活を日々実

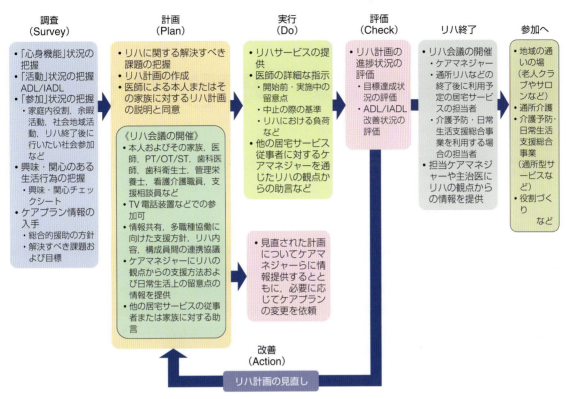

▶図3 リハビリテーションマネジメントのプロセスと内容
〔厚生労働省：リハビリテーション・個別機能訓練，栄養管理及び口腔管理の実施に関する基本的な考え方並びに事務処理手順及び様式例の提示について．pp5–15, 老老発0316第2号，2021年3月16日より作成〕

際に支えている介護職員との協働である．

　介護保険領域では，かねてよりケアプランの作成や介護サービスの提供が自立支援の観点からなされていないことが根本的な課題となっている．すなわち，できないADLに対して穴埋め的な介護が行われているのである．そのため，改善の可能性が奪われ，自立支援を目的に行われるはずの介護が，反対にその人の自立を阻害することになってしまっているともいえる．

　実行状況レベルでのADLの向上をはかるためには，実際の日常生活場面におけるリハの展開は不可欠となる．それには，介護職員が行う介護を「できない→してあげる」という補填行為としての単なる「お世話」に終わらせてしまうことなく，「なぜできないのか」「どうすればできるのか」と考え実行できる，成長や自己実現を促すための自立支援型介護にできるかどうかがポイントであり，それこそが有効な生活期リハ展開の鍵ともなる．

　つまり，自立支援型介護の実現には，介護職員1人ひとりが行う日常生活を支える介護行為が，リハの考え方を基軸として展開されることが必須である．そのためには，介護職員との日常的な協働を通じて，リハの考え方や知識，そして有用な技術を伝えていくことが重要となる．

D 終末期──人生の最終段階

　終末期は，個々の病態においてさまざまであり，同様に余命についての数値化も難しいことから，統一した定義として定めることや，余命何か月といったような期間でとらえることは適当では

▶表3　終末期の定義

	「終末期」とは，以下の3つの条件を満たす場合をいう．
1	複数の医師が客観的な情報をもとに，治療により病気の回復が期待できないと判断すること
2	患者が意識や判断力を失った場合を除き，患者・家族・医師・看護師などの関係者が納得すること
3	患者・家族・医師・看護師などの関係者が死を予測し対応を考えること

〔全日本病院協会：終末期医療に関するガイドライン—よりよい終末期を迎えるために．p2, 2016 より作成〕

ない．ゆえに標準化された定義などはなく，各種学会や専門団体などで定義や考え方が示されている．

表3に示す定義からは，終末期とは（臨床的には）医学的観点からだけで一方的にとらえるべきものではないということがわかる．条件の2, 3は，後述するACP（人生会議）の概念とも通ずるもので，終末期医療やケアのあり方を理解するうえでの要点ともなるといえる．

厚生労働省は，終末期における医療・ケアの提供を検討するにあたっては，最期まで「本人の生き方（＝人生）」を尊重することが重要であるとの考え方に基づき，「終末期」を「人生の最終段階」という言葉へと変更している〔2015（平成27）年に「終末期医療の決定プロセスに関するガイドライン」を「人生の最終段階における医療の決定プロセスに関するガイドライン」へと改訂〕．これは「終末期」という言葉がもたらすイメージを払拭することを目的としただけの変更ではなく，「人生を生ききる」ことを支える医療・ケアを重視するパラダイムシフトを目指したものである[4]といえる．

終末期（terminal phase）は，生物学的生命（biological life）の終わりを指すが，人生の最終段階（end of life）は，「物語られるいのち[5]」「物語られる人生[4]」（biographical life）の最終段階を意味する言葉である．このとらえ方は，終末期にある人を理解し支えるにあたって前提とすべき重要な認識となる．人は皆，価値観や人生観などを反映した個別で多様な人生の物語を生きており，この「物語られるいのち」こそが生物学的生命の価値を決めている[4, 6]ということを忘れてはならない．

1 終末期ケアのあり方——エンド・オブ・ライフ・ケア

終末期ケアは，従来「ターミナル・ケア」と同義に認識され，一般的には病院で行われる「緩和ケア🔑」や「ホスピスケア🔑」など，主に癌疾患により終末期にある人を対象とした医療やケアのこととしてとらえられてきた．しかし，誰もが高齢者となる最長寿国であると同時に，年間死亡者数の9割が高齢者という高齢・多死社会でもあるわが国において，癌疾患で終末期にある人が最期のときまで苦痛なく過ごすための医療・ケアの考え方や体制だけでは，誰もが安心して人生の最終段階を迎えることはできない．求められるのは，老いや病いを抱えながらも，誰もが自分らしく最期まで生ききるための支援の考え方と体制である．

そこで，注目されているのが「エンド・オブ・ライフ・ケア」[7]である．千葉大学大学院看護学研究科エンド・オブ・ライフケア看護学では，「診断名，健康状態，年齢にかかわらず，差し迫った死，あるいはいつかは来る死について考える人が，生が終わるときまで最善の生を生きることができるように支援すること」と定義し，この定義の重要な点について「病気であるか否かにかかわらず人が老いて生きる過程が自然なものであり，その過程においてその人自身が『生きること』を意識するということである」[8]と述べている．

1人ひとり異なる最善の生を対象者も支援者も模索し，それを最期まで生き切ることを支えるケ

> **Keyword**
>
> **緩和ケア**　主に癌患者の身体的・精神的苦痛，社会生活上の不安を緩和することでQOLの向上をはかることを目的とした治療やケアのこと．
>
> **ホスピスケア**　主に末期癌などにより死期の近い患者を対象とした，身体的・精神的苦痛の緩和のための治療やケアのこと．

アであるエンド・オブ・ライフ・ケアは，すべての高齢者支援にかかわる者が基軸に置くべき考え方であり，終末期リハのあり方を考えるうえでベースとなる概念となる．

2 ACP（人生会議）

ACP（advance care planning）とは，もしものとき（終末期，命の危険が迫った状態になったとき）に備えて，人生のなかで大切にしていることや望み（人生の終わりまで，し続けたいこと，したくないこと，どのように過ごしたいかなど），そのときにどのような医療やケアを望んでいるかなどについて，あらかじめ自身で考え，信頼できる人たち（家族・親族，友人など）や医療介護関係者などと繰り返し話し合い，心づもりとして書き留めたもの（記録）を周囲の人と共有するという，本人の意思決定を支援する手順（プロセス）のことであり，愛称を「人生会議」という．なお11月30日は，いい看取り・看取られの語呂で「人生会議」の日とされている．

ACPの具体的な手順などについては，自治体のHPなどから手引きや啓発パンフレットなどがダウンロードできるのでぜひ確認をしておきたい．

a ACPの意義

医療・介護の現場においては，近い将来の意思決定能力の低下に備えて，今後の治療やケアのあり方について対象者本人や家族とあらかじめ話し合う際のプロセスとして展開される．なおACPには，国際的に共通するような明確な定義はなく，国内では表4[9-11]に示すような定義が示されている．

終末期においては，約7割の患者で意思決定能力が十分ではなくなる[12]ことから，自分で考え，意思表示できるときからACPは始める必要がある．また，健康状態や生活状況が変わるごとに繰り返し行われることが重要であるだけでなく，気持ちが変わることはよくあることなので，その都

▶表4　ACPの定義

人生の最終段階における医療・ケアの決定プロセスに関するガイドライン解説編[9]（厚生労働省）
ACP（アドバンス・ケア・プランニング）：人生の最終段階の医療・ケアについて，本人が家族らや医療・ケアチームと事前に繰り返し話し合うプロセス
ACP推進に関する提言[10]（日本老年医学会）
ACPは将来の医療・ケアについて，本人を人として尊重した意思決定の実現を支援するプロセスである
人生の最終段階における医療・ケアに関するガイドライン[11]（日本医師会）
ACPとは，将来の変化に備え，将来の医療・ケアについて，本人を主体に，その家族らおよび医療ケアチームが繰り返し話し合いを行い，本人の意思決定を支援するプロセスのことである

度行われていく（更新される）ことが重要となる．

ACPを行うことのメリットは，話し合いのプロセスを通して，家族や医療者が対象者の価値観を理解でき，意思表示が難しい状態になってもその意向を尊重しやすいこと，対象者の自己コントロール感が高まること，対象者の意向がより尊重されたケアが実践されることで対象者と家族の満足度が向上することがあげられる．また，対象者を支える家族のケアにもなり，家族らが治療やケアについての難しい決断をする際の重要な助けとなるだけでなく，厳しい決断をした際の心的負担も軽減してくれる．さらには医療・ケアに携わる者の仕事の満足度を高め，その積み重ねにより医療やケアの質を向上させることにつながる．最終的には，遺族らの心のケア（対象者にとっての最善を尽くせたことがもたらす達成感や満足感などが抑うつ感を減少させるだけでなく悲しみを癒す）にもつながる．デメリットとしては，対象者・家族にとって辛い体験にもなることがあげられる．

なお，ACPはあくまでも対象者自身が主体的に考え，取り組むことによって進められるものなので，「知りたくない」「考えたくない」人には，その意思への十分な配慮が必要となる．

高齢者にとって，要介護認定を受けたときや，介護施設に入所したときは，ACP開始の機会と

なるので，作業療法士としてもしっかり認識してかかわれるようにしておく．

b 作業療法士に求められること

対象者のこれまでの人生の過ごし方やそこから生まれる価値観，日ごろ大切にしていることや好きなこと，したい（し続けたい）こと，どのように暮らしたいかは，ACPの重要な情報となる．また，もしものときどうするかという，ともすれば本人には非常に辛い，後ろ向きともいえる話題を話し合わなければならないなかにおいて，これらは前向きな話題であり，対象者に生きる力を与えてくれることにもなる．これらの情報を引き出すのに作業療法士の果たせる役割は非常に大きい．

医療・ケアの専門職のなかにおいて，最も長時間密接にかかわっているのはリハ専門職である．数十分もの間，1対1で心身ともに密着して過ごす職種などほかにない．それだけ日ごろからのラポール🔑形成もなされやすいといえ，対象者が本音を語れる存在にもなりうる．家族でもとらえきれない思いや，医師などにはいえない悩みや本音などを把握できる可能性が高いのがリハ専門職であるといえよう．リハ専門職はそのことを認識して，ACPをより本人にとって最善のものとなるよう積極的にかかわることが望まれる．

現在から最期の時までの「生き方」を話し合う仕組みが，ACPであるととらえて臨むことが大事である．そのなかに，最期の時の医療・ケアのあり方が含まれるのであって，決して「死に方」の話し合いではないという理解が重要となる．

3 グリーフ・ケア

家族や親しい人との死別などの大きな喪失体験に伴う人間の反応を，グリーフ（悲嘆）という．グリーフとは，悲しみ，寂しさ，絶望感，憂うつといった心理的反応のことだけをいうのではない．睡眠障害，食欲喪失，疲労感といった身体的反応や，注意力の低下，日常生活や行動パターンの喪失などの認知・行動的な反応，仕事に行けなくなったり，社会生活が行えなくなったりなどの社会的反応などもグリーフである．

このような状態にある人に，寄り添い，心理的にも社会的にも孤立しないように支え，徐々に乗り越えていくことができるようにサポートすることをグリーフ・ケアという．死別は非常に辛い体験だが，遺された人にとっては，これからの自らの人生にとっての大きな学びや人間としての成長，そして生きる力にもなりうるという理解が必要であり，それがグリーフ・ケアを行う意味である．また，われわれがグリーフ・ケアに対する知識や認識を深めることは，よりよいACPや終末期ケアやリハの実現，何より悔いの残らないかかわりを行っていけるために必須である．

4 デスカンファレンス

デスカンファレンスとは，対象者の死後に，かかわったスタッフ全員が集まり，実施したケアなどの内容や意思決定支援についての振り返りを共有したうえで意見交換をする場である．昨今では，デスという言葉の重みや印象を和らげる意味も込め，喪失や死別を意味する英単語であるビリーブメントを用いて，ビリーブメントカンファレンスと呼ばれることもある．その目的は，次の看取りケアなどの質を高めることにある．また，対象者の苦痛や家族の悲しみに接したスタッフの精神的ストレスを全員で感情共有をはかることで軽減させること，チームの支え合い機能を高めること，チーム力を高めることなども重要な目的となる．リハ専門職によるリハの観点からの振り返りは非常に重要であり，積極的な参加が望まれる．

> 🔑 **Keyword**
> ラポール　心理学用語．フランス語で「橋を架ける」という意味から，互いに心が通じ合い，相互に信頼し合っている状態．安心して自己開示や感情の交流を行うことができる関係が成立している状態を表す．

5 終末期リハビリテーションのあり方

　その人が最期まで最善の生を生ききることを支えるリハ，いうなればエンド・オブ・ライフ・リハともいうべきとらえ方が終末期リハのあり方であるといえる．

　最善の生を生ききるということの1つの意味は，○○さんらしく生ききるということにほかならない．そして，もう1つの意味は，最期の時までその人にとって望ましい状態であり続けられるということだろう．言い換えるなら，個人の尊厳が守られ，本人も家族も安らぎをもって，納得できる（後悔のない）死の状態，いうなれば良い死（good death）が迎えられるようにすることである．人間らしく生ききるということもできよう．

　その人らしく生ききるためには，人間らしく生きられていることが前提である．その人らしさに注目するあまりに，人間らしく生きるための支援がおざなりになってはならない．しかし，人間らしく当たり前に生きることは，その人らしく生きることの一部でもあることも忘れてはならない．

6 最期まで人間らしくあることの意味

　全国介護・終末期リハ・ケア研究会では，終末期リハを「加齢や傷病および障害のため，身の保全が難しく，かつ生命の存続が危ぶまれる人々に対して，最期まで人間らしくあるように支え，尊厳ある最期を迎える権利を担保する包括的なリハビリテーション活動」[13]と定義している．

　終末期リハを提唱した大田[14]は，その手法について，①清潔の保持，②不動による苦痛の解除，③不作為による廃用症候群の予防，④著しい関節の変形・拘縮の予防，⑤呼吸の安楽，⑥経口摂取の確保，⑦尊厳ある排泄手法の確保，⑧家族へのケアをあげている．いずれも，最期まで人間らしくあることを支えるものだが，なかでも要点となるのが，不作為による（防ごうと思えば防げた）廃用症候群の予防であり，これは①～⑦のすべての根幹にも通ずるものである．

　拘縮・変形があって関節が動かないと，身体の保清，着替え，トイレでの排泄やおむつ交換，寝返りや移乗などの毎日繰り返される当たり前の生活で，対象者は耐え難い苦痛や危険を味わうことになる．時には，おむつ交換をしようと股関節を少し強く広げただけで大腿骨を骨折させる事故がおきてしまうこともある．

　また，拘縮があると，腋窩や股間，手指の屈側のケアができなくなり，不潔となって激しい異臭や皮膚炎をおこしたり，おむつ交換ができずに尿道カテーテル留置となったり，好きな服が着られず浴衣しか着られなくなったりすることもある．頸部の伸展拘縮は呼吸や嚥下にも影響し，口からの食事という当たり前を奪ってしまうだけでなく，誤嚥により命を奪ってしまうこともある．

　これら，人として当たり前の生活を送れなくなることは人間らしくない状態であり，尊厳ある最期には程遠い．最期まで当たり前の生活を送ることを維持するために，苦痛なく，当たり前に必要な介助を受けられることも，人間らしくあることの意味である．

　また，最終的に最期を迎えたご遺体が，頸部が強く伸展拘縮して，口は大きく開いたまま閉じない，肩も肘も指も拘縮して胸の前で手を組ませられない，股関節も膝関節も屈曲拘縮していて棺桶の蓋が閉められないという状態であったらどうだろうか．かつての面影はそこにはなく，遺族の悲嘆や後悔ははかりしれない．それを防ぐことは，対象者の尊厳を守るとともに，遺族の悲嘆感情を緩和することにもつながる．すなわち，グリーフ・ケアは生前から始まっているのである．

　この問題は得てして高齢による終末期になって表面化するが，決して終末期になった途端におこるものではない．障害や要介護になったそのときから，不活発な生活がみられ始めたときから，先

を見通して予防していかなければいけない．

　rehabilitation の語源である habilis の意味が「人間らしく」であることを鑑みれば，最期まで人間らしくあるためのリハは，理念の根本において，まさしくその本意に適うものであるといえる．

7 作業療法士に求められること

　最期まで人間らしくあるように支え，尊厳ある最期を迎えられるように取り組むことは，リハ専門職が果たすべき最終的な責務である．

　関節可動域保持の取り組みやシーティング・ポジショニング，呼吸のリハなどに積極的にかかわる．また，安全に関節を動かす方法を介護職に指導し，その機会を増やす．さらに，移乗，排泄，更衣，清拭などの場面にかかわり，苦痛の少ない介助方法などを介護職へ助言指導する．

　食事は，最期まで自分の手や口で一口でもいいから食べたいものである．この思いをかなえるためのリハは，尊厳を守るための重要な終末期のリハである．作業療法士は，作業分析と福祉用具や自助具，環境調整や姿勢に関する技術によって，それをサポートすることができる存在であることを意識して積極的にかかわるべきである．

　誰でも最後までトイレで排泄したいとの思いは強く，そのためのリハは尊厳ある排泄手法を確保するためにも重要であり，作業療法士がもつ作業分析と環境調整や姿勢に関する技術によって，力を発揮することが期待される．

　そして，住み慣れた家で，家族に囲まれて看取りの時を迎えられるための支援も重要な終末期リハである．作業療法士は，在宅の環境調整などで力を発揮すべきである．生前につくった作品に囲まれて最期のときを迎えるのも，ある意味作業療法的な意義ある環境調整のあり方である．

　また，快刺激が少なくなる人生の最終段階においては，残存機能を活用してできる趣味活動や余暇活動などを見つけて取り組むことは，対象者のよい気分転換にもなるので作業療法士は積極的にその機能や役割を果たしてほしい．

　筆者は以前，手芸が生きがいだったが次第に起きていることも難しくなってきた対象者に，ベッドに寝たままでも手芸ができるようにかかわった経験がある．初作品ができたとき，涙を流しながら感謝されたのをよく覚えている．その後，緩和ケア病棟に移ったが，家族から，本人がまだ話せるときに筆者に会いたいと言っていたので看取りに立ち会ってもらえないかとの連絡があった．病室へ入ると，ベッドの上は本人を囲むように手芸作品であふれていた．娘さんから「最期まで母らしくいられました．先生と手芸をしていたときの話ばかりしていましたよ．よほど楽しかったのだと思います．先生のおかげです」と言われ涙があふれた．作業療法士になってよかったと思った．

8 さいごに

　QOD（quality of death）🔑という概念が注目されている．高齢・多死時代にあるわが国にとって，この実現は医学的にも社会的にも重要課題だといえる．これは終末期になってから取り組めばよいというものではない．特に高齢者の場合，その過程である急性期や回復期から，そのことを認識した実践が求められる．

> **Keyword**
> **QOD（quality of death）**　死のあり方や死を迎えるまでの過程，死の迎え方における質．「良い死（good death）」とも表現され，死の直前にある人が個人として尊厳を守られ，自分自身も家族も安らぎをもって，かつ納得できる死（人生を全うしたという気持ちが持てる状態で迎える死）を迎えるための概念．

● 引用文献
1) 厚生労働省：医療提供体制について（その4）．院内体制，リハビリテーション（病院従事者負担軽減，チーム医療，院内感染対策，リハビリテーション等），中医協総–1–1，2011
　https://www.mhlw.go.jp/stf/shingi/2r9852000001wydo-att/2r9852000001wyhs.pdf
2) 厚生労働省：(6)リハビリテーションにおける医療と

介護の連携に関する調査研究（結果概要）．平成24年度介護報酬改定の効果検証及び調査研究に係る調査（平成26年度実施分），介護給付費分科会-介護報酬改定検証・研究委員会第7回資料I-⑥, 2015
https://www.mhlw.go.jp/file/05-Shingikai-12601000-Seisakutoukatsukan-Sanjikanshitsu_Shakaihoshoutantou/0000078678.pdf

3) 厚生労働省：リハビリテーション・個別機能訓練，栄養管理及び口腔管理の実施に関する基本的な考え方並びに事務処理手順及び腰式例の提示について. pp5-15, 老老発0316第2号, 2021年3月16日
https://www.roken.or.jp/wp/wp-content/uploads/2021/03/vol.936.pdf

4) 三浦久幸：高齢者のエンドオブライフ・ケアの現況．特集 高齢者のエンドオブライフ・ケア. *Aging & Health* 27(3):6-9, 2018

5) 清水哲郎：生物学的〈生命〉と物語られる〈生〉―医療現場から. 哲学 53:1-14, 2002

6) 会田薫子：総説 人生の物語りとadvance care planning. 日本在宅救急医学会誌 4(1):31-37, 2020

7) 千葉大学大学院看護学研究科：エンド・オブ・ライフケアの考え方. エンド・オブ・ライフケア看護学ホームページ
https://www.n.chiba-u.jp/eolc/opinion/index.html

8) 長江弘子：特集：保健医療社会学の研究動向と展望. エンド・オブ・ライフケアの概念とわが国における研究課題. 保健医療社会学論集 25(1):17-23, 2014

9) 人生の最終段階における医療の普及・啓発の在り方に関する検討会：人生の最終段階における医療・ケアの決定プロセスに関するガイドライン解説編. 2018
https://www.mhlw.go.jp/file/04-Houdouhappyou-10802000-Iseikyoku-Shidouka/0000197702.pdf

10) 日本老年医学会 倫理委員会「エンドオブライフに関する小委員会」：ACP推進に関する提言. 2019
https://www.jpn-geriat-soc.or.jp/press_seminar/pdf/ACP_proposal.pdf

11) 日本医師会 生命倫理懇談会：人生の最終段階における医療・ケアに関するガイドライン. 2020
https://www.med.or.jp/dl-med/doctor/r0205_acp_guideline.pdf

12) 木澤義之：人生会議（ACP：アドバンス・ケア・プランニング）―本人の意向に沿った人生の最終段階の医療・ケアを実践するために. ファルマシア 56(2):105-109, 2020

13) 全国介護・終末期リハ・ケア研究会：終末期リハビリテーション定義. 全国介護・終末期リハ・ケア研究会ホームページ, 2018
http://n-cerc.org/node/40/

14) 大田仁史：介護予防と介護期・終末期リハビリテーション. pp80-81, 荘道社, 2015

4 実施場所に応じた治療・援助内容の違い

A 高齢者の療養場所の移り変わり

1 急性期病院からの移行先

　高齢者が突然の病などにより急性期病院に入院すると，病状の安定とともに可能なかぎり早期に次の療養場所へと移行していくことになる．

　急性期後の移行先には，おおむね5つのパターンがある（▶図1）．最も多いのは①在宅（自宅）で，7割強が在宅復帰となる．次に多いのは②回復期リハビリテーション（以下，リハ）病棟や地域包括ケア病棟などの医療機関で，約2割弱．3番目が，有料老人ホーム🔑やサービス付き高齢者住宅🔑，認知症共同生活介護（グループホーム）🔑などの③居住系介護施設で 2.2%，4番目が，生活施設としての役割をもつ介護保険施設である④介護老人福祉施設〔特別養護老人ホーム（以下，特養）〕で 1.4%，5番目が，在宅復帰を目的とした介護保険施設である⑤介護老人保健施設（以下，老健）で 1.3% となっている．なお，長期療養施設としての役割をもつ介護保険施設である介護医療院は 0.1% となっている[1]．

2 医療機関からの移行先

a 回復期リハビリテーション病棟からの移行先

　回復期リハ病棟の役割（目的）は早期の在宅復帰である．そのため，入院期間は1〜6か月と限られており，早期から移行先が検討されることになる．また，診療報酬（回復期リハ病棟入院料）上も在宅復帰率 70% 以上が課されることから，移行先には，在宅復帰率の計算上，在宅とみなされている場所が選択されることが多い．主には自宅で 66% であり，自宅への復帰が難しい場合は，在宅とみなされている居住系介護施設（10%）や特養（3%）などへ移行する[1]．

　入院治療の継続を要する場合は，自院や地域の一般病床や療養病床へと移ることになる（約1割）．リハニーズが残ることになった場合は，老健へ入所して引き続きリハを実施し，在宅復帰を目指すこととなるが，老健は在宅とみなされないこ

Keyword

有料老人ホーム　介護付き，住宅型，健康型の3つのタイプがある．「介護付き」は自立〜要介護5まで入居でき，24時間介護スタッフ常駐など介護サービスが充実している．「住宅型」は自立〜要介護5まで入居できるが，介護サービスは外部事業者から提供される．「健康型」は要介護状態になると退去しなければならない．

サービス付き高齢者住宅（サ高住）　日常のある程度のことは自分でできるが独居は心配など，介護度の低い高齢者の住み替え先として検討されることが多い．自宅とほぼ変わりない自由度の高い生活を送りながら，スタッフによる安否確認や生活相談などのサービスが受けられるバリアフリー賃貸住宅である．

認知症共同生活介護（グループホーム）　認知症（急性を除く）高齢者に対して，共同生活住居で家庭的な環境と地域住民との交流のもと，入浴・排泄・食事の介護などの日常生活上の世話と機能訓練を行い，能力に応じできるかぎり自立した日常生活を営めるようにするものである．1つの共同生活住居に5〜9人の利用者が介護スタッフとともに共同生活を送る．

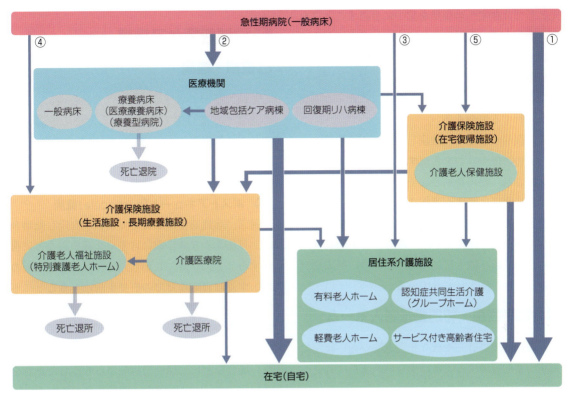

▶図1 高齢者の急性期病院を起点としたときの主な療養場所の移行先

とから，実際に選択される割合は低い(6.6％)[1].

b 地域包括ケア病棟からの移行先

この病棟の目的も，回復期リハ病棟と同じく在宅復帰であり，診療報酬(地域包括ケア病棟入院料)上，在宅復帰率70％以上が課されていることから，移行先や割合は回復期リハ病棟とほぼ同様の状況となっている[1].

地域包括ケア病棟の入院期間は最大60日と，回復期リハ病棟に比べて非常に短く，そのうえで同様の高い在宅復帰率を求められることから，次の移行先として，早期から自宅への復帰を主とした検討と支援が必要となる．そのため，地域包括ケア病棟への入院に際しては，適応とする患者の選定に十分な考慮が必要となり，在宅復帰の可能性についての予測が重要となる．

c 療養病床からの移行先

療養病床へ入院する対象者は，中心静脈栄養や人工透析，頻回の喀痰吸引といった重度医療の依存度が高い状態である．その後の移行先としては，5割強が死亡退院となっており，自宅への復帰は1割程度にすぎない．それ以外は，特養や介護医療院，居住系介護施設への入所，他院の一般病床や療養病床への入院となっている．

3 介護保険施設からの移行先

a 介護老人保健施設(老健)からの移行先

高齢者の場合，リハや在宅復帰ニーズがあるときには老健への入所が選択される．

老健は，そもそも在宅復帰施設であることに加え，より高い介護報酬算定のための指標の1つとして在宅復帰率が定められているため，次の移行

先としては在宅への復帰を第一に目指すことになる．老健からの退所先として在宅とみなされるのは自宅だけでなく，有料老人ホーム，サービス付き高齢者住宅，**軽費老人ホーム**🔑，グループホームなども含むものであることから，これらの施設へと移行する場合も多い．

在宅復帰が難しく，継続して長期療養施設へ入所しての医療やリハを希望する場合は介護医療院が選択され，終の棲家としての生活施設への移行を望む場合には特養が選択される．

なお，老健での看取りとなることも1割程度みられており[2]，看取りを行う施設数も1施設あたりの平均看取り数も増加傾向[3]にあり，終末期ケアの重要性が高まってきている．

b 介護医療院・特別養護老人ホーム

介護医療院では，やはり死亡退院が多い状況にあり，在宅復帰することは少ない．また，特養へ入所となる場合もある．

特養は，終の棲家としての役割を担う施設であるので，やはり死亡退所となることが7割弱と非常に多くなるほか，病状悪化などにより医療機関へ入院となることも3割弱みられている[2]．

B 医療保険による施設

ここでは，主に地域包括ケア病棟および医療療養病床（療養型病院）について解説する．

1 地域包括ケア病棟

a 役割・機能

地域包括ケア病棟は，①急性期後（post-acute）の患者や，②自宅や介護施設などでの療養中に症状が急性増悪した（sub-acute）患者を受け入れ，③自宅などへの復帰を支援することで，地域包括ケアシステムを支える役割をもつ病棟である．

(1) ポストアキュート（post-acute）機能

通常，急性期治療を終えて病状が安定した場合は，可能なかぎり早期に自宅や介護施設などに復帰することになる．しかし，急性期は脱したものの，すぐに自宅などでの療養生活になることに不安がある場合や自宅などへ移るまでの準備に少し時間がかかる場合，移行先がまだ決まっていないけれども急性期病棟をすぐに退院しなければならない場合などに，急性期病院からそうした患者を受け入れて，もうしばらく治療やリハを行う．

(2) サブアキュート（sub-acute）機能

自宅や介護施設などでの療養生活中に急に容体が悪化した（ただし，高度急性期・専門医療機関での対応までは必要がない状態：軽度急性期）患者を緊急で受け入れ，治療やリハを行う．

(3) 在宅復帰支援機能

上記(1)(2)で受け入れた患者に対して，自宅や介護施設などへ復帰するためのリハや環境調整を行うとともに，専任で配置される社会福祉士をはじめとした在宅復帰担当者が中心となって，介護支援専門員（ケアマネジャー）などと連携をとりながら復帰へ向けて必要な支援を行う．

b 回復期リハビリテーション病棟との違い

急性期病院からの患者を受け入れて在宅復帰を目指すという点においては，回復期リハ病棟と地域包括ケア病棟に違いはない．しかし，機能や対象者像などには**表1**に示すような違いがある．

わが国の医療が「治す医療」から「治し支える医

🔑 **Keyword**
軽費老人ホーム 60歳以上で身寄りがない，あるいは家族からの援助が困難で自立した生活が不安定な高齢者が入居できる．食事サービスがあるA型，自炊のB型，食事と生活支援があるC型がある．C型は一般的に「ケアハウス」と呼ばれ，食事・掃除・洗濯などの生活支援を受けられる「自立型」と，介護保険適用で生活支援だけでなく排泄や入浴介助なども受けられる「介護型」がある．

▶表1 回復期リハビリテーション病棟と地域包括ケア病棟の比較

	回復期リハビリテーション病棟	地域包括ケア病棟
目的	●急性期治療後の患者の在宅復帰	●急性期治療後の患者,または在宅や施設での療養中に病状の急性増悪により入院となった患者の在宅復帰
対象者	●厚生労働省が定める対象疾患に該当する人〔第Ⅱ章3の表2(➡104ページ)参照〕 ●急性期病院にて上記対象疾患の治療を終了したもので,引き続き治療と在宅等復帰のための集中的かつ重点的なリハを必要とする人	●対象疾患などの要件はない ●急性期病院での治療を終了し,症状は安定したものの,すぐに在宅や施設に復帰することに不安があり,もうしばらく治療や経過観察,在宅等復帰のための準備やリハを必要とする人 ●在宅や施設での療養中に急に具合が悪くなり,急性期病院などで行われるほどの集中治療までの必要はないものの入院治療を必要とする人 ●自宅療養中に,介護者が休息をとるために一時的に入院することが必要となった人（レスパイトケア）
入院上限日数	●最長180日 ●ただし,疾患などにより異なる(60〜180日)〔第Ⅱ章3の表2(➡104ページ)参照〕	●最長60日
リハ提供単位数	●1日あたり9単位(180分)まで	●1日平均2単位(40分)以上〔リハ提供単位数の合計÷入院のべ日数≧2〕 ※提供単位数としてカウントできるリハ（疾患別リハ） 心大血管疾患リハ,脳血管疾患等リハ,廃用症候群リハ,運動器リハ,呼吸器リハ,癌患者リハ
リハ専門職の配置	●専従常勤の理学療法士3名以上,作業療法士2名以上,言語聴覚士1名以上 ※入院料1・2の場合	●病棟または病室を有する病棟に常勤の理学療法士,作業療法士または言語聴覚士を1名以上

療」へとシフトするなかにあって,地域包括ケアシステムの中核としての役割を果たすべく生まれたのが地域包括ケア病棟である.そのコンセプトは「ときどき入院,ほぼ在宅」[4]である.つまり,この病棟の要点はサブアキュート機能にある.

対象疾患を問わず幅広い症状の患者に対応すること,自宅などでの療養中の人の緊急受け入れができること,医療ニーズの高い人のレスパイトケアにも対応することなど,安心して地域(在宅)で暮らし続けることを医療的に支援するという性格が強いことが大きな特徴であり,この点が回復期リハ病棟との違いであるといえる.

両病棟ともリハの積極的実施が特徴ではあるが,提供単位数やリハ専門職の配置状況の比較からもわかるとおり,回復期リハ病棟のほうがより専門的かつ重点的なリハが提供される.

C デメリットや課題

ここでは,リハの観点からみたデメリットや課題についてあげる.

(1) 上限60日間までしか入院できない

入院期間上限である60日間で,自宅などに復帰できる状態にまで回復させることは難しい場合があることに加え,その状態で,期限だからと退院させられてしまうこともおこりかねない.そのため,60日以内で自宅などへの復帰が可能な状態にまで回復できそうかの見立てが重要となる.脳血管疾患や脊髄損傷,認知症を伴う大腿骨骨折など,60日を超えるリハが必要になることが十分見込まれる場合は,回復期リハ病棟への入院のほうが適切となる.

入院後に,自宅などへの復帰のために解決が必

> **Keyword**
> **レスパイトケア** 在宅療養中の高齢者の介護を家族に代わって行うことにより,家族が一時的にでも介護から解放され,心身の休息やストレスの軽減,リフレッシュがはかれるよう支援することで,在宅生活の長期継続に大きな役割を果たす.

要な具体的課題を可能なかぎり早くかつ的確に見立てることが肝となり，入院早期の住環境の評価なども重要となる．その点において作業療法士の果たすべき役割は大きい．また，入院期間が短いからこそ，緊密でより効果的な多職種連携リハの実現が必要となる．そのため，回復期リハ病棟よりも頻回なカンファレンス実施が求められる．

(2) 回復期リハ病棟ほどのリハは受けられない

回復期リハ病棟では，3つのリハ専門職がバランスよく配置されることで，それぞれの専門性を活かしたリハが提供できるが，この病棟では，配置基準的にそれは難しい．また，1日2単位以上のリハの提供が定められてはいるものの，リハ専門職の配置数的にそれ以上の提供は難しい．

つまり，より専門的でかつ量的にも充実したリハの提供を必要とする患者がいても，そのニーズに応えられない可能性がある．リハ専門職の配置増によってそれを解決したくとも，この病棟におけるリハは出来高ではなく包括算定のため，経営的に難しい．

d 地域包括ケア病棟のリハビリテーション

この病棟では，リハ専門職が病棟専従であることで，日常生活活動（ADL）の実際の様子や介護の状況を直接しっかりと把握することができ，退院先（自宅などへの復帰）の状況を見据えた具体的な課題の把握や，その解決へ向けての実際場面でのリハ介入の実施へ生かすことができる．さらに，病棟スタッフとの相互の情報共有がしやすくなるだけでなく，いつでもすぐにその場で患者についての話し合いを始めることもできるなど，カンファレンス機能の充実化もはかることができる．こうした積み重ねは，より効果的なアプローチの実現をもたらすだけでなく，信頼関係の構築にも寄与し，チームを醸成していくことにつながり，チームリハの質を向上させていく．

加えて，実際のADL中にリアルタイムで直接介入することで，実行状況レベルのADL向上効果をもたらすことはもちろん，病棟スタッフと協働して介入するなかでリハの観点から助言や指導，技術移転をすることができ，病棟全体や職員個々のケアの質の向上にもつなげていくことができる．ほかにも，リハ専門職が家族と会う機会が増え，直接指導をしたり相談を受けたりする機会もつくることができ，在宅復帰の促進に生かす効果をもたらすことができる．

このように，必要なときに個別で短時間，排泄や食事などのADLに，リアルタイムでリハ専門職が直接介入するリハの方法をPOCリハ[5]と呼び，応用的動作能力の回復を役割とする作業療法士の力の発揮が強く求められている．

この病棟では，規定としての1日2単位以上の疾患別リハ（▶表1）に加えて，POCリハなどが展開されるが，それ以外にも看護師によるリハ（歩行やADL練習など），集団リハ，自主訓練指導，レクリエーションなどが提供されている．

2 医療療養病床（療養型病院）

a 役割・機能

療養病床とは，医療法で定める病床区分の1つであり，長期にわたり療養を必要とする患者が入院するための病床である．療養病床には，従来，医療保険適用の医療療養病床と介護保険適用の介護療養病床（介護療養型医療施設）があったが，介護療養病床は2023年度末で廃止となり，主に介護医療院へ転換している．なお医療療養病床は，「療養型病院」という通称でも認識されている．

急性期病院で集中的な治療を受け，病状は安定しているが，引き続き入院しての治療や医療的ケア，リハを必要としている患者，または回復期リハ病棟で集中的なリハを受けたあとでも退院が困

> **Keyword**
> **POC（Point of Care）リハビリテーション** 療養中の患者の傍ら（Point of Care）で，個別に短時間（20分未満/回），オンデマンドでリアルタイムに直接介入するリハのこと．

難で，療養やリハの継続が必要である患者，慢性疾患で長期の療養を必要とする患者を受け入れている．医療療養病床の対象患者は，医療区分2・3（▶表2）を中心としており，それに該当しない医療区分1の場合は介護医療院の利用となることが多い．つまり，非常に重度の疾患状態にある患者を受け入れており，そのため死亡退院も多くなる．

b 医療療養病床のリハビリテーション

病状コントロールの不良による継続治療のための入院の場合には，急性期リハでの内容を引き継ぎつつ，疾患や病状に応じたリハを実施する必要がある．また，急性期治療後の回復期の段階での入院となる場合や，回復期リハ病棟での集中的なリハを受けたあとでもまだ退院が困難で引き続き回復期リハを希望しての入院の場合には，心身機能の回復とともに自宅などへの復帰を目指したリハを積極的に実施していくことが求められる．

医療療養病床の入院適応となる患者の場合，心身機能やADLの回復が難しく，維持が重要となることも多くなる．また，非常に重度の障害状態や，看取りやターミナルケアの状態にある患者も多く，褥瘡予防や関節可動域保持などの廃用症候群予防のリハや，いわゆる終末期リハの展開が求められることもある．ポジショニングやシーティングなど，患者個々に合った姿勢の調整，離床促進，寝たきりからの廃用症候群の発生の予防をしていくことも重要となる．また，QOLの高い，充実した日々が送れるよう作業活動などを積極的に実施することが望まれる．ほかにも，個々の状態に応じ，ADLの向上を目的とした生活に密着したリハも重要となる．

3 認知症治療病棟

認知症治療病棟は，認知症に伴う症状（妄想・幻覚・興奮・夜間せん妄など）や行動（徘徊・介護抵抗など）により，自宅や施設での対応が困難になった対象者を受け入れ，治療・生活機能回復訓練を行い，症状の緩和，精神状態の安定をはかり，在宅復帰を目指す病棟である．

生活機能回復訓練は，病棟での1日の生活全体を「訓練の場」ととらえた，ADLに必要な能力の維持・回復を目的とした訓練のことである．作業療法士，看護師，看護補助者，精神保健福祉士など，多職種が連携して行う．

ほかにも，作業療法士による個別訓練や，認知機能や精神機能へのかかわりを中心とした音楽活動や運動，作業活動（手工芸・園芸など）といった集団訓練が行われる．

▶表2　医療区分

医療区分3	【疾患・状態】 ● スモン ● 医師および看護師により，常時監視・管理を実施している状態 【医療処置】 ● 24時間持続点滴・中心静脈栄養・人工呼吸器使用・ドレーン法・胸腔洗浄 ● 発熱を伴う場合の気管切開，気管内挿管・感染隔離室における管理 ● 酸素療法（酸素を必要とする状態かを毎月確認）
医療区分2	【疾患・状態】 ● 筋ジストロフィー・多発性硬化症・筋萎縮性側索硬化症・パーキンソン病関連疾患・その他の難病（スモンを除く）・脊髄損傷（頸髄損傷） ● 慢性閉塞性肺疾（COPD） ● 疼痛コントロールが必要な悪性腫瘍・肺炎・尿路感染症 ● リハビリテーションが必要な疾患が発症してから30日以内・脱水かつ発熱を伴う状態 ● 体内出血・頻回の嘔吐かつ発熱を伴う状態・褥瘡・末梢循環障害による下肢末端開放創 ● せん妄・うつ状態 ● 暴行が毎日みられる状態（原因・治療方針を医師を含め検討） 【医療処置】 ● 透析・発熱または嘔吐を伴う場合の経腸栄養・喀痰吸引（1日8回以上） ● 気管切開・気管内挿管のケア ● 頻回の血糖検査 ● 創傷（皮膚潰瘍・手術創・創傷処置）
医療区分1	医療区分2・3に該当しない者

〔厚生労働省：医療区分．https://www.mhlw.go.jp/stf/shingi/2r9852000001e933-att/2r9852000001e9i6.pdf より〕

C 介護保険による施設

　介護保険施設とは，介護保険法に基づき利用できる入所施設で，在宅復帰・在宅支援施設である老健，長期療養・生活施設である介護医療院，生活施設である特養の3類型がある．

1 介護老人保健施設（老健）

　老人保健施設は，国の提唱した「中間施設」構想に基づき，1987年の老人保健法の改正により創設された．2000年の介護保険制度施行に伴い根拠法が介護保険法に移ったことで，名称が「介護老人保健施設」へと変更された．一般に「老健」と呼称されている．

　中間施設とは，病院と在宅との間を結ぶ施設のことである．退院後すぐに在宅生活を送ることが難しく，病院からの退院（在宅復帰）が困難になっている高齢者がこの施設に入所する．入所者は医療・看護やリハ，介護や福祉，環境調整などのサービスを受けながら，在宅生活を送るための態勢を整えていく．つまり，在宅復帰が老健のアイデンティティであり，それが老健におけるリハのあり方を理解するうえで非常に重要な認識となる．

　老健は全国に4,279施設（2021年度）が整備され，定員数は37.1万人となっている[6]．

a 定義

　老健は1999年の厚生省令の運営基準（基本方針）で，在宅復帰施設であると定義づけられた．さらに，2017年改正の介護保険法では，第8条（定義）に在宅支援施設であることが明記された．つまり老健とは，在宅支援・在宅復帰のための地域拠点となる施設であり，また，リハの提供により機能維持・回復の役割を担う施設である．

b 類型

　老健が発揮すべき在宅復帰・在宅支援の機能をさらに推進するために，2018年度の介護報酬改定にて，「超強化型」「在宅強化型」「加算型」「基本型」「その他型」の5類型に分類された．これらは，在宅復帰・在宅療養支援機能の発揮の成果や取り組み度合に応じて区分され，報酬は区分に応じて大きく格差がつけられている（超強化型が最も高い）．これにより，より上位の類型を目指し，在宅復帰・在宅療養支援機能の発揮が促進されるようにした．

c 役割・機能

　老健には，以下の5つの役割・機能がある[7]．

（1）包括的ケアサービス施設

　利用者の有しているニーズ（課題）を解決して，自立支援やQOLの向上につながる施設生活を過ごせるようにするとともに，在宅復帰や在宅生活継続を実現させていくためには，利用者1人ひとりがかかえる多様なニーズを明らかにし，それらに対応したサービスを1つにとりまとめて（一体的・総合的に）提供する必要がある．そのための仕組みがケアマネジメントである．

　老健には，医師，看護・介護職員，リハ専門職，支援相談員，管理栄養士，ケアマネジャーといった多様な専門職が配置されている．これら専門職による多様なサービスが，ケアマネジメントの過程を経て策定された個別の施設サービス計画（ケアプラン）により，統合化された多職種協働のチームアプローチとして提供される．

（2）リハビリテーション施設

　老健の大きな特徴は，リハ専門職が施設基準として必置とされていることである．さらに，老健におけるサービスはすべてリハの理念（基本的価値観＋目的）を基軸にして提供されなければならない．これが，老健が「リハビリテーション施設」たる所以である．

　つまり老健のリハでは，看護・介護職員とリハ専門職の協働により，実際の日常生活場面で切れ目なく提供されるケアと一体的に提供されるチームリハの展開を基本とし，併せて各リハ専門職に

よるリハ(個別リハ，短期集中リハ，認知症短期集中リハ，福祉用具導入・住宅改修支援など)も提供される．これらは在宅復帰支援や在宅生活継続支援を目的として実施される．

(3) 在宅復帰施設

老健は，介護保険施設のなかで唯一積極的に在宅復帰へ向けた支援を行う施設である．その取り組みは，申し込み受付(インテーク)面接の段階から，施設の役割・機能の説明や利用目的の聴取などを通じて開始される．そして，入所前後の自宅への訪問などにより住環境と生活状況を明らかにし，在宅復帰後の生活を想定してのリハやケアを多職種協働のチームアプローチにより展開することで，早期の在宅復帰を目指す．

また，在宅復帰実現の鍵となる家族に対しても，相談支援や助言機能を発揮して積極的にアプローチを行う．

(4) 在宅生活支援施設

在宅復帰を促進するためには，復帰後も継続したサービスを提供する「在宅生活支援施設」としての機能の発揮(下支え)が不可欠となる．それには，レスパイト機能など，家族を支える視点でのサービス体制の確保が欠かせない．

そのため老健では，**短期入所療養介護(ショートステイ)** 🔑 や通所リハ(デイケア)，訪問リハといった在宅支援サービスに積極的に取り組んでいる．さらに，施設から在宅へと切れ目なく利用者が移行できるよう，在宅復帰後のサービスをマネジメントする**居宅介護支援事業所** 🔑 を併設している施設が多い．

また，在宅の要介護高齢者が生活機能低下により在宅生活が困難になるたびに，入所してサービスを受けることで生活機能を回復させ，再び在宅生活に復帰をするという繰り返しの入退所を行う「往復型」の入所利用も在宅生活支援施設としての重要な機能となっている．

一方，看取りも重要な在宅支援の一環となる．往復型の入所や通所リハなどの在宅生活支援機能の駆使により在宅生活を維持してきても，徐々に老衰や疾病が進行し，その継続が難しい時期が必ず訪れる．つまり，老健での看取りは，在宅生活を支え抜いた結果として行われるものである．また，住み慣れた在宅で暮らし続けることを実現するためには，その先に必ず訪れる看取りに対応できることが重要な促進因子となる．

(5) 地域に根ざした施設

老健は，市町村，地域包括支援センター，地域の居宅介護支援事業所や各居宅サービス事業所，医療機関，その他の保健・医療・福祉機関などと連携して，地域と一体となってケアの提供を行うとともに，地域ケアの拠点として地域包括ケアシステムの構築に努める責務を担っている．また，地域住民を対象とした各種イベントや講演会の開催，セミナー活動，ボランティアや地域のケア人材の育成支援，広報物の発信などを通じて，地域貢献活動を行うことが求められている．

イベント開催時には，健康相談や高齢者・認知症者疑似体験なども行う．セミナー活動では，管理栄養士による高齢者向け食事・栄養教室，医師による健康講座，リハ専門職による介護・フレイル予防講座，介護福祉士による介護技術講座などを行い，要介護高齢者や認知症高齢者の啓発の講座なども行う．小中高生を対象とした介護ボランティア体験や，各専門職が専門性を生かした記事を載せた地域向け広報誌の発行なども重要である．

これらの活動を通して，地域の自助力・互助力

🔑 **Keyword**

短期入所療養介護(ショートステイ) 介護者が病気や仕事，冠婚葬祭のときやレスパイト目的など，なんらかの事情で自宅での介護ができないときに入所利用できるサービス．医療型ショートステイとも呼ばれる．特養などに短期間入所するものは「短期入所生活介護」という．

居宅介護支援事業所 ケアマネジャーが常駐し，在宅で生活する要介護者らが適切に居宅サービスを利用できるよう，在宅介護に関する相談を受けたり，要介護認定の申請の手伝いをしたり，居宅サービス計画(ケアプラン)を作成したり，各居宅サービス提供事業所との連絡や調整を行ったりする．利用料は無料．

を高め，地域のケア体制づくりに大きな役割を果たす．これは，身近な地域にあり（原則，中学校区に1施設配置されている），多様な専門職種を有している老健だからこそ果たせる役割・機能であるといえる．

d 老健でのリハビリテーション

「作業療法白書2021」[8]によると，老健に従事する日本作業療法士協会員の割合は，全体比で4.1%（勤務者比では6.1%）であり，一般病院の36.2%（同53.2%），精神科病院の6.9%（同10.1%）に次いで，3番目に多い就業先となっている．さらに，約5割弱が老健併設となっている[8]．通所リハに従事している会員の割合2.6%（同3.8%）や，同じく約2割が老健併設となっている[8]．訪問リハに従事している者の割合1.6%（同2.3%）も合わせると，老健がわが国の作業療法士の重要な臨床実践の場となっていることがわかる．

(1) 多職種協働によるチームリハビリテーション

老健のリハは，リハ専門職だけで提供するものではなく，看護・介護職員などとの協働のもとに，多職種協働のケアの一環としてチームで提供する．すなわち，生活とケアとリハとが一体となって展開されるのが老健のリハの特徴である．老健の作業療法士は，ケアチームの一員としての意識をもって，リハの理念や考え方，技術や方法がケア実践のなかに取り入れられていくように機能しなければならない．

そのためには，リハ室で個別リハを実施するだけでなく，積極的に利用者の生活環境（居室やトイレ，浴室など）へ出向き，作業療法士が実際の日常の生活動作介助場面にリアルタイムで直接介入する方法で個別リハを実施していく．たとえば，食堂移動時の杖歩行練習，トイレ誘導時の移乗動作練習や下衣操作練習，入浴時の衣服着脱練習などである．また，看護・介護職員と一緒に介入し，その場でケアと一体となったリハの方法を検討したり助言したりする．

(2) 自立支援型介護の実現へ向けての役割

実行状況レベルでのADLの向上には，利用者1人ひとりの日常生活に密着してリハを展開していくことが欠かせない．そのためには，利用者の日常生活を支える介護行為を，できないことの補填行為である「お世話」だけに終わらせてしまうことなく，日常生活のなかで「できそうなこと」への挑戦を支え，「できること」，そして「していること」に変えていくための自立支援型介護にすることが必要である．

作業療法士には，この「できそうなこと」の情報と，「それをできることに変えるために介助時に必要なこと」を看護・介護職員に伝えるとともに，一緒に具体的方法を検討することが重要な役割となる．そして，看護・介護職員が，「私たちは日常生活のなかでのケアと一体となったリハ，いわゆる**生活リハ**🔑の実施者でもある」という意識と自覚，自負と責任，醍醐味と面白さをもてるようにエンパワメントしていくことが求められる．

作業療法士は，自立支援型介護・生活リハ実現へ向けての誘導役や促進役，支援者になることが求められる．また，老健のケアプランが，単なる「できないことをしてあげる手順書」ではなく，自立支援の観点から「こうすればできるようになる，できることが増える計画書」になりえているかをコンサルタントする役割も期待されよう．

(3) 在宅生活を想定したリハビリテーション

老健のリハは，在宅復帰の促進と在宅生活の継続につながるものでなければならない．それには，入所中に復帰後の在宅生活を想定したリハが行われる必要があり，復帰後に実際に生活することになる住環境とそこでの生活の様子（ADLの状

> 🔑 **Keyword**
> **生活リハ**　トイレや着替えなど対象者が行う日常生活活動（ADL）をリハととらえ，自力でできるように効果的に支援する方法のこと．ADLの介護場面で，本人が有する能力に応じた必要最小限の介助を行うことで，能力レベルと実行状況レベルのADLの差を実際の生活環境上で埋めていく．本人の心身機能や能力に応じての介助程度などの設定が前提であるため，リハ専門職の評価と助言・指導が欠かせない．

況や受けている介助の様子など）の把握が不可欠となる．老健の作業療法士には，入所前もしくは入所直後（入所予定日前30日〜入所後7日以内）に在宅などを訪問し，利用者およびその家族同席のもと，これらを評価することが求められる（入所前後訪問指導）．これらが把握できると，そこで必要となる生活行為の遂行能力や心身機能を推測できるようになる．

在宅生活に必要となる能力（環境が求める能力）と，現在の本人の能力や心身機能とのギャップこそが，在宅生活に戻るために今「足りないこと」であり，在宅生活を継続していくために「必要なこと」である．これをもとに必要なアプローチを提供する．環境が求める能力に本人の能力が不足している場合，本人の心身機能や能力を向上させるだけでなく，環境の方を適正化することでそれを補うことも重要なアプローチである．作業療法士には，福祉用具の導入や住宅改修の検討などの環境調整への積極的関与が強く求められる．

(4)「〇〇さんらしさ」の実現

自分らしく生き生きと望む暮らしを送りたいという誰もが当たり前に抱く願いは，施設という環境ではなかなか叶いにくい．そのため，老健では，意識して対象者の「〇〇さんらしさ」に向かい合う姿勢と，それを実現するための取り組みを心がけることが必要となる．だからこそ，自分らしく暮らすことが叶いやすい在宅復帰の実現に，積極的に向かい合うことが重要なのだともいえる．

作業療法士は，本人にとって意味ある活動（自分らしさを実感できる活動），生きがいや楽しみになる活動を，障害状態に合わせて提供できる専門職でもある．作業分析の力を発揮して，対象者がやりたいと願うことに向かい合うことも，「〇〇さんらしさ」の実現に向かい合うことである．

(5) その他

老健での看取りニーズが高まるにつれ，終末期リハに対する認識や実践の必要性も非常に高まっている．人生が終わるそのときまで人間らしく，そしてその人らしく最善の生を生き切れるための

リハを展開するために作業療法士が発揮できる力は大きい〔第Ⅱ章3-D（➡ 109ページ）参照〕．

老健リハの大きな特徴の1つが，「認知症短期集中リハビリテーション（加算）」である．これは，精神科医師などの指示のもと，入所から3か月以内の対象者に週3回，1回20分以上の個別リハをリハ専門職が行うことであり，加算として算定ができるものである．

関根ら[9]は，認知症短期集中リハが，認知機能や意欲の向上，BPSD（➡ 70ページ）や抑うつの低減に有効であることを証明し，認知症の人を対象としたリハにおいて，老健がその重要な役割を担うことを示した．そのなかで，リハプログラムとしては**脳活性化リハ5原則**[10]に則った方法論での介入が示されている．認知症短期集中リハに限らず，すべての老健職員がこの5原則に則った方法論で介入することでより効果が得られると期待され，作業療法士はその推進役になることが求められる．

2 介護医療院

介護医療院は，2017年度末で廃止（6年の猶予期間があり，全面廃止は2023年度末）となった介護療養型医療施設に代わる施設として，2018年新たに法制化された介護保険施設である．

住まいと生活を医療が支える新たなモデルとして創設された施設であり，日常的な医学管理や看取り・ターミナルケアなどの医療機能と，生活施設としての機能を兼ね備えた施設である．長期療養が必要な要介護高齢者に対し，そのための医療と日常生活上の支援を一体的に提供することが目的（役割）である．

> **Keyword**
> **脳活性化リハ5原則** ①快刺激で笑顔になる，②ほめることでやる気が出る，③コミュニケーションで安心する，④役割を演じることで生きがいが生まれる，⑤失敗を防ぐ支援で成功体験を増やす．

a 類型

介護医療院にはⅠ型とⅡ型があり，Ⅰ型は重篤な身体疾患を有する者および身体合併症を有する認知症高齢者，Ⅱ型はⅠ型に比べて容体が比較的安定した者を利用者像としている．そのため，人員配置も，医師や薬剤師，介護職員などはⅠ型のほうが手厚くなっているが，看護師やリハ専門職の配置は変わらない．

b 介護医療院のリハビリテーション

リハ専門職の配置は適当数となっており，経営的観点から実際の配置数は非常に限られたものとなる傾向が強い．また，リハの実施頻度や単位数などにも規定はないため，提供されるリハの状況は各施設によって異なる．

主には，医療療養病床でのリハと同様なリハが必要となるが，その入所者像的に，廃用症候群予防や終末期におけるリハの取り組みや，QOLや生活の満足度を維持していくためのリハがより求められる．しかし，入所後3か月以内であれば，「短期集中リハビリテーション加算」が算定可能であるため，医療療養病床よりも集中的なリハを提供することができる．

3 介護老人福祉施設〔特別養護老人ホーム（特養）〕

介護老人福祉施設とは，特養が介護保険法による施設サービスを提供するために，介護老人福祉施設としての指定を都道府県知事に申請し，その指定を受けた施設のことをいう（定員が29名以下のものは地域密着型介護老人福祉施設という）．

その役割は，まず常時介護を必要とし，かつ居宅においてこれを受けることが困難な高齢者の長期入所施設としての役割である．そして高齢者本人が家族などによる虐待を受けていたり，認知症その他の理由により意思能力が乏しくかつ本人を代理する家族などがおらず，このままだと重大な結果をまねくことが予測される場合に，高齢者を守るために措置入所させる施設としての役割である．つまり介護老人福祉施設は，介護保険施設としてと，老人福祉法による措置施設としての2つの顔をもっている施設といえる．

介護老人福祉施設の全国の整備状況は，10,502施設，定員数69.96万人（2019年度）[11]である．要支援・要介護認定者の総数が約690万人であることから，その約1割を受け入れていることになり，わが国の施設ケアを支えている施設だといえる．

a 役割

特養入所者の平均要介護度は3.96[12]で，老健の3.2[11]と比べても非常に重度の要介護者が入所していることがわかる．また，2015年度から新規入所者が原則要介護3以上となり，在宅での生活が困難な中重度の要介護者を支える施設としての役割・機能がいっそう重点化されている．

特養からの移行先は，67.5％が死亡退所であり，次いで26.8％が疾病の重度化などによる医療機関への入院である[11]．これは，特養がその創設当初からの「終の棲家」としての役割を果たしていることを表している．

これらから，特養には重度の要介護を必要とする状態となっても安心して最期まで暮らせる生活施設としての役割と，それを支えるケア機能の発揮が求められていることがわかる．

b 介護老人福祉施設での リハビリテーション

(1) リハビリテーションの実情

特養にはリハ専門職の配置義務はないものの，**機能訓練指導員**⚷1名以上という配置基準がある．

> **Keyword**
> **機能訓練指導員** 日常生活を営むのに必要な機能の減退を防止するための訓練を行う能力を有する者で，理学療法士，作業療法士，言語聴覚士，看護師および准看護師，柔道整復師，あん摩マッサージ指圧師，はり師・きゅう師などの資格を有する者．

機能訓練指導員は，基礎資格職との兼務が認められており，多くの場合，看護師（准看護師）が兼務している．しかし，看護職員配置は少なく，医師も常勤ではないため，医療面に関する業務量は多い．そのうえで機能訓練指導員業務もしなければならなくなることや，1人で非常に多くの対象者に実施しなければならないことから，十分な個別リハの提供は難しいといえる．

そのため，生活リハが主たるリハとなる．しかし，業務量に比して決して十分とはいえない介護職員のマンパワー環境や，生活リハを適切にリードおよびサポートするリハ専門職が身近にいないことなどにより，それも適切に行われているとはいいがたい実情がある．

国の調査[6]によれば，特養に従事しているリハ専門職の数は，理学療法士2,391人，作業療法士1,306人，言語聴覚士296人となっている．これらはあくまで実人員数であって常勤換算数ではないものの，多くの特養で（非常勤者などが多いながらも）リハ専門職を配置していることがわかる．

(2) リハ専門職に求められるもの

- 個別リハの実施
  個別リハの機会に，心身機能や能力の評価者としての機能を果たすことも重要となる．
- 集団リハの実施
  限られた人員でリハを展開しなければならないため，集団リハを活用することが有効である．リハ体操や集団訓練などを効果的に行う．また，日常的に行われるようにするために，介護職員への集団リハの指導や援助も重要である．
- ポジショニングやシーティングの展開
  重度要介護状態の人が多く入所することから，日常のベッド上ポジショニングは非常に重要な生活リハとなる．それは，褥瘡予防だけでなく，関節拘縮や変形の予防にもつながる．また，画一的な車椅子の提供により利用者との不適合が生じ，不良座位姿勢による二次障害や，活動や参加への制限がおこりやすい傾向があることから，リハ専門職の介入が求められる．
- 介護スタッフへのリハに関する助言や指導
  リハの理念や，生活機能低下の要因となっている心身機能障害などについての知識や支援の考え方を伝えたり，障害状態に応じた適切な動作介助の方法などを直接指導助言したりする．また，介護負担軽減のための介助動作指導，助言も重要となる．
- 機能訓練指導員としての職務
  入所者の生活状況や希望，心身機能や能力などについての評価を行い，看護・介護職員や生活相談員，ケアマネジャーと共同して個別機能訓練計画書を作成する．
- 生活リハや自立支援型介護を根付かせる活動
  生活リハや自立支援型介護の考え方や方法の指導や検討，助言などを行うとともに，実現へ向けての誘導役や促進役になる．

(3) 作業療法士に求められるもの

入所者の多くは重度要介護者であるため，容易に寝たきりなどの廃用症候群をきたしやすい．介護職員も生活施設としての特性から保護的・過介助的なかかわりとなりやすく，有している能力の廃用を助長してしまいやすい．

廃用症候群の原因となる不活発な生活を予防するには，まずは入所者が主体的に動くきっかけをつくり，活動する機会や時間を増やすことが必要となる．そのためには，入所者の趣味や興味・関心，したいことを満たすことのできるグループ活動の場などをつくり，障害状態に応じて参加ができるように工夫をすることが作業療法士の重要な役割となる．さらに，これらは特養ならではの長い入所生活のなかで失われがちな生きがいや楽しみ，生活の潤いをもたらし，生きるエネルギーを生み出すものとなることも忘れてはならない．

また，廃用症候群の予防には，日常的に離床の機会をつくることや，介護職員のかかわりを保護的なものから自立支援型の介護や生活リハにしていくことが重要となり，作業療法士にはそれを実現していくための活動が求められる．加えて，ケアプランが自立支援の観点から作成されているか

どうかのコンサルタント的な役割も期待されよう．また，生活のなかで有している能力を発揮できる環境をつくることは，限られたマンパワー下での生活リハを効果的に展開していくうえでは非常に有効となる．そのために，心身機能や能力に合わせて自助具や福祉用具などを適切に導入するための助言者としての機能の発揮が求められる．

D 在宅

1 在宅とは

在宅とは，対象者が，物理的環境である"家屋(house)"と人的環境である"家族(family)"との相互影響のもと生活している場所である．「ともに生活をしている家族の集まりとその場所」を意味する"家庭(home)"という言葉に置き換えることもできる．すなわち，在宅での対象者の生活は，対象者がもつ潜在的・顕在的心身機能と，家屋構造（福祉用具などを含む），家族の量的・質的機能とが相互作用した結果であるといえる．これは，在宅に生活する対象者を評価する際に必須となる考え方であるだけでなく，アプローチを行う際の重要なポイントともなる（なお，在宅は介護保険制度上の用語としては「居宅」と表記される）．

また，医療や介護保険の領域では，在宅が必ずしも自宅を意味するものではない．居住系介護施設に暮らし，在宅サービスを受けながら生活していることは多く，その施設の居室における物的環境や人的環境をとらえ，そこでの生活に役立つリハを実践していかなければならない．

「その人らしさの実現」を理念とするリハにとって，在宅は最も力を発揮すべき実践の場であると同時に，実現しやすい場所であるといえる．しかしながら，わが国の高齢期におけるリハ実践のなかでは，在宅支援の取り組みが最も不足しており，今後いっそうの充実が求められている．

2 作業療法士がかかわる主な在宅サービス

介護保険制度下において作業療法士がかかわる主な在宅サービスには，通所リハ，訪問リハ（理学療法士などによる訪問看護を含む），福祉用具貸与・特定福祉用具販売，住宅改修などがある．

a 通所リハビリテーション（デイケア）

通所リハは，病院・診療所，老健，介護医療院で開設され，その割合は，病院・診療所54％，老健45％，介護医療院0.76％となっている[13]．

通所リハの目的は，対象者が可能なかぎりその在宅において能力に応じた自立した生活を営むことができるようにすることである．すなわち，在宅生活を継続していけるようリハを提供することが求められるため，リハ専門職が定期的に在宅を訪問して対象者の日常生活や住居家屋の状況，介護家族の状況や具体的な困りごとなどを調査・把握しながら実施することが求められる．

通所リハの機能は，①医学的管理，②心身・生活活動の維持・向上，③社会活動の維持・向上，④介護者等家族支援である（▶表3）．

福祉系の通所サービスである通所介護（デイサービス）との違いは，専任医師による診察や，医師や看護職員による褥瘡の管理や処置，喀痰吸引，経管栄養の管理や排便コントロールなどの医学的管理や医療機能が提供されることと，医師の指示のもとリハ専門職によるリハ医療が提供されることである．送迎やレクリエーション，入浴や食事などのケアが提供される点は共通である．

通所リハでは，リハマネジメントにおけるSPDCAサイクル（→30ページ）を構築することによって，バランスよくリハが行われているかを継続的に管理しながら適切なリハが提供される〔第Ⅱ章3の図3（→109ページ）参照〕．適切なリハとは，リハ専門職による医療的・専門的なリハだけでなく，看護・介護職員による生活リハ，担当ケ

▶表3 通所系サービスの普遍的機能と実施内容

区分	通所系サービスの機能	実施内容など
通所リハ	医学的管理 ●医師の診察などによる医学的管理 ●看護師による処置などの医療機能	●通所リハ担当医と主治医が情報交換を行い,定期的な診察などにより疾患管理を行う ●通所リハ担当医の指示に基づき,看護職が処置などを実施する
	心身・生活活動の維持・向上 ●早期退院・退所者,在宅にて急変した方への専門的リハビリテーション医療 ●生活活動(ADL/IADL)の各行為を維持・向上するリハビリテーション医療	●医師の指示に基づき,PT・OT・STが専門的観点から評価し,チームとして目標設定を行い,その設定された期間内にて心身機能や生活活動(ADL/IADL)の各行為の維持・向上をはかる ●自宅訪問など,当事者の日々の暮らしを把握する
通所介護・通所リハ共通機能	社会活動の維持・向上 ●日常の健康管理,自立した生活に資する社会的活動・参加機会の確保 ●地域での自立した暮らしに資する知識・技術の啓発	●利用時の体調管理や,関連職種による運動指導など,活動の機会の確保 ●他の利用者・職員との交流を通じた参加機会の確保により,社会性の向上をはかる ●暮らしに必要な知識・技術について,当事者・家族に専門職の立場から啓発する
	介護者等家族支援 ●介護者等家族の支援 精神的介護負担軽減(お預かり機能など) 身体的介護負担軽減 (介護環境調整や介護技術向上による負担軽減)	●サービス利用(いわゆるお預かり機能)による介護者等家族の直接的負担軽減をはかる ●介護者等家族の心身および介護環境の両面にわたる負担の軽減をはかり,介護技術向上をはじめ,介護者等家族の社会参加を含めた介護者支援を行う

〔全国デイ・ケア協会:リハビリテーションマネジメント実践マニュアル.p5,全国デイ・ケア協会,2016より〕

アマネジャーを通じての他の居宅サービス従事者や家族への助言・指導,福祉用具の導入や住宅改修に対する助言・指導なども含む.

作業療法士には,基本動作能力を含めたADLの維持・向上の取り組みだけでなく,IADLへの取り組みも求められる.調理や掃除,洗濯などへのアプローチは活動的な生活の獲得に効果をもたらすだけでなく,独居高齢者などには自立支援の効果ももたらす.ほかにも,重度認知症の人に対する認知症リハを行うことでBPSDの軽減や改善が期待され,作業療法士ならではの力の発揮が求められている.また,重度の寝たきりには離床や摂食嚥下機能の向上などを目指してのリハが求められ,作業療法士の役割が期待されている.

b 訪問リハビリテーション

介護保険サービスで提供されるリハ専門職が居宅を訪問して行うリハには,病院・診療所・老健・介護医療院から訪問する「訪問リハビリテーション」と,訪問看護ステーションから訪問する「訪問看護」の2種類が存在する.後者は,その訪問が看護業務の一環としてのリハを中心としたものである場合に,看護職員の代わりにリハ専門職を訪問させるという位置づけのものであり,実際に提供されるリハの内容もほぼ変わらないものの,区分上は訪問リハではなく訪問看護となる.

訪問リハの開設者別比率は,病院・診療所が76.8%,老健が23.1%となっており,老健のうち28.4%の施設が訪問リハを行っている[14].

訪問リハの目的は,対象者が可能なかぎり在宅において能力に応じた自立した生活を営むことができるように生活機能の維持・向上をはかることである.その役割は,対象者個々に異なる生活環境での実生活に即した基本動作能力やADLの維持・向上,介護負担軽減方法の考案・指導,福祉用具導入と住宅改修に関する助言,社会的交流の拡大などである.つまり,普段寝ているベッドでの起居動作練習や,普段使用しているトイレでの排泄動作練習など,実際の生活の場における実生活に即したリハが提供されるのである.

また，ADLだけでなく，調理や洗濯，掃除などの家事動作や，趣味活動や社会参加などのIADLの維持向上を目指したアプローチも重要である．

なお，介護保険制度での訪問リハは居室内だけという制限がないため，買い物や社会参加のために自宅周辺を歩行練習するなども行う．福祉用具導入と住宅改修に関する助言に関しては，特に作業療法士の専門性に非常に大きな期待が寄せられている．また，在宅における要介護・要支援高齢者の多くが廃用症候群のリスク下にあることから，その予防や改善に関する作業療法ならではの取り組み（目的的活動を用いた主体性の獲得やQOL・参加レベルの向上）に対する期待も大きい．

3 生活環境整備の考え方

対象者自身へのアプローチによって「対象者を環境へ適応させる」ことにのみこだわるのではなく，環境にアプローチし「環境を対象者に適応させる」ことも利用して生活上の諸問題を解決しようとする視点も大事である．これは，在宅という構造的可変性の高い環境下で生活する要介護高齢者などにとって，最も現実的かつ即効性のあるアプローチといえる．

a 生活環境整備の基本視点

福祉用具導入や住宅改修といった環境整備の目的は，自立支援と介護負担の軽減である．ここで重要となるのは，対象者の心身状況と能力の正しい評価である．実際の能力よりも低く評価してしまうと対象者に必要以上の機能をもつ福祉用具を与えてしまったり，不必要な住宅改修をしてしまったりすることになりかねない．それは，対象者から能力を発揮する機会を奪うことになり，結果として廃用症候群をまねくことになる．

b 福祉用具導入に際して考慮すべき点

どれだけ対象者の心身機能の状態に最適と判断される用具であっても，それが使用できる環境でなければ意味をなさない．作業療法士は，対象者本人と福祉用具の適合をはかるだけでなく，介護者や住環境との適合も十分にはからなければならない．場合によっては，住宅改修とセットで導入を検討する必要もあろう．

また導入に際しては，ADL訓練とセットでプログラム化することが望ましい．福祉用具によってADL訓練の内容が変わってくることはもちろん，ADL訓練によって必要な福祉用具も変化してくることがあるからである．たとえば，歩行能力低下のためにポータブルトイレの導入を考える場合，居室をトイレに近い部屋に変更し，かつ廊下に手すりを付け，つたい歩きの練習をすれば，トイレでの排泄が自立する可能性もみえてくる．

福祉用具の選定・導入に際しては，個々の対象者の心身状況との適合が不十分であるばかりか，不適切と思われる用具が導入されているケースが多々ある．こうした事態をなくすために，作業療法士には，ケアプランの立案に積極的に関与することや，福祉用具活用の視点から対象者の心身状況に関する情報を提供することが求められる．

c 住宅改修に際して考慮すべき点

住宅改修は，どれほど対象者本人にとって最善の改修であっても，家族にとっては改修することでむしろ住みにくくなってしまうことも多い．また，大事な家を傷つけたくないという心理的な抵抗に加えて費用負担も非常に大きいことから，実施に理解が得られない場合もある．無理な改修は，家族関係に悪影響を与え，結果的に対象者の在宅生活継続にもマイナスの影響を与えてしまうことになる．住宅改修を検討する際には，同居する家族の視点にも立ち，意見を聴取し，調整することが必要である．そのうえで必要性を理解していただき協力を得ることが重要である．

さらに，住宅改修を考える際に住宅内だけのことだけを考えていたのでは不十分である．玄関や，玄関から庭・道路までのアプローチといった外部へのアクセスについても同時に考えなければ

ならない．外出しやすい環境整備は，閉じこもりを予防し，廃用症候群の予防へとつなげることができる．また，地域社会への参加や，家族との外出機会の確保にもつながっていく．ICFの参加レベル向上にも，環境因子としての住環境の整備は非常に重要な意味をもつ．

d ケアマネジメントの理解とかかわり

ケアマネジメントの理念の実現に作業療法が果たす役割は非常に大きい．それは，対象者の顕在的・潜在的能力を適切に評価できる技術に加えて，生活行為を分析し，さらに環境への支援の余地を分析・提案できる技術をもっているからである．端的にいえば，生活のなかで「どうすればできるようになるか」という具体策を提案できる力をもっているからである．作業療法士は積極的にケアマネジメントのプロセスに参画し，この力を発揮していかなければいけない．

ケアプランの立案に際して，作業療法士はケアマネジャーから具体策を照会されたり，サービス担当者会議で意見を求められたりするであろう．そのときにこそ，リハの視点（自立支援の観点）からのケアプランが立案されるように機能しなければいけない．

● 引用文献

1) 厚生労働省：令和4年度調査結果（速報）概要．中央社会保険医療協議会診療報酬基本問題小委員会（第216回），2023年6月21日
https://www.mhlw.go.jp/content/12404000/001110552.pdf
2) 厚生労働省：介護老人保健施設．社保審—介護給付費分科会，第183回（R12.8.27），資料2
https://www.mhlw.go.jp/content/12300000/000672494.pdf
3) 全国老人保健施設協会（編）：介護老人保健施設 新在宅支援推進マニュアル第2版．p83，全国老人保健施設協会，2019
4) 朝日新聞社：朝日新聞2014年2月13日号2面
5) 地域包括ケア病棟協会：CARBとPOCリハの定義．
https://chiiki-hp.jp/wp-content/themes/jahcc/img/pdf/CAPR_POC.pdf
6) 厚生労働省：令和3年介護サービス施設・事業所調査の概況．
https://www.mhlw.go.jp/toukei/saikin/hw/kaigo/service21/index.html
7) 全国老人保健施設協会（編）：第1章 老健施設が果たすべき役割．より良きケアを提供するための老健施設ハンドブック，p5，資料1，2013
8) 日本作業療法士協会：作業療法白書2021．pp31–33，日本作業療法士協会，2023
9) 関根麻子，他：老健における認知症短期集中リハビリテーション：脳活性化リハビリテーション5原則に基づく介入効果．Dementia Japan 27:360–366, 2013
10) 山口晴保，他：認知症の正しい理解と包括的医療・ケアのポイント―快一徹！脳活性化リハビリテーションで進行を防ごう．第3版，協同医書出版社，2016
11) 厚生労働省：介護老人福祉施設（特別養護老人ホーム）．社保審—介護給付費分科会第183回（R2.8.27），資料1
https://www.mhlw.go.jp/content/12300000/000663498.pdf
12) 厚生労働省：地域包括ケアシステムの更なる深化・推進．社会保障審議会介護保険部会（第101回），令和4年11月14日，参考資料
https://www.mhlw.go.jp/content/12300000/001011997.pdf
13) 厚生労働省：通所リハビリテーション．社会保障審議会介護給付費分科会（第219回），令和5年7月10日，資料3
https://www.mhlw.go.jp/content/12300000/001119143.pdf
14) 厚生労働省：訪問リハビリテーション．社会保障審議会介護給付費分科会（第220回），令和5年7月24日，資料4
https://www.mhlw.go.jp/content/12300000/001123920.pdf

5 介護予防の作業療法

A 介護予防とは

1 定義

　介護保険制度のなかで「介護予防」とは、「要介護状態の発生をできる限り防ぐ（遅らせる）こと、そして要介護状態にあってもその悪化をできる限り防ぐこと、さらには軽減を目指すこと」[1]と定義される。また、単に高齢者の運動機能や栄養状態といった個別要素の改善だけを目指すものではなく、個々の高齢者の生活機能（活動レベル）や参加（役割レベル）の向上をもたらし、それによって1人ひとりの生きがいや自己実現のための取り組みを支援して、QOLの向上を目指すものである。

2 分類

　介護予防の概念は一次予防、二次予防、三次予防に分類される（▶表1）。一次予防は、健康な状態を維持するために社会活動の継続などを促す段階で、住民運営の通いの場での定期的関与などがある。二次予防は、なんらかのチェックリストなどで虚弱状態が疑われる者に対し、集団または個別に集中的にかかわる段階である。三次予防は、すでに要介護状態にある者に対し、重度化を防止し、少しでも状況の改善をはかる個別を主としたアプローチとなる。

3 介護保険制度における位置づけ

　2000年に介護保険法が施行され、2005年の介護保険制度改正（施行は2006年度）では、地域支援事業や予防給付が創設され、介護予防が重視されるようになった。そして、2014年には介護予防・日常生活支援総合事業（総合事業）が、2017年には高齢者の自立支援・要介護状態の重度化防止・地域共生社会の実現などが新たに位置づけられるなど、短期間に改正が繰り返されている（▶図1）。これらの経緯から、高齢者の自立支援や社会参加・役割機会の提供を通じた介護予防のかかわりが求められていることがわかる。

▶表1　介護領域と保健領域における予防の考え方

	介護領域	保健領域
一次予防	●活動的な状態 ●要介護状態の予防、社会活動の継続・促進	●健康な状態 ●疾病予防、健康づくり、生活習慣改善
二次予防	●虚弱な状態 ●生活障害や虚弱状態の早期発見や早期対応	●疾病を有しても症状がない、または極軽微 ●疾病の早期発見（健康診断）、早期治療
三次予防	●要介護の状態 ●要介護状態の改善と重度化の予防	●疾病を有し症状が出現 ●疾病の重度化予防、合併症の予防

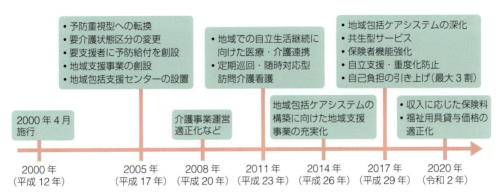

▶図1　介護保険制度改正の概要

B 社会の変化と地域包括ケアシステム

1 現状の課題

わが国では，他国に例をみない急激な速さで少子高齢化が進み，2025年を目途に75歳以上の後期高齢者の増加と，それに応じた医療や介護の需要急増が想定されている．しかし，現状では入院や入所に対応できる施設数や人材には限りがあり，何よりも財源の確保も大きな課題になる．たとえ施設数の充足をはかったとしても，その後は急激な人口減少に直面することが予測されている．さらに，人口の増減や高齢化率の推移，利用可能な医療や介護サービスは，地域ごとに状況が大きく異なっており，今後も地域差が広がることが予測されている．

2 地域包括ケアシステム

国はこのような現状の課題に対し，2025年までに高齢者の尊厳保持と自立生活支援の目的のもと，可能なかぎり住み慣れた地域で，自分らしい暮らしを人生の最期まで続けることができるよう，地域の包括的な支援・サービス提供体制（地域包括ケアシステム）の構築を推進するとしている．

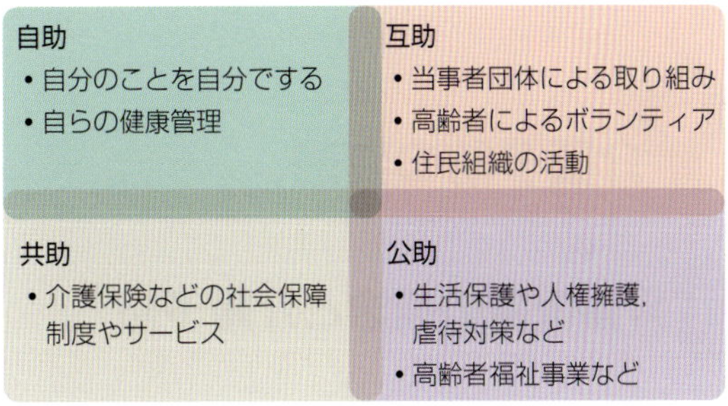

▶図2　自助・互助・共助・公助からみた地域包括ケアシステム
〔厚生労働省：地域包括ケアシステムの5つの構成要素と「自助・互助・共助・公助」．地域包括ケア研究会報告書，2013より作成〕

これは，社会構造の急激な変化が生じても，医療や介護，住まいだけでなく，介護予防の観点をふまえた生活支援が一体的に提供されることで，高齢者が自立した地域生活を継続できるようにするための体制整備である．この地域包括ケアシステムは，地域ごとにかかえる課題に対して，住民や医療福祉介護の専門職，行政がともに取り組むべき事項であり，「自助」「互助」「共助」「公助」の4視点からみることができる（▶図2）．

つまり，今後は中央官庁の指示による全国共通の画一的な介護予防事業ではなく，「地域の実情に応じた介護予防サービス」を地域の資源を有効活用しながら，有機的に組み立てていくことが求められている．

▶表2　介護保険法

条項	条文
第一条 (目的)	この法律は，加齢に伴って生ずる心身の変化に起因する疾病等により要介護状態となり，入浴，排せつ，食事等の介護，機能訓練並びに看護及び療養上の管理その他の医療を要する者等について，これらの者が尊厳を保持し，その有する能力に応じ自立した日常生活を営むことができるよう，必要な保健医療サービス及び福祉サービスに係る給付を行うため，国民の共同連帯の理念に基づき介護保険制度を設け，その行う保険給付等に関して必要な事項を定め，もって国民の保健医療の向上及び福祉の増進を図ることを目的とする．
第四条 (国民の努力及び義務)	国民は，自ら要介護状態となることを予防するため，加齢に伴って生ずる心身の変化を自覚して常に健康の保持増進に努めるとともに，要介護状態となった場合においても，進んでリハビリテーションその他の適切な保健医療サービス及び福祉サービスを利用することにより，その有する能力の維持向上に努めるものとする． 2　国民は，共同連帯の理念に基づき，介護保険事業に要する費用を公平に負担するものとする．

C 介護予防の変遷

1 介護保険の理念と介護予防

　介護保険法の第一条の目的には，要介護者が尊厳を保持した生活に必要なサービス給付を行うため，国民の共同連帯の理念に基づき介護保険制度を設けることが明記されている．そして，第四条には国民の努力および義務として，国民は自ら介護予防やリハビリテーション(以下，リハ)を通して能力の維持向上に努めることが明記されている(▶表2)．

　つまり，介護保険は国民が社会全体として支え合うために設けた制度であり，介護保険法には介護予防と自立支援の理念が明記されている．この理念を国民がしっかりと理解し，専門職もそれらをふまえたうえで，介護予防と自立支援に資する技術を提供することが重要である．

2 介護予防と自立支援

　しかし，現状では要介護および要支援の認定者数は増加の一途をたどり(▶図3)，2000年の介護保険施行より20年経過してすでに3倍以上の認定者数となっている[2]．2000年に施行された介護保険制度は3年に1回の頻度で改正され，2005年の改正からは予防重視となり，その後は地域包括ケアシステムの構築から深化に向けた改正が繰り返されている(▶図1)．

　新たな施策が矢継ぎ早に出されているようにもみえるが，介護予防と自立支援を重視する方針に変わりはなく，この目的達成に向けた手段として，さまざまな施策が提案されている．

3 地域リハビリテーション活動支援事業

　これまでの介護予防は，リスクのある高齢者に対し，運動機能や栄養，口腔嚥下，うつなどの個別要素に働きかけるかかわりが主流であった．たとえば，チェックリストで特定機能が低下している高齢者を抽出し，運動機能の向上を目的とした体操教室を開催するなどの手法である．しかし，急激な高齢化が進む社会において，機能レベルのアプローチだけでなく活動や参加レベルに焦点化し，住民が主体的に参加する通いの場や機会を創出する地域づくりが課題となっていた．まさに，**ハイリスクアプローチ**🔑だけでなく，**ポピュレーションアプローチ**🔑の発想である．

　2014年の介護保険制度改正(2015年度施行)では，地域支援事業の充実化がはかられ，地域リハビリテーション活動支援事業が位置づけられた

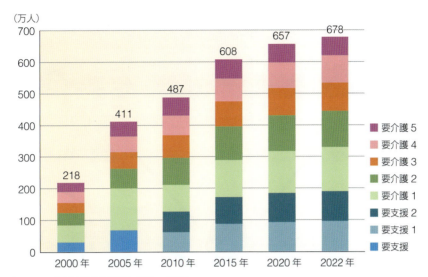

▶図3　要介護度別認定者数の推移
各年4月末の介護保険事業状況報告書をもとに作成．数値は合計者数（単位：万人）．
2006年施行の介護保険改正により，要支援は要支援1と要支援2の区分となる．

（▶図4）．これは，行政や地域包括支援センターとリハ専門職が連携し，地域の介護予防の仕組みを強化していくことを目的としている．これにより，住民主体の通いの場や地域ケア会議，訪問や通所場面など多彩な場面で，リハ専門職がかかわることで，地域における介護予防や自立支援が推進されることが期待されている〔コラム「地域リハビリテーション活動支援事業」（→140ページ）参照〕．

Keyword

ハイリスクアプローチ　高いリスクをもった個人を抽出し，その個人に対して個別的なリスク軽減をはかるアプローチ．たとえば，特定チェックリスト対象人向けの進行予防の教室など．

ポピュレーションアプローチ　高リスクをかかえていない集団や，全体にリスクが広く分布する集団に対し，病気の予防やリスク軽減をはかるアプローチ．地域の公民館で行われるサロン活動など．

D　健康増進と介護予防

1　ヘルスプロモーション

　ヘルスプロモーションは，1986年にカナダのオタワで開催された国際会議にて提唱された概念で，人々が自らの健康をコントロールし，改善できるようにするプロセスを指す．健康は生きる目的ではなく日々の生活の資源であり，それらを推進するには，単に健康の重要性に関する情報を伝達して知識を増やすことではなく，周囲とのコミュニケーションや集団としての行動変容から実践につなげていくことが重要となる．そのためには，政策や文化，地元企業なども含め，保健分野だけでなく社会の広い分野を巻き込んでいくことが必要になる．これは介護予防においても重要な考えである．

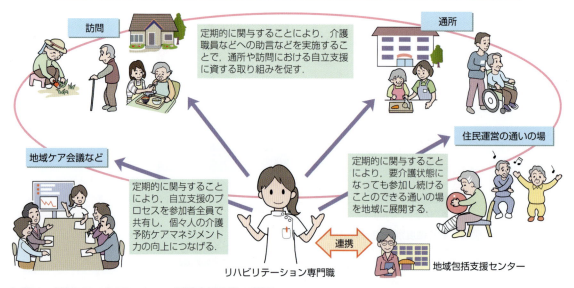

▶図4 地域リハビリテーション活動支援事業の概要
〔厚生労働省：地域リハビリテーション活動支援事業 令和4年度地域づくり加速化事業（全国研修），p3, 2022 より〕

2 健康高齢者

わが国の平均寿命は延び続けており，それとともに健康上の問題がなく日常生活を送れる健康寿命も少しずつ延びている．この平均寿命と健康寿命の差は，2019年時点で男性は約9年，女性は約12年である．また，スポーツ庁が公開している体力・運動能力調査の報告書をみると，1998～2018年までの20年間は，各年代・性別における新体力テストの合計点が上昇していることがわかる（▶図5）．

定義上は65歳以上で高齢者となるが，元気で活動的に過ごせる高齢者は増えており，70歳代でも賃金の発生する仕事に従事している者も一定割合存在する．また，ボランティア活動や自治会活動を通して社会貢献をする者や，公民館で絵画やコーラス，囲碁などの文化活動を通して社会参加する者も多い．

このように目的や役割があり，社会や周囲の人とのつながりのなかで生活している場合はよいが，退職や配偶者との死別などを機に社会との交流が乏しくなり，自宅に閉じこもり状態にある高齢者は廃用症候群に陥る確率が高くなる．そのため，高齢者として画一的に支援策を講じるのではなく，社会とのつながりに乏しい状態の高齢者も，できるかぎり社会の中で主体的な生活ができるような情報提供を行う必要がある．決して参加を無理強いするものではなく，社会のなかに参加を促すきっかけとなるさまざまな選択肢があることが重要である．

たとえば介護予防の取り組みとして，男性高齢者を主な対象とした料理教室を実施している市町村もある．これは，栄養バランスに配慮した調理スキルの獲得だけでなく，社会参加や交流促進も期待したものである．また，このような教室は自治体による運営だけでなく，カルチャースクールを運営する民間企業や少子化による生徒数の減少に悩む調理師専門学校などが商機として参入している場合もある．このような社会全体として，健

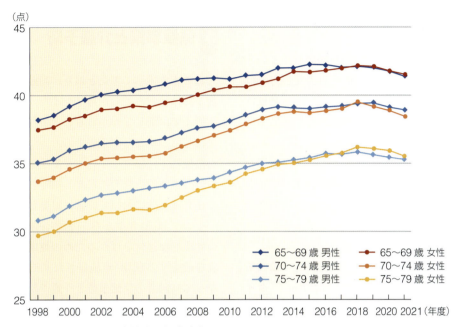

▶図5　新体力テスト合計点の年次変化
〔スポーツ庁：体力・運動能力調査結果報告書より作成〕

▶表3　障害高齢者の日常生活自立度（寝たきり度）判定基準

生活自立	ランク J	なんらかの障害などを有するが，日常生活はほぼ自立しており独力で外出する 1. 交通機関などを利用して外出する 2. 隣近所へなら外出する
準寝たきり	ランク A	屋内での生活はおおむね自立しているが，介助なしには外出しない 1. 介助により外出し，日中はほとんどベッドから離れて生活する 2. 外出の頻度が少なく，日中も寝たり起きたりの生活をしている
寝たきり	ランク B	屋内での生活はなんらかの介助を要し，日中もベッド上での生活が主体であるが，座位を保つ 1. 車椅子に移乗し，食事，排泄はベッドから離れて行う 2. 介助により車椅子に移乗する
	ランク C	1日中ベッド上で過ごし，排泄，食事，着替えにおいて介助を要する 1. 自力で寝返りをうつ 2. 自力では寝返りもうてない

康で豊かに生きる文化の醸成は，先述のヘルスプロモーションの理念に沿うものである．

3 虚弱高齢者

高齢者の特性として，さまざまな器官の生理的老化から，予備力，回復力，適応力などが低下し，些細なきっかけで要介護状態となりやすい．虚弱高齢者については，明確な定義づけがされていないが，障害高齢者の日常生活自立度でいえばランクJおよびAに相当する（▶表3）．

この虚弱と類似した言葉にフレイル（frailty）がある（➡ 48 ページ）．2014 年に，日本老年医学会は筋力や活動が低下している状態（虚弱）の高齢者をカタカナで「フレイル」と提唱した．その背景には，語源 frailty の日本語訳である「虚弱」「老衰」

「脆弱」という言葉が加齢に伴う不可逆的なイメージがあり，正しい介入で再び健常な状態に戻る可逆性を含むという本来の意味あいが薄れるという懸念があった[3]．厚生労働省研究班の報告書ではフレイルを「加齢とともに，心身の活力（運動機能や認知機能など）が低下し，複数の慢性疾患の併存などの影響もあり，生活機能が障害され，心身の脆弱化が出現した状態であるが，一方で適切な介入・支援により，生活機能の維持向上が可能な状態像」[4]と定義している．いずれも，高齢者ではフレイルに早期に気づき，正しい介入をする重要性がポイントである．

フレイルと関連して扱われる用語に，「ロコモティブシンドローム🔑」「サルコペニア🔑」「ダイナペニア🔑」などがある．フレイルは運動器や口腔機能に関する「身体的フレイル」，記銘力低下や抑うつなどの「精神・心理的フレイル」，閉じこもりや孤立などの「社会的フレイル」に区分される幅広い概念である．一方で，ロコモティブシンドロームは身体的フレイルの1つで，運動器の機能低下によって要介護となるリスクの高い状態を指す．さらに，運動器を構成する骨の脆弱性は骨粗鬆症，関節の脆弱性は変形性関節炎，筋の脆弱性はサルコペニアという階層性となっている．

サルコペニアは，加齢に伴う活動量の低下だけでなく，蛋白質やビタミンなどの栄養学的な不良やホルモン変化なども影響するため，高齢者の効率的な筋力増強には栄養面への配慮も必要となる．

> **🔑 Keyword**
> **ロコモティブシンドローム** 運動器症候群とも表現され，運動器（運動に関する骨・関節・筋・神経など）の障害のために移動機能の低下をきたし，進行すると要介護のリスクが高くなる状態．
>
> **サルコペニア** 加齢による筋肉量の減少や筋力の低下のことを指し，立ち上がりや歩行などの日常生活に影響が生じ，要介護や転倒しやすくなる状態．
>
> **ダイナペニア** 四肢骨格筋量は低下していないが，筋力が低下した状態．

4 保健事業と介護予防

ここまで述べてきたとおり，高齢者に対する介護予防は健常高齢者からフレイル，そして要介護状態まで区別してかかわることよりも，一体的に提供していくことが重要である．つまり，高齢者が機能低下に陥りやすい状況や健康状態に配慮しつつ，主体的に社会に参加し続けられる地域づくりが介護予防において非常に重要となる．

そこで2020年度から，「医療保険制度の適正かつ効率的な運営をはかるための健康保険法等の一部を改正する法律」が施行され，市町村が中心となって高齢者の保健事業と介護予防を一体的に実施する体制が加速することとなった．このことで医療報酬や介護報酬，健診，要介護認定など，その地域におけるデータ解析をもとに，フレイル対策を意識した疾病予防の保健事業と，生活機能の改善をはかる介護予防を一体的に実施していくことが可能となった．

5 これからの介護予防

今までの介護予防では，社会参加を通して他者との接点を増やし，地域の中で役割をもって活動するような集いの場づくりなどが進められてきた．しかし2020年から，わが国でも新型コロナウイルス感染症（COVID-19）の感染拡大が深刻な社会課題となり，これまで推奨されていた他者との接触や外出に大きな制限を受けたことでフレイルとなる高齢者の増加が懸念された．

この対策として，情報通信技術（information and communication technology; ICT）を活用し，オンライン上で交流を促す取り組みも少しずつ進んでいる．群馬県では，スマートフォン端末を活用したオンライン「通いの場」体験実証事業に対し，群馬県地域リハビリテーション支援センター（県内リハ職能団体による運営）が実施に協力している．また，インターネット上で閲覧で

きるデジタルコンテンツ(フレイル予防動画や運動テキストなど)をホームページ(https://www.grsc.biz/index.php)で無料配信している.

高齢者にソーシャルネットワーキングサービス(social networking service；SNS)を活用した趣味活動のグループ交流をはかることで,機器操作の不安や精神的健康状態の改善を認めたなどの報告[5,6]もあるが,ICT活用による介護予防の効果はいまだ十分なエビデンスが構築されていない.デジタル機器を活用できない高齢者への配慮など課題は残存しているが,ICTを活用した新たな介護予防の広がりが望まれる.

E 介護予防における作業療法士の役割

地域リハビリテーション活動支援事業は介護予防・日常生活支援総合事業(総合事業)の枠組みで行われるが,総合事業は各市町村が地域の実情に応じて住民とともに多様なサービスを充実していく.つまり,それぞれの地域において具体的な活動も異なるため,地域の課題や各自が所属する地域でどのような活動が展開されているのか,まずは地域を知ることがスタートになる.

介護予防の目的は,単に機能改善などを目指すものではなく,個々の高齢者の生活機能(活動レベル)や参加(役割レベル)の向上をもたらし,1人ひとりの生きがいや自己実現のための取り組みを支援し,QOLの向上を目指すことにある[1].作業療法士は,対象者個人の日常における生活行為について,それぞれの文脈のなかで個々の能力(障害や強み)を評価し,適切な支援方針を立ててかかわることを得意とする.作業療法が対象とする作業は,人間として生きていくうえで必要なADLなどのセルフケアから,余暇活動,生産活動まで幅広い活動を指し,作業療法士はこれら作業の遂行が困難な対象者へ支援をする.

つまり,介護予防の目的そのものが作業療法の目的と重複しており,健常高齢者や虚弱高齢者に対し作業療法士が予防的に関与することは非常に重要な意味をもつ.介護予防にかかわる作業療法士は,個別の要素的機能の向上に特化したかかわりではなく,これら介護予防の目的をしっかり理解し,対象者の社会参加や役割獲得,QOLの向上,そしてそれを実現するための地域づくりに貢献することが求められている.

●引用文献
1) 厚生労働省老健局老人保健課:介護予防マニュアル改訂版(平成24年3月)
2) 厚生労働省:介護保険事業状況報告.
3) 荒井秀典:フレイルの意義. 日老医誌 51(6):497–501, 2014
4) 鈴木隆雄(研究代表):後期高齢者の保健事業のあり方に関する研究. 平成27年度総括・分担研究報告書, 厚生労働科学研究費補助金 厚生労働科学特別研究事業, 2016
5) Miyadera R, et al: Effect of an information and communication technology utilization program for leisure activities on the anxiety of device use and health-related quality of life. J Rehab Pract Res 3(1):135, 2022
6) 宮寺亮輔, 他:高齢者のICT活用が健康感やフレイル予防活動に与える効果. 総合リハ 51(5):553–559, 2023

COLUMN 地域リハビリテーション活動支援事業

　作業療法士がかかわることの多いリハビリテーション活動支援事業は，自立支援型ケア会議への助言者としての参加や，住民主体の通いの場におけるアドバイスなどがある．

　自立支援型ケア会議は，介護支援専門員（ケアマネジャー）から提示された個別事例に対し，リハビリテーション専門職を含む多職種が助言し，高齢者の自立支援や重度化防止をはかる会議である．そのため，実際に自分が担当したことのない事例に対し，専門職として助言することが求められる．

　たとえば，腰部脊柱管狭窄症と肩関節周囲炎による腰や肩の痛みで，調理や洗濯動作に支障をきたしている事例を考える．腰部脊柱管狭窄症は長時間の立位姿勢保持が足のしびれや痛みにつながるため，座りながら野菜を切ったり，洗濯物も座ってハンガーやフックにかけてから物干し竿に掛けたりする．また，肩関節への負荷を減らすために，鍋など重い調理具は高い棚から低い棚へ配置換えをし，物干し竿はS字フックなどを活用して高さを下げるなど，疾患特異的な痛みを防ぐ動作方法で，その人が活用できそうな具体的方法を助言する．

　地域ケア会議には，①個別事例の課題検討を目的とした「地域ケア個別会議」と，②地域課題を明らかにして施策や政策の立案・提言につなげることを目的とした「地域ケア推進会議」の2つがある．自立支援型ケア会議は①に分類されるが，事例に対する検討だけでなく，地域ケア会議全体の機能（▶表1）や②地域ケア推進会議とのつながりを意識して助言することが重要になる．

　また，公民館やサロン活動の場などで介護予防に関する講話やアドバイス，体力測定などの事業に従事することも多い．通いの場では，年に数回しかかかわれないことも多く，健康に関する情報を単に伝えるだけでは効果が不十分である．毎日実践するための行動変容や，集団への働きかけも必要となる．たとえば「週3日以上の運動を心がけてください」と伝えるだけでは，その実現は難しい．だからこそ，週1回の集いの場で各自の取り組みを皆で共有したり，早朝ウォーキングで互いに声をかけ合う仕組みづくりを促すのも1つの方法である．

　このように，地域リハビリテーション活動支援事業は，病院や施設で個別的に提供されるリハとは異なる．医学的知識をふまえながらも，参加者の理解と実践を促すスキルだけでなく，地域における資源や施策などをふまえた俯瞰的視点やマネジメント力も必要になる．今後は，これらの活動に作業療法士がよりいっそう貢献していくことで，地域における介護予防や自立支援が推進されることが期待されている．

▶表1　地域ケア会議の5つの機能

個別課題の解決	多職種協働で個別ケースの支援内容を検討することで，高齢者の課題解決を支援し，介護支援専門員の自立支援に資するケアマネジメントの実践力を高める機能
地域包括支援ネットワークの構築	高齢者の実態把握や課題解決をはかるため，地域の関係機関などの相互の連携を高め地域包括支援ネットワークを構築する機能
地域課題の発見	個別ケースの課題分析などを積み重ねることにより，地域に共通した課題を浮き彫りにする機能
地域づくり資源開発	インフォーマルサービスや地域の見守りネットワークなど，地域で必要な資源を開発する機能
政策の形成	地域に必要な取り組みを明らかにし，政策を立案・提言していく機能

〔厚生労働省老健局老人保健課：介護予防活動普及展開事業市町村向け手引き（Ver.2）．pp5-14, 2019より作成〕

6 認知症高齢者の作業療法

A 認知症に対する作業療法の位置づけ

1 わが国の認知症施策

認知症高齢者数は増加の一途をたどっており，リハビリテーション（以下，リハ）専門職種は，病院や施設内で認知症の人に対する支援を行うだけでなく，住み慣れた地域で在宅生活を継続するために，認知症の人やその家族に対して多職種協働で支援していくことが求められている．

わが国の認知症施策には，2015年1月27日に公表された認知症施策推進総合戦略（新オレンジプラン）がある．さらに，2019年6月18日には認知症施策推進関係閣僚会議で「認知症施策推進大綱」がとりまとめられた（▶表1）．認知症になっても，住み慣れた地域で自分らしく暮らし続けることができる社会に向け，リハ専門職にも認知症の人の地域生活や社会参加の支援が求められている．

2 認知症のリハビリテーション

認知症のリハというと，認知機能の向上訓練がイメージされがちだが，多くの認知症は根治療法が確立されていない進行性の神経変性疾患が原因のため，それはリハの本質ではない．新オレンジプランでは，認知症の人に対するリハを「実際に生活する場面を念頭におきつつ，有する認知機能等の能力を見極め，これを最大限に活かしながら，ADLやIADLの日常の生活を自立し継続できる」こととしている．つまり，認知機能低下による生活障害に対する専門的支援である．

作業療法士には，認知機能の低下に起因する生活行為の課題を評価し，残存機能を生かした代償手段の検討や物理的な環境調整，介護家族や周囲の人との関係性に対する支援を通し，認知症の人の生活自立や社会参加の継続，QOLの向上に資することが求められる．

現状では，入院入所中の認知症高齢者を対象に

▶表1 認知症施策推進大綱の概要

基本的考え方
認知症の発症を遅らせ，認知症になっても希望をもって日常生活を過ごせる社会を目指し認知症の人や家族の視点を重視しながら「共生」と「予防」※ を車の両輪として施策を推進
※「予防」とは，「認知症にならない」という意味ではなく，「認知症になるのを遅らせる」「認知症になっても進行をゆるやかにする」という意味

5つの柱（具体的な施策）
①普及啓発・本人発信支援 　幅広いサポーター育成や希望大使による本人発信など
②予防 　予防関連のエビデンス集積，取り組み事例や手引きの作成など
③医療・ケア・介護サービス・介護者への支援 　認知症ケアパスの整備や専門職の対応能力向上など
④認知症バリアフリーの推進・若年性認知症の人への支援・社会参加支援 　バリアフリーの推進や権利擁護の体制整備など
⑤研究開発・産業促進・国際展開 　予防や診断，治療，ケアに関する研究の推進など

〔認知症施策推進関係閣僚会議：認知症施策推進大綱．令和元年6月18日より作成〕

したリハの機会が多いが，今後は地域における支援ニーズも増加していくことを理解しておくべきである．

3 薬物療法と非薬物療法

認知症に対する治療は，薬物療法と非薬物療法に二分される．認知症の人が質の高い生活を送るためにはどちらも重要だが，認知症の人に多くみられる認知症の行動・心理症状（behavioral and psychological symptoms of dementia; BPSD）には，基本的に非薬物療法が第一選択とされる[1]）．

非薬物療法は，作業療法を含むリハやケアなどの薬物療法以外の治療的かかわりを指す．より広義には，介護家族に対する教育的助言や心理的支援，地域社会資源の活用，場合によっては近隣住民の協力までも含めた包括的支援も含め非薬物療法となる．

非薬物療法の範囲は多岐にわたるが，作業療法士が行う代表的なアプローチを表2に示す．作業療法士は，これらを対象者の状態や実施する場の状況などを総合的に判断して提供する．多くの認知症で根治療法が確立されていない現在，非薬物療法が果たすべき役割は非常に大きい．

4 ケアの技法

認知症の人の言動は，背景に本人なりの意図があるが，記憶障害や失行症などの認知機能障害の影響を受けるため，結果として健常者からすれば異常とされることが多い．身体機能と比べて認知機能は目に見えにくく，言動の背景が周囲に理解されにくいため，介護家族や周囲の人との関係性が悪化していることもある．そこで，認知症の人とのコミュニケーションやケアの考え方をわかりやすく表現した技法も複数ある．

たとえば，パーソン・センタード・ケアは，その言葉のとおり認知症の人の人権を尊重し，その人の視点に立って行う認知症ケアの考え方で，ケアの現場でも広く認知されている．バリデーション療法は，認知症の人の言動を意味のあるものとしてとらえ，複数のコミュニケーション技法を活用するケアである．ユマニチュードは，見る・話す・触れる・立つといったケアの基本的な技術を一連の流れで行う技法である．認知症ケアにはさまざまな技法やテクニックがあり，わかりやすくまとめられているが，ポイントは相手を人として尊重する姿勢であり，これは認知症の人に限ったものではない．

5 作業療法の視点

作業療法の対象は，認知機能低下やBPSDに限らず，認知機能低下による作業活動（ADLやIADLなどの生活活動から生産・余暇活動，役割遂行や社会参加まで）の制約も含む．中〜重度認知症者が多い入院や入所場面では，環境への不適

▶表2 認知症の人への代表的な作業療法

ADLやIADL，社会参加へのアプローチ
ADLやIADLへの環境調整や介護家族指導も含めた支援，余暇活動によるBPSDや介護負担軽減，回想法などを用いた活動性向上，運動や認知機能，ADLなど複合的なアプローチ

認知機能や知覚などへのアプローチ
個別認知機能に対する認知機能訓練や現実見当識訓練（リアリティオリエンテーション）など認知機能への働きかけ，スヌーズレンなど知覚への働きかけ，絵画や音楽・園芸活動，作業回想法などの複合的なアプローチ

作業の習慣化や作業パターンへのアプローチ
排尿や睡眠のリズムなどに対するアプローチの設定と習慣化など

介護者へのアプローチ
教育や支援，ロールプレイなどによる介護家族に対する心理社会的介入

MCIを含めた地域高齢者へのアプローチ
歩行などの定期的な身体運動による認知機能低下や転倒予防，記憶や遂行機能などの認知機能に着目したトレーニング，脳活性化リハビリテーションを取り入れた複合的なプログラムなど

〔日本作業療法士会学術部（編著）：作業療法ガイドライン—認知症．日本作業療法士協会，2019より作成〕

応を防ぎ機能維持をはかる視点が重要となり，軽度認知症者が多い在宅場面では，社会参加と在宅生活の継続が重要な視点となる．

認知症の作業療法は，このように対象者の状況や支援場面を考慮し，表2のような個別的技法や手段を組み合わせて実践するため，その幅が広く特定の理論や技術としては表現しにくい．作業療法士は，対象者の認知機能障害とそれに伴う生活障害を把握し，加えて対象者の長い人生の物語や家族状況など全人間的な視点をふまえ，テーラーメイドな支援の提供が求められる．

また，今後は軽度に認知機能が低下した人の在宅生活継続に向けた支援や予防に対するニーズも増えるであろう〔第Ⅲ章4(➡185ページ)参照〕．ただし，認知症の多くは発症10年以上前から病理的変化が生じており，予防には限界点も複数存在する〔第Ⅰ章8の図2(➡72ページ)参照〕．単に予防を強調すると「認知症にならないように」「認知症だけはなりたくないから」といった，認知症を排除するような発言も聞かれるようになる．しかし，そのような社会で認知症とともに豊かに生きられるだろうか．

多くの認知症の原因疾患では，完全な予防技術はまだ確立されていない．何より，人間は必ず歳を重ねて生理的に認知機能は低下し，生活の自立が困難となる可能性は誰にもある．だからこそ認知症の正しい知識をもとに，国策である「予防と共生」に資することが求められる．

B 作業療法における評価の目的とアセスメントツール

1 認知症に対する作業療法の評価

作業療法では，認知症の対象者の生活そのものを全人間的にとらえることが最重要であるが，作業療法士としての基本的な評価の視点については，成書を参照されたい．本項では，認知症の特徴などに特化した評価スケールについて紹介するが，これらはあくまでも認知症の人を一側面からの視点で評価するものである．認知症の作業療法評価では，認知症の原因疾患の特異的症状，その進行度，認知機能障害，認知機能低下による生活機能の障害，BPSDなどの評価のほかにも，介護者の介護負担感や本人のQOL，対象者の人となりに関する情報など，多面的な評価が必要であることを再度強調しておく．

2 アセスメントツール

a 認知機能の評価

(1) 改訂長谷川式簡易知能評価スケール (HDS-R) 🔑

改訂長谷川式簡易知能評価スケール(HDS-R)は，わが国で最も一般的に用いられている認知症のスクリーニング検査の1つである(▶表3)．

9つの質問項目から構成され，最高得点は30点である．カットオフは20/21点であり20点以下で認知症の疑いとされるが，この点数をもって認知症であるかが判断されるべきではない．むしろ，即時再生(項目4や項目8)や遅延再生・再認(項目7)，見当識(項目2や3)のいずれに問題があるかなど，返答内容や反応から，どの認知機能領域に低下を認めるかなどの情報を収集し，日々の生活障害と関連づけて理解することが重要である．

たとえば，3単語の遅延再生(項目7)の際に，3単語を覚えた(項目4)というエピソード自体を忘却して思い出せない場合，日常生活では約束の忘却，同じ話の繰り返し，冷蔵庫に同じものが買いだめされていることなどが予測される．

🔑 **Keyword**
改訂長谷川式簡易知能評価スケール(HDS-R) 健常高齢者から認知症性高齢者をスクリーニングする目的で1974年長谷川らによって考案され，1991年に改訂された．個人面接で実施される．

▶表3　改訂長谷川式簡易知能評価スケール（HDS-R）

	質問		配点
1	お歳はいくつですか？（2年までの誤差は正解）		0　1
2	今日は何年の何月何日ですか？ 何曜日ですか？（年月日，曜日が正解でそれぞれ1点ずつ）	年 月 日 曜日	0　1 0　1 0　1 0　1
3	私たちがいまいるところはどこですか？ （自発的にでれば2点，5秒おいて 家ですか？ 病院ですか？ 施設ですか？ のなかから 正しい選択をすれば1点）		0　1　2
4	これから言う3つの言葉を言ってみてください．あとでまた聞きますのでよく覚えておいてください．（以下の系列のいずれか1つで，採用した系列に○印をつけておく） 1：a)桜　b)猫　c)電車 2：a)梅　b)犬　c)自動車	a) b) c)	0　1 0　1 0　1
5	100から7を順番に引いてください． （100-7は？ それからまた7を引くと？ と質問する．最初の答えが不正解の場合，打ち切る）	(93) (86)	0　1 0　1
6	私がこれから言う数字を逆から言ってください． （6-8-2，3-5-2-9を逆に言ってもらう．3桁逆唱に失敗したら打ち切る）	2-8-6 9-2-5-3	0　1 0　1
7	先ほど覚えてもらった言葉をもう一度言ってみてください． （自発的に回答があれば各2点，もし回答がない場合以下のヒントを与え正解であれば1点） a)植物　b)動物　c)乗り物	a：0　1　2 b：0　1　2 c：0　1　2	
8	これから5つの品物を見せます．それを隠しますのでなにがあったか言ってください． （時計，鍵，タバコ，ペン，硬貨など必ず相互に無関係なもの）		0　1　2 3　4　5
9	知っている野菜の名前をできるだけ多く言ってください． （答えた野菜の名前を右欄に記入する．途中で詰まり，約10秒間待っても答えない場合には そこで打ち切る） 0～5＝0点，6＝1点，7＝2点，8＝3点，9＝4点，10＝5点	………… ………… ………… …………	0　1　2 3　4　5
		合計得点	

〔加藤伸司，他：改訂長谷川式簡易知能評価スケール（HDS-R）の作成．老年精神医学雑誌 2(11):1339-1347, 1991より〕

(2) Mini-Mental State Examination（MMSE）🔑

全般的認知機能について簡便にスクリーニングを行う検査スケールである（▶表4）．

4問の動作性検査を含む11問で構成されており，HDS-Rと同様に最高得点は30点で，カットオフは23/24点で設定されている．教育歴の影響も多少受けるため，HDS-Rと同様に点数だけを参考にするのではなく，質的な結果の解釈が臨床上では重要である．

(3) 日本語版MoCA

日本語版MoCA（Japanese version of Montreal Cognitive Assessment）は，認知症の前駆段階である軽度認知障害（mild cognitive impairment; MCI）を短時間でスクリーニングするツールである．

HDS-RやMMSEに比べて難度が高く，多領域の認知機能（記憶，言語，実行機能，注意機能，視空間認知，概念的思考，見当識など）を評価するため，心理的負荷への配慮が必要である．合計で30点満点であり，日本語版では26点以上が健常範囲と考えられている．教育年数が12年以下

Keyword

Mini-Mental State Examination（MMSE） 1975年にフォースタイン（Folstein）夫婦が入院患者用の認知障害測定を目的に開発した．見当識，記銘，注意，計算，想起，呼称，復唱，聴覚的理解，視覚的理解，書字，図形模写からなり，精神機能を簡易にスクリーニングできる．

▶表4 Mini-Mental State Examination(MMSE)

	質問内容	回答
1(5点)	今日は何年ですか	年
	今の季節は何ですか	
	今日は何曜日ですか	曜日
	今は何月何日ですか	月
		日
2(5点)	ここは何県ですか	県
	ここは何市ですか	市
	ここはどこですか(施設名・建物名)	
	ここは何階ですか	階
	ここは何地方ですか(例 関東地方)	
3(3点)	物品名3個(相互に無関係) 検者はものの名前を1秒間に1個ずつ言い，被検者に繰り返させる 正答は1個につき1点，その後，3個すべて言うまで繰り返す(6回まで) 何回繰り返したかを記す ＿＿＿ 回	
4(5点)	100から順に7を引く(5回まで各1点)	
5(3点)	3で示した物品名を再度復唱させる	
6(2点)	(時計を見せながら)これは何ですか	
	(鉛筆を見せながら)これは何ですか	
7(1点)	次の文章を繰り返す(1回で正確に復唱できたら1点) 「みんなで，力を合わせて綱を引きます」	
8(3点)	(3段階の命令)(各段階で正しく作業できたら1点) 「右手にこの紙を持ってください」 「それを半分に折りたたんでください」 「机の上に置いてください」	
9(1点)	(次の文章を読んで，その指示に従ってください) 「目を閉じなさい」	
10(1点)	(何か文章を書いてください)	
11(1点)	(次の図形を書いてください)	
		合計得点

〔森 悦朗，他：神経疾患患者における日本語版 Mini-Mental State テストの有用性．神経心理学 1:2-10, 1985；Folstein MF, et al: "Mini-mental state". A practical method for grading the cognitive state of patients for the clinician. J Psychiatr Res 12(3):189-198, 1975 より作成〕

であった場合には，合計点に1点を加える(最高30点)[2]．

(4) Alzheimer's Disease Assessment Scale (ADAS)

ADASは，アルツハイマー型認知症の薬効評価が主目的の検査であり，臨床治験の指標などで用

いられることが多い．ADASは認知機能を評価する認知機能下位尺度ADAS-cogと，精神状態などを評価する非認知機能下位尺度ADAS-non cogから構成される．認知機能下位尺度は，記憶と言語，行為の3領域11項目で評価し，重度であるほど点数が高くなる．わが国では，認知機能下位尺度の日本語版であるADAS-J cogがあり[3]，認知症疾患医療センターなどで活用されているが，認知機能の変化を細かに検出することができる一方で，検査が複雑で時間を要す．

b 行動的側面の観察スケール

(1) 臨床的認知症尺度（CDR）

臨床的認知症尺度（clinical dementia rating；CDR）は，世界各国で用いられている代表的な観察法によるスケールである．

CDRは，記憶，見当識，判断力と問題解決，地域社会活動，家庭生活および趣味・関心，介護状況の6項目に対して，健常（CDR 0），認知症疑い（CDR 0.5），軽度認知症（CDR 1），中等度認知症（CDR 2），重度認知症（CDR 3）の5段階で評価し，それらの結果をもとに総合判定を行い，最終的にCDR 0〜CDR 3で表現する[4]．

(2) Functional Assessment Staging of Alzheimer's disease（FAST）

FASTは，国際的に用いられているアルツハイマー型認知症を対象とした観察式の評価法である〔第Ⅰ章8の表7（→73ページ）参照〕．

認知症の進行度を客観的に評価することで，時期に応じた適切なリハやケアを検討するのに役立つ．認知症は単に認知機能が低下した状態を指すのではなく，認知機能の低下により生活に支障をきたす状態を指すため，生活状況を把握することが重要であり，その点，予後もふまえて把握できる本スケールは有用である．

(3) 高齢者用多元観察尺度（MOSES）

高齢者用多元観察尺度（Multidimensional Observation Scale for Elderly Subjects；MOSES）は，セルフケア（着替え，入浴，尿失禁，身体的移動能力など）と失見当（コミュニケーション，場所や時間の見当識，エピソード記憶など），抑うつ（抑うつ状態，心配，不安，悲観など），いらだち（ケアの拒否やかんしゃく，攻撃的言動など），引きこもり（周囲との接触や交流，関心など）の5つの下位尺度に，各8項目，計40項目の設問がある．

医療介護スタッフが，対象者の過去1週間の行動をもとに評価を行うもので，比較的短時間で実施が可能である[5]．

(4) 認知症行動障害尺度（DBD）

認知症行動障害尺度（Dementia Behavior Disturbance Scale；DBD）は，認知症による行動障害についての評価尺度で，介護者の不安となるような行動症状の28項目について，「まったくない」0点から「常にある」4点までの5段階で評価し，点数の総計を算出する（▶表5）．0点〜112点で表現され，点数が低いほど行動症状が少ない状態を表す[6]．

また，13項目からなる短縮版は，回答者の負担が少なく簡便に実施することができ，28項目のDBDとの関連性も高いため[7]，臨床現場では有用である．

(5) 日本語版BEHAVE-AD

日本語版BHEAVE-AD（Behavioral Pathology in Alzheimer's Disease）は，認知症者の異常行動や精神症状を評価する尺度で，過去2週間の様子を介護者から聞き取ることで評価する．尺度の25項目は7つのカテゴリー（妄想概念，幻覚，行動障害，攻撃性，日内リズム障害，感情障害，不安および恐怖）から構成され，各25項目を0〜3の4段階で評価するもので，BPSDの把握に有用である[8]．

(6) Neuropsychiatric Inventory（NPI）

NPIは，BPSDの頻度と重症度や介護者の負担度を数値化する評価である．「妄想」「幻覚」「興奮」「うつ」「不安」「多幸」「無関心」「脱抑制」「易怒性」「異常行動」の10項目に，「夜間行動」「食行動」の2項目が後に追加され，計12項目で構成

▶表5 認知症行動障害尺度（DBD）

DBD13の項目	評価項目	評価点
○	1. 同じことを何度も何度も聞く	
○	2. よく物をなくしたり，置場所を間違えたり，隠したりしている	
○	3. 日常的な物事に関心を示さない	
○	4. 特別な理由がないのに夜中起き出す	
○	5. 特別な根拠もないのに人に言いがかりをつける	
○	6. 昼間，寝てばかりいる	
○	7. やたらに歩き回る	
○	8. 同じ動作をいつまでも繰り返す	
○	9. 口汚くののしる	
○	10. 場違いあるいは季節に合わない不適切な服装をする	
	11. 不適切に泣いたり笑ったりする	
○	12. 世話をされるのを拒否する	
○	13. 明らかな理由なしに物を貯め込む	
	14. 落ちつきなくあるいは興奮してやたら手足を動かす	
○	15. 引き出しやタンスの中身を全部出してしまう	
	16. 夜中に家の中を歩き回る	
	17. 家の外に出ていってしまう	
	18. 食事を拒否する	
	19. 食べすぎる	
	20. 尿失禁する	
	21. 日中，目的なく屋外や屋内をうろつきまわる	
	22. 暴力を振るう（殴る，かみつく，引っかく，蹴る，唾を吐きかける）	
	23. 理由もなく金切り声をあげる	
	24. 不適当な性的関係をもとうとする	
	25. 陰部を露出する	
	26. 衣服や器物を破ったり壊したりする	
	27. 大便を失禁する	
	28. 食物を投げる	
	合計	

- 各項目について，0点：「まったくない」，1点：「ほとんどない」，2点：「時々ある」，3点：「よくある」，4点：「常にある」の5段階で評価
- DBD 13は○のついた13項目のみで評価

〔溝口 環，他：DBDスケールによる老年期痴呆患者の行動異常評価に関する研究．日老医誌 30：835-840, 1993；町田綾子：Dementia Behavior Disturbance Scale（DBD）短縮版の作成および信頼性，妥当性の検討—ケア感受性の高い行動障害スケールの作成を目指して．日老医誌 49：463-467, 2012 より作成〕

される．項目ごとの重症度と頻度の積を算出し，点数が高いほどBPSDの頻度と重症度が大きいことを示す[9]．

C その他の評価スケール

(1) 地域包括ケアシステムにおける認知症アセスメントシート(DASC-21)

DASC-21(Dementia Assessment Sheet for Community-based Integrated Care System–21 items)は，地域の中で認知機能障害と生活障害を把握し，認知症を検出し，認知症重症度を評価する観察式評価尺度である[10]．記憶や見当識，判断力などの認知機能に加え，家庭内外のIADL，基本的なADLに関する21項目に対し，1~4点の4段階で評価する．健常から重度認知症までの幅広い対象者に，おおよその認知機能低下と全般的な生活状況を比較的簡便に把握することができる．なお，カットオフ値は30/31で，31点以上では認知症が疑われる[10]．

(2) 認知症高齢者の日常生活自立度(▶表6)

認知症高齢者の日常生活自立度とは，日常生活での自立度の程度を表す指標である．介護保険制度の要介護認定における認定調査などで用いられるため，わが国では広く用いられている指標である．

(3) Zarit介護負担尺度(ZBI)

Zarit介護負担尺度(the Zarit Caregiver Burden Interview; ZBI)は，22項目からなる介護負担の尺度である[11]．身体的負担，心理的負担，経済的困難などを総括し，介護負担として客観的に把握することが可能である．

Zaritら[12, 13]は，身体的負担，心理的負担，経済的困難などを総括し，介護負担として客観的に点数化する指標を開発した．Zarit介護負担尺度は，負担間の尺度として広く用いられており，わが国では，日本語版[11]やその短縮版[14]も作成されている．

▶表6　認知症高齢者の日常生活自立度

ランク		判断基準
I		なんらかの認知症を有するが，日常生活は家庭内および社会的にほぼ自立している
II		日常生活に支障をきたすような症状・行動や意思疎通の困難さが多少みられても，誰かが注意していれば自立できる
	IIa	家庭外で上記IIの状態がみられる（症状・行動の例：たびたび道に迷う，買い物や事務，金銭管理などできていたことにミスが目立つ）
	IIb	家庭内でも上記IIの状態がみられる（症状・行動の例：服薬管理ができない，電話や訪問者への対応など1人で留守番ができない）
III		日常生活に支障をきたすような症状・行動や意思疎通の困難さがみられ，介護を必要とする
	IIIa	日中を中心として上記IIIの状態がみられる（症状・行動の例：着替え，食事，排便，排尿が上手にできない，時間がかかる．やたらに物を口に入れる，物を拾い集める，徘徊，失禁，大声，奇声をあげる，火の不始末，不潔行為，性的異常行為など）
	IIIb	夜間を中心として上記IIIの状態がみられる
IV		日常生活に支障をきたすような症状・行動や意思疎通の困難さが頻繁にみられ，常に介護を必要とする
M		著しい精神症状や周辺症状あるいは重篤な身体疾患がみられ専門医療を必要とする（症状・行動の例：せん妄，妄想，興奮，自傷・他害などの精神症状や精神症状に起因する問題行動が継続する状態など）

〔「認知症高齢者の日常生活自立度判定基準」の活用について．厚生労働省老人保健福祉局長通知(平成18年4月3日老発第0403003号)，2006より作成〕

機能だけに着目したかかわりではないが，認知症の対象者はなんらかの原因疾患によって認知機能の低下が生じている．その認知機能障害は原因疾患ごとにある程度特徴づけることができる．医療職である作業療法士は，この疾患ごとの特徴にも対応できる基礎的な知識や技術が求められる．ここでは認知症の原因となる疾患別に配慮すべき視点をまとめる(➡68ページも参照)．

C 疾患別の作業療法の視点

認知症に対する作業療法の視点は，疾患や認知

1 アルツハイマー型認知症（ATD）

a 軽度（初期）

　アルツハイマー型認知症（Alzheimer-type dementia；ATD）の初期は，近時記憶や注意，時間の見当識で障害を認め，探し物や置き忘れが増える．エピソード自体を忘却し，その再認が困難となるため，周囲のかかわり方や環境によっては物盗られ妄想などのBPSDが出現しやすい時期である．また，注意や遂行機能の障害も加わるため，服薬や金銭の管理，献立に配慮した調理などIADLや地域での役割活動などが困難となる．そのため，他者から失敗や誤りなどを指摘されることが多くなるとともに，社会的な役割や社会参加の機会が大幅に減る．これらの背景に**アパシー**🔑も加わり，対象者によっては引きこもりがちとなる．一方で，身体機能面での障害はほとんどないため，基本的なADLは自立レベルである．

　この時期では在宅生活場面での支援が中心となる．残存している認知機能に基づき，できる活動や本人のやりたい活動を支援し，家庭内での役割や社会参加の維持に努め，二次的な心理機能の低下やBPSDの悪化を防ぐ．また，本人に対する支援だけでなく，家族介護者をはじめとした周囲の認知症に対する理解促進や接し方の指導，薬の一包化や服薬支援機器の導入などの代償手段の検討，権利擁護制度の検討，認知症カフェなどのインフォーマルサービス（介護保険制度以外のサービス）も含めた社会参加のきっかけづくりなど，人的・物理的両面からの環境整備が必要となる（→154ページ）．

> **🔑 Keyword**
> **アパシー（apathy）** 発動性の低下や興味関心の欠如，情動の鈍化を特徴とし，主には前頭連合野機能低下で生じる．意識や認知，感情の障害ではない動機づけの減弱で，うつとは異なる．本人の興味や趣味などの動機づけが行動につながることもある．

b 中等度（中期）

　ATDの中期では，近時記憶の障害に加えて即時記憶の障害を認め，場所の見当識障害や失行症のような行為の障害，視空間認知の障害も加わる．そのため，着衣や排泄，入浴などのADLにも支障をきたし，介護拒否や徘徊などのBPSDを認めることも多くなる．季候や場面に合わせた衣服の選択や，汚れた下着と新しい下着の区別，シャンプーやリンスの使い分けでの混乱，夜間にトイレの場所がわからずに別の場所で用を足すなど，認知機能の問題による生活行為の障害が目立つ．そのため，身体的な介護よりも，タイミングに配慮した声かけや失敗を防ぐような環境設定（石鹸類の種類を減らす，本人が入浴している間に新しい下着に替えておく，夜はトイレに明かりをつけておく）など，低下した認知機能に配慮した介護が必要となる．そのような物理的・人的環境の配慮によりADL能力もある程度保たれる．

　しかし，目に見えにくい認知機能障害やその介助方法を介護家族が理解することは容易ではない．また，配偶者も高齢で理解力が低下している場合もあり，個別の状況に応じた配慮と指導を実施する．この時期では，在宅生活の場面以外にも通所や入院・入所の場面で関与することも多くなる．作業療法の視点としては，認知機能の維持改善に対する機能面のアプローチだけでなく，社会参加の場の提供や役割の維持，生活能力の維持，家族への具体的な対応方法の指導など，認知機能の低下に配慮しつつも，認知症の人が主体的な生活を送れるような視点が重要となる．

c 高度（後期・終末期）

　高度のATDでは認知機能低下が進行し，失行や失語，失認などの症状が出現する．また，運動機能が低下し，尿便意のコントロールも難しくなるため，基本的なADLにも介助が必要となる．たとえば，服の袖口がわからずに混乱して介護を拒否する，便器と自分の身体の位置関係を理解で

きずに便座に座れない，口頭での言語指示が理解できずにさまざまな動作で混乱する，食品と異物の区別ができずに口に入れる（異食）など視覚認知や失行症などによる行為の障害が目立ち，身体的な介護負担も大きくなる．

そして終末期では，FASTのステージ6〜7にあるように〔第Ⅰ章8の表7(➡ 73ページ)参照〕，発語，座位保持，笑顔，頸部固定などの機能を喪失して最終的に意識消失に至る．このころには咀嚼や嚥下が困難となり，誤嚥性肺炎のリスクが高まる．

この時期では，在宅より入院・入所施設で作業療法士がかかわることが多くなるが，訪問や通所サービスを活用しつつ，介護家族によるケアを受けながら在宅生活を継続することも可能である．ただし，前述したとおり，アルツハイマー病はいずれ死に至る神経変性疾患である．だからこそ，最期まで尊厳が保たれた生活を継続するためにも，初期で本人の意思が明確なうちに終末期のケア方針を話しておくことが重要となる．

2 レビー小体型認知症（DLB）

レビー小体型認知症（DLB）(➡ 74ページ)では，注意機能や視空間認知機能が低下するとともに，パーキンソニズムや自律神経症状が加わることが多いため，屋内外での転倒のリスクが高い．また，比較的早期から「女の子がいる」「小さい黒い虫がたくさんいる」などのリアルな幻視に基づく言動，「妻に似ている他人〔カプグラ（Capgras）症状〕」「知らない人が2階に住んでいる（幻の同居人）」などの訴えから，介護家族が対応に困惑することも多い（▶図1）．

転倒を防ぐような環境整備とともに，暗いところや影，壁や天井の模様，すりガラス，豆電球など，誤認の誘因となる環境をできるだけ調整する．また，本人の発言に介護家族が振り回されている場合もあるため，幻視について適切な理解や対応ができるように，周囲の理解促進なども必要となる．

▶図1　レビー小体型認知症の幻視に関するエピソード

レビー小体型認知症の80歳代男性宅の風景．テーブルの対側に立てかけてある座布団の模様に対し，「そこにネコがいる」と訴える．「胴体はこたつに入っている．頭だけが見える（矢印先端）．右に少しゆっくり動いている」と訴える．筆者が模様を一部隠すと，「どこかに消えた」と答える．ほかにも，小さい女の子，黒い虫などが見えると訴える．ある日，この男性が「この女の子（幻視）にご飯をあげたのか？」と妻に言うので，妻はびっくりして「どこにいるの？　触ってみて」と言った．男性が触ろうとしたら消えたという．

3 血管性認知症（VaD）

血管性認知症（VaD）(➡ 75ページ)は，注意障害や遂行機能障害などの認知機能障害に加えアパシーにより，身体活動や精神活動が低下しやすい．また認知機能の低下はまだらで，比較的保持される機能もあるため，認知機能のアセスメント結果や本人の今までの趣味や生活歴に基づき，身体活動や精神活動の維持ができるようなかかわりが求められる．また，多発性脳梗塞など，明らかな片麻痺を呈していなくても立位バランスや嚥下機能などが低下していることが多く，転倒や誤嚥などへの配慮も必要である．

4 前頭側頭型認知症（FTD），行動障害型前頭側頭型認知症（bvFTD）

前頭側頭型認知症（FTD）(➡ 75ページ)は，脳の萎縮部位の違いにより症状が異なる．そのため，まずは認知機能の適切な評価と生活上の課題を把握したうえで支援方法を検討する必要がある．

意味性認知症（semantic dementia; SD）は言葉

の意味が通じにくく，認知機能検査の点数が低くなり，周囲にも残存機能が適切に理解されない場合もある．

　一方，行動障害型前頭側頭型認知症（bvFTD）では，人格変化や常同行動，社会的行動障害など前頭葉症状が目立ち，周囲とのトラブルも多い．その場合は，被影響性亢進や常同行動を利用し，問題となる行動パターンの変容を促すルーチン化療法などを活用する．いずれも早い段階から周囲の理解促進と，長期的視点での介護方針の検討が必要となる．

D 支援場所による作業療法の実践

1 地域での作業療法士のかかわり

a 認知症疾患医療センター

　認知症疾患医療センター（認知症センター）は，認知症の鑑別診断やその初期対応，BPSDや合併症などの急性期対応，専門的な医療相談や診断後の支援，地域の関係機関と連携した活動などを提供する機関で，一定要件を満たした医療機関を都道府県や指定都市が指定する．

　現時点では，認知症センターの実施要綱に作業療法士の職名記載はないが，全国的には職名記載されている職種に次いで多く配置されており，今後は診断後の支援などでの活躍も望まれる[15]．

b 訪問作業療法

　訪問リハでは，病院や施設でのリハとは異なり，対象者個々に異なる実際の生活場面に直接訪問し，その環境でアプローチできることが最大のメリットである．家族への具体的な対応方法や介助方法の指導，転倒などのリスクに配慮した環境整備，対象者本人のやりたい活動の実現に向けた支援など，具体的な支援を提供する〔コラム「訪問における認知症の作業療法」（→ 156 ページ）参照〕．

c 通所リハビリテーション

　通所リハ（デイケア）では，単に認知機能や認知機能低下に伴う生活機能障害に対する訓練をするだけでなく，定期的な在宅場面の評価を通した生活状況や家屋状況に対する助言や，家族介護者への指導なども求められる．つまり通所場面での支援だけでなく，通所場面を通して認知症高齢者の生活機能や社会参加に配慮した個別リハの提供がなされる必要がある．

2 病院施設での作業療法士のかかわり

a 介護老人保健施設

　介護老人保健施設でも入所者における認知症高齢者の占める割合の増加に対し，認知症短期集中リハの実施などが充実化されている．特に環境変化に適応することが難しい認知症高齢者が施設にて落ち着いてリハができるような支援も含め今後も作業療法士の積極的な取り組みが期待される．

b 認知症治療病棟

　認知症治療病棟とは，主に急性期の著しい認知症の行動・心理症状（BPSD）を有する患者を対象とした病棟であり，在宅生活の継続にあたり一時的に利用可能な資源として活用が想定されている．そのため可能なかぎり短期間での入院とすることが求められているが，長期入院患者はADL低下が指摘されており，できるだけ早期の退院促進に向けて作業療法士が積極的に関与していくことが求められる．

E 介護家族への支援

　現状では，認知症の人の半数以上が居宅で生活しており，今後はさらに増加するため，認知症者

▶表7　アルツハイマー型認知症の各病期における心理教育

	初期	中期	後期・終末期
本人の状況	●自信や自尊心の低下，意欲減退，不安，焦燥，抑うつ ●挫折感や絶望感	●認知症の行動・心理症状（BPSD）が著明となる	●ADLの自立度がさらに低下
本人への支援	●心理的葛藤や苦悩の緩和をはかる心理的サポート ●実生活上の問題への理解と対応について教育的アプローチ	●回想法やリアリティ・オリエンテーションなどでの情緒面の安定化	●この時期では家族への支援が中心となる ●最期まで尊厳のある生活が送れるための支援
家族の状況	●将来の不安，根本的治療が確立していない不安 ●どのように自分が介護すればよいかの混乱や心理的葛藤	●家族への依存度が高まり，それを受け入れることの困難さに直面 ●家族の心理的ストレスがかなり大きい時期	●家族による身体的介護の必要性が高まる
家族への支援	●支持的精神療法（心理的葛藤，挫折，不安，混乱への対応） ●病状や経過に関する情報提供 ●実生活上の問題解決に向けた具体的助言	●行動異常や精神症状，生活障害についての理解促進 ●それらへの具体的な対応方法（環境整備や社会資源活用）の助言	●介護資源の有効活用による介護負担軽減 ●状況に応じた環境調整の指導 ●具体的な介護方法の指導

〔松田　修：高齢者の認知症とサイコエデュケーション．老年精神医学雑誌 17(3):302-306, 2006 より作成〕

の在宅生活の支援は急務である．在宅生活の継続における介護家族の役割は非常に重要であり，介護家族に対する支援も求められる．認知症により日常の生活場面で常に見守りや支援を要する場合，身体的な介護を要する場合とは異なる介護負担がある．作業療法士として理解しておきたい基本的事項を以下にまとめる．

1 介護家族の介護負担と支援

　認知症の行動・心理症状（BPSD）は，認知症の人やその介護者のQOLの低下につながるだけでなく，介護者の介護負担感の増加やうつに影響を及ぼす[16]．介護家族は，既存の介護保険サービスでは提供しにくい，柔軟な支援が可能であり，介護家族が在宅生活の継続で果たす役割は非常に大きい．だからこそ，介護家族には定期的な休息（レスパイト）が必要になる．
　介護家族の介護負担感は，対象者との今までの関係性や利用可能な社会資源，介護者を支える存在の有無，介護者の性格特性などさまざまな要素が影響するため一概にまとめることは難しいが，疾患やその進行過程によってある程度の傾向がある．その特徴に配慮した心理教育も必要である（▶表7）．

2 家族の想いと本人の想い──関係性の障害に対する支援

　介護家族は認知症の本人の失敗や事故を未然に防ごうとするが，それが原因でBPSDの悪化につながることもある．
　たとえば，Aさんは今まで朝ご飯を同居の息子夫婦につくるのが日課だったとする．しかしアルツハイマー病の進行に伴い，記憶障害や遂行障害が出現し，火の不始末や同じ献立の繰り返しなどの作業遂行上の問題が出現してくる．すると，家族は「火事になったら大変」「お母さんに負担をかけたくない」と考え，ある日Aさんの妻が「お母さんも大変そうですし，朝ご飯の準備は私がするので，もうやらなくてよいですよ」と伝える．
　この場合，妻は義母を思いやるつもりが，Aさんからしてみると自分の仕事だと思っていた作業を否定され，結果的に役割を剥奪されたと受け止める．これが本人の気分の落ち込みにつながる場合もあれば，妻に対する攻撃的な言動に発展する

場合もある．認知症の本人も介護家族も，互いのためを思っているにもかかわらず，あたかも相互不理解の負の連鎖に陥るような状況となる．

このようなコミュニケーション不全の背景には，認知機能のわかりにくさがある．認知機能は身体機能と比べて目に見えにくい．そのため周囲の人が認知症の人の言動を理解できず，結果的に本人の発言を否定したり行動を抑止することもある．

周囲の人と本人との理解のギャップに戸惑い，どのように対応すればよいか悩んでいる介護者も多い．本人の言動がなぜそうなるのか，認知機能の仕組みや生活障害の背景を介護家族が理解できるように，具体的な助言をすることも求められる．

3 認知症における病識という視点

小澤[17]は，約25年前に認知症（当時の名称は痴呆）について，認知症は単に認知機能が低下しただけでなく，内省能力（自身の状態について客観的に振り返る能力）が低下している状態を含むことを指摘している．これは近年でも議論はあるものの，認知症（アルツハイマー型認知症）では，初期から進行に伴い病識低下を認めるが，病感はある程度保たれる[18]とされている．

つまり，自身の状態について客観的に振り返り，何がどのように問題であるかを把握することが困難になっている（病識低下）一方で，失敗体験が増えて周囲から指摘され，邪魔者扱いされることから「自分が忘れっぽく，何となくおかしい」という感じ（病感）は残る．そのため，認知症の本人は必死で自分の失敗を場当たり的に取り繕うような言動をとる．しかし，そのような対応を介護家族が理解できずに本人に指摘することで，関係性が崩れてしまうこともある．このように，認知症の本人がどのように認知して感じているのかといった「本人の主観」という視点も，家族指導として重要である．

4 認知症の人の視点

認知症施策推進大綱の5つの柱の1つ目が「普及啓発・本人発信」である．近年，認知症の介護家族だけではなく，当事者からの声もさまざまなところで聞く機会が多くなっている．われわれ作業療法士は，対象者の望む作業を中心としたかかわりが必要である．

51歳でアルツハイマー型認知症と診断された佐藤雅彦氏は自身の著書『認知症になった私が伝えたいこと』[19]で，

「診断された当初から，『1人暮らしは無理だ，施設に入りなさい』と言われ，グループホームを紹介されました．でも，施設に入ると自由度が少なくなる．もっと人生を楽しみたいし，ギリギリまで1人暮らしをしたい，と思いました．（中略）認知症になった私が，何の不自由もなく生活をしているなどということはありません．1日1日が大変で，困ること，不便なことばかりです」

と記載している．

また，ケアスタッフに対する要望として，

「認知症の人の多くは，以前の私のように，マイナス面にばかり目が向いています．本人ができることを見つけて支えて下さい．そして，そうした人がもっと楽しく，前向きに暮らせるような話題やアイディアを提供してもらいたいと思います」

と述べている．

この文章を読んで，作業療法士としてできることがたくさんあることに気づくであろう．現状では，地域で初期の認知症の人を支援する資源が不足している．今後，認知症初期集中支援チーム〔コラム「認知症初期集中支援チーム」（→194ページ）参照〕や訪問リハなど，在宅生活を支える場面での作業療法士の活躍が期待される．

F 地域資源の活用

認知症の人の在宅生活継続に向けた支援には，権利擁護やインフォーマルサービスも含めた幅広い社会資源の活用が必要となる．以下に，介護保険以外の社会資源について紹介する．

1 権利擁護

サービスの利用意思があり，サービス提供者と契約をする能力がある場合は，社会福祉協議会による日常生活自立支援事業が便利である．日常的な金銭管理の支援を受けることができるため，サービス利用料の支払いや生活費の払い戻しの代行，金融窓口などへの同行などの援助を受けることができる．しかし，あくまで本人が選択・決定することを基本姿勢としており，認知症の本人がその必要性を理解し，信頼して利用できるためには，比較的早期からの利用が必要となる．

一方，成年後見制度は民法を基本とした制度で，判断能力の低下により法的行為における意思決定が困難な場合に，その判断能力を補う制度である．地域の独居の認知症高齢者は，悪徳業者などからの消費者被害に遭遇するリスクが高いが，成年後見制度により財産を本人のために有効活用できるように保護することができる．しかし，日常生活自立支援事業と比べ，手続きが複雑で自由度が低くなる．

2 認知症カフェ

認知症カフェは，認知症の人やその家族・知人，医療やケアの専門職，一般市民などが気軽に集まり，和やかな雰囲気のもとに交流を楽しむ場所で，必要に応じて相談や情報提供の場にもなる場所である[20]．オランダのアルツハイマーカフェが起源とされ，日本でも2012年に厚生労働省の文書に記載され，全国的に広まっている．ただし，介護保険法などで明確に定義された公的サービスではなく（一部市町村では独自事業として運営しているところもある），運営主体も有志団体やNPO法人から社会福祉協議会や医療機関まで，さまざまな形態のカフェが運営されている．

介護保険制度のような画一的な対応が求められる資源の利用には，環境適応能力や判断・理解力の低下した認知症の人は結びつきにくいが，このような柔軟で通常の社会に溶け込んだ資源の利用をきっかけに，外出やサービス利用につながる認知症高齢者もいる．運営や支援に作業療法士が果たす役割は大きいだろう〔コラム「認知症の人の地域生活支援」（→216ページ）〕．

3 家族会

わが国では「公益社団法人 認知症の人と家族の会」が最大の組織で，全都道府県に支部があるが，それ以外にも全国に大小さまざまな団体が存在する．長期間，毎日の介護のなかで，介護家族はさまざまなストレスをかかえて生活している．単に医療者が教育的視点から助言する場合，かえって相手に心的ストレスを与える場合もある．同じ境遇におかれた家族どうしが交流・支援（ピアサポート）することで，心的ストレスの軽減につながるだけでなく，具体的な介護アドバイスや有益な情報を得ることにつながる．自分だけが大変な思いをしているのではないと知ること自体が，心理的負担の軽減や自己効力感の向上につながる．このような情報を随時提供できるように，自分の勤務する地域の社会資源について情報を集めておくとよい．

●引用文献

1) 日本神経学会（監），「認知症疾患診療ガイドライン」作成委員会（編）：認知症診療ガイドライン2017. pp54-117, 医学書院, 2017
2) 鈴木宏幸, 他：Montreal Cognitive Assessment（MoCA）の日本語版作成とその有効性について. 老年精神医学雑誌 21:198-202, 2010
3) 本間 昭, 他：Alzheimer's Disease Assessment Scale

(ADAS)日本版の作成. 老年精神医学雑誌 3(6):647–655, 1992
4) 目黒健一：認知症早期発見のための CDR 判定ハンドブック. pp13–20, 医学書院, 2008
5) 新井平伊：観察式による痴呆の行動尺度(3). 老年精神医学雑誌 7:913–926, 1996
6) 溝口　環, 他：DBD スケールによる老年期痴呆患者の行動異常評価に関する研究. 日老医誌 30:835–840, 1993
7) 町田綾子：Dementia Behavior Disturbance Scale (DBD)短縮版の作成および信頼性, 妥当性の検討―ケア感受性の高い行動障害スケールの作成を目指して. 日老医誌 49:463–467, 2012
8) 浅田　隆, 他：日本語版 BEHAVE-AD の信頼性について. 老年精神医学雑誌 10(7):825–834, 1999
9) 博野信次：Neuropsychiatric Inventory(NPI). 日本臨牀 61(Suppl 9):154–158, 2003
10) 粟田主一, 他：地域在住高齢者を対象とする地域包括ケアシステムにおける認知症アセスメントシート(DASC-21)の内的信頼性・妥当性に関する研究. 老年精神医学雑誌 26(6):675–686, 2015
11) Arai Y, et al: Reliability and validity of the Japanese version of the Zarit Caregiver Burden Interview. *Psychiatry Clin Neurosci* 51:281–287, 1997
12) Zarit SH, et al: Relatives of the impaired elderly: correlates of feelings of burden. *Gerontologist* 20:649–655, 1980
13) Zarit S, et al: Subjective burden of husbands and wives as caregivers: A longitudinal study. *Gerontologist* 26:260–266, 1986
14) 荒井由美子, 他：Zarit 介護負担尺度日本語版の短縮版(J-ZBI_8)の作成：その信頼性と妥当性に関する検討. 日老医誌 40(5):497–503, 2003
15) 山口智晴, 他：認知症疾患医療センター併設医療機関における作業療法実態調査. 老年精神医学雑誌 33(6):595–601, 2022
16) Black W, Almeida OP: A systematic review of the association between the Behavioral and Psychological Symptoms of Dementia and burden of care. *Int Psychogeriatr* 16(3):295–315, 2004
17) 小澤　勲：痴呆老人からみた世界―老年期痴呆の精神病理. 岩崎学術出版社, 1998
18) Maki Y, et al: Evaluation of Anosognosia in Alzheimer's Disease Using the Symptoms of Early Dementia-11 Questionnaire (SED-11Q). *Dement Geriatr Cogn Dis Extra* 3(1):351–359, 2013
19) 佐藤雅彦：認知症になった私が伝えたいこと. pp54, 55, 172, 173, 大月書店, 2015
20) 武地　一：認知症カフェハンドブック. pp36–78, クリエイツかもがわ, 2015

● 参考文献

21) 上田　諭：治さなくてよい認知症. pp7–18, 日本評論社, 2014
22) 高橋幸男：認知症はこわくない. pp38–69, NHK 出版, 2014

COLUMN 訪問における認知症の作業療法

認知症は，認知機能低下に伴い，少しずつ生活上に課題を生じる生活障害である．

たとえば，注意機能が低下すると，なくし物や探し物，電気の消し忘れといった単純ミスが増える．記憶力が低下すれば，買い忘れや買いだめ，同じ話の繰り返し，約束の忘却などが生じる〔第Ⅰ章8の表4（➡70ページ）参照〕．このような認知機能低下による生活行為におけるエラーは，認知症の人が困ることの1つである．

生活行為の遂行に影響を及ぼすのは，認知機能だけでなく，習慣や環境，その活動に対する本人の意味づけなども含まれる．たとえば，調理活動を例にとると，最新型のバリアフリー対応キッチンなのか，昔ながらの土間を改装した段差が多い台所なのか．そして，その環境にはどの程度慣れているのか．火の不始末を検知するシステムや家人の見守りなどリスク管理ができる環境なのかなど，習慣や環境による影響は大きい．

また，調理に対する価値観も人それぞれである．たとえば，生きがいや楽しみにしている人もいれば，元調理人として完璧を求める人，調理は苦手で総菜や配食サービスの方が便利でおいしいと感じる人など多様性がある．だからこそ，生活障害をかかえる認知症の人に対し，実際の生活場面で本人と相談しながら具体的支援ができる訪問の作業療法に有用性を強く感じている．現状では，認知症の初期段階の人に対する訪問での支援機会が少ないが，今後は軽度認知症の在宅生活者が増えると予測されており，訪問場面での作業療法が充実化されることが期待される．

図1は認知症の人の服薬管理支援の一例である．アルツハイマー型認知症による見当識障害

▶図1 服薬管理に向けた支援例
〔山口智晴：家族の強い想いが本人の易怒性につながっていた事例．池田　学（監），村井千賀（編）：認知障害作業療法ケースブック―重度別の認知症と作業療法　ADL/IADL能力の獲得に向けて，pp78-85，メジカルビュー社，2021 より〕

と記憶障害，注意障害などから，薬の飲み忘れが多く，常に家人に今日の日付を繰り返し質問していた．そこで，本人が必ず目にする場所に電子カレンダーを設置するとともに，本人専用カレンダーに薬を小分けにして貼り付けたところ，飲み忘れることはほとんどなくなった．既存の服薬タペストリーも検討したが，本人の習慣や環境，残存機能を考慮すると混乱が少なく実施できるのが，この図にある方法であった．現に，アプローチから2年経過し，記憶と見当識の低下が進行した時点でも，同じ方法で管理することができている．早期からの支援の重要性を感じた支援例である．

第III章

高齢期作業療法の
実践事例

1 健康高齢者のケース

GIO 一般教育目標 地域における作業療法士としての役割を果たせるようになるために，健康高齢者の介護予防について必要な知識・技術を身につけることができる．

SBO 行動目標
1) 健康高齢者の介護予防への目的を理解し，プログラムを立案することができる．
   - □ ①健康高齢者の介護予防の必要性を説明できる．
   - □ ②高齢者の介護予防評価により問題点を抽出し，目標を設定できる．
   - □ ③目標を達成するためのプログラムを立案することができる．
2) 生活不活発の悪循環から良循環への転換の重要性を口述することができる．
   - □ ④生活不活発の悪循環を引きおこす要因について説明できる．
   - □ ⑤良循環への転換について心身機能，生活，社会的機能の側面からイメージできる．
3) 介護予防の継続支援の重要性をクラスの中で説明できる．
   - □ ⑥介護予防の継続支援の重要性について作業療法士の役割を例示できる．

A 不活発な生活から活動的な生活へ

1人暮らしのAさんについて，他市に住んでいる長女から相談があった．「お母さんが，以前より口数が少なく表情が暗くて……．最近は，外出が減り，家でごろごろしていることが多くなっているようです．夜はよく眠れないと言っています．私は，離れて暮らしているので，毎日様子を見に行くことができず，このままでは弱ってしまうのではないかと不安です」．長女の話によると，2〜3年ほど前までは世話好きで人付き合いもよく，ボランティア活動や地域の役員を積極的に行っていたが，父親の介護をきっかけに人付き合いをほとんどしなくなってしまったとのことだった．

健康高齢者といっても，以前と比べて「何をするのもおっくう」「食が細くなった」「今まで楽しめていたことが楽しめなくなった」などの生活上での変化を訴える高齢者は少なくない．自らの介護予防の必要性に対する気づきをきっかけに，生活意欲向上，活発な生活を取り戻していったAさんへの支援について紹介したい．

 症例提示

■**一般的情報**
①**症例**：Aさん，女性，75歳．
②**家族状況**：1人暮らし．半年前に夫を亡くし，息子と娘とは別居．
③**既往歴**：高血圧と脊柱管狭窄症．

■**家族からの情報**
　長女より，母親の生活不活発の相談あり．

B 作業療法初期評価

自宅を訪問し，面談を実施した．自宅内はきれいに掃除が行き届いており整理整頓されている．初めての面談のため表情は硬かったが，会話は明快であり，その会話や問診を中心に評価を実施し，問題点を抽出した．

a ICFに基づく評価

(1) 個人因子

専業主婦として家事いっさいを担い，1男1女を育てた．現在，長男と長女は他市に住んでおり月1回程度，様子を見にくる．趣味はコーラスで，以前は地域のクラブに参加していた．性格は穏やかで話好きであり，几帳面で真面目である．

(2) 環境因子

半年前に2年間介護を必要としていた夫を亡くし，現在1人暮らしをしている．かかりつけの内科や整形外科，スーパーが近所にあり，徒歩で行くことができる．また近所に公民館があり，まだ参加したことはないが高齢者の集いがある．

(3) 心身機能

10年前から高血圧があり，月1回は近所の内科を受診し服薬治療中である．脊柱管狭窄症のため腰痛があり，月1回は整形外科を受診している．最近，小さな段差でつまずくことがあり，居室を掃除しているときにバランスを崩して転倒した．外出することがおっくうで1日中テレビをつけている．日中，身支度なども整えないことが多くなってきた．夜よく眠れず昼間うとうとすることが多くなり，以前より食欲がなくなり食が細くなった．

(4) 活動

独居のため，ADLはすべて自立している．日用品の買い物は週に1回近所のスーパーに歩いて行き，食事の用意・片付けは自立している．掃除や洗濯も毎日欠かさず行っている．

(5) 参加

友人宅へ訪問するなどの人付き合いはまったくない．地域の行事は，民生委員からの誘いがあるが，なかなか気が進まず参加できない．

b 本人のニーズ

「娘や息子に迷惑をかけず，できればこの街で1人暮らしを長く続けたい」．また，長女も母親の気持ちを尊重したいとのことだった．

c 作業療法で扱う問題点

- 環境変化からの意欲低下，うつ傾向による生活不活発
- 生活不活発による体力低下，食欲不振
- 社会参加の減少

d 目標

- 短期目標：生活の見直しを行い，運動習慣を身につけること
- 長期目標：活動的な生活を送り，社会参加につなげること

e 実施計画

①生活不活発からの脱却，介護予防
②意欲低下からの脱却
③社会資源の活用

C 作業療法士としてのかかわり，支援

1 生活不活発からの脱却，介護予防

Aさん自身は，日々の生活のなかで心身の衰えを漠然とは理解していても，「特に困っていることはない」と話した．まず，日ごろの生活習慣や心身の状態を見直すきっかけづくりとして，基本チェックリストを用いた自己チェックを行った．

▶表1 基本チェックリストの結果（Aさん）

基本チェックリストとは，高齢者の生活機能を評価し，要介護状態となるリスクを予測することを目的に開発された25項目の質問表である．右端に記載されている項目数に該当すると，各領域で要介護状態となるリスクがある．

No.	質問項目	回答（いずれかに○をお付けください）		領域
1	バスや電車で1人で外出していますか	0. はい	①いいえ	生活機能全般 10項目以上に該当
2	日用品の買物をしていますか	⓪はい	1. いいえ	
3	預貯金の出し入れをしていますか	⓪はい	1. いいえ	
4	友人の家を訪ねていますか	0. はい	①いいえ	
5	家族や友人の相談にのっていますか	0. はい	①いいえ	
6	階段を手すりや壁をつたわらずに昇っていますか	0. はい	①いいえ	運動機能 3項目以上に該当
7	椅子に座った状態から何もつかまらずに立ち上がっていますか	0. はい	①いいえ	
8	15分くらい続けて歩いていますか	⓪はい	1. いいえ	
9	この1年間に転んだことがありますか	①はい	0. いいえ	
10	転倒に対する不安は大きいですか	①はい	0. いいえ	
11	6か月間で2～3kg以上の体重減少がありましたか	①はい	0. いいえ	栄養状態 2項目に該当
12	身長 155.0 cm　体重 43.2 kg（BMI＝17.98）(注)			
13	半年前に比べて固いものが食べにくくなりましたか	1. はい	⓪いいえ	口腔機能 2項目以上に該当
14	お茶や汁物などでむせることがありますか	1. はい	⓪いいえ	
15	口の渇きが気になりますか	①はい	0. いいえ	
16	週に1回以上は外出していますか	⓪はい	1. いいえ	閉じこもり
17	昨年と比べて外出の回数が減っていますか	①はい	0. いいえ	
18	まわりの人から「いつも同じことを聞く」などの物忘れがあると言われますか	1. はい	⓪いいえ	認知機能 1項目以上に該当
19	自分で電話番号を調べて，電話をかけることをしていますか	⓪はい	1. いいえ	
20	今日が何月何日かわからないときがありますか	1. はい	⓪いいえ	
21	（ここ2週間）毎日の生活に充実感がない	①はい	0. いいえ	うつ 2項目以上に該当
22	（ここ2週間）これまで楽しんでやれていたことが楽しめなくなった	①はい	0. いいえ	
23	（ここ2週間）以前は楽にできていたことが今ではおっくうに感じられる	①はい	0. いいえ	
24	（ここ2週間）自分が役に立つ人間だと思えない	1. はい	⓪いいえ	
25	（ここ2週間）訳もなく疲れたような感じがする	①はい	0. いいえ	

（注）BMI＝体重（kg）÷身長（m）÷身長（m）が18.5未満の場合に該当とする．

この基本チェックリストを実施した結果，日常生活関連動作，運動，栄養，うつ傾向に項目に該当し，介護予防の必要性を認めた（▶表1）．自己チェックをすることにより，自身の生活機能の低下の気づきを促すことができた．また，生活機能の低下について，自身の取り組みや適切な予防対策によって生活不活発の状態からの改善ができることを説明した．この気づきをもとに，自らの目標を自分で決めることにした．

この街でできるかぎり1人暮らしを続けたいというニーズに対し，まず「運動習慣を身につけて筋力をつける」という短期目標を決めた．この短期目標を達成するためには，日々の活動量の把握と，栄養摂取状況の確認を行い，それをもとに具体的なプログラム設定，定期的な評価を実施する必要がある．

Aさんの場合，朝から夜まで万歩計をつけて生活歩数を記録すること，生活の様子を1行日記に記すことで活動量の把握を行った．また，栄養摂取状況を確認するため朝昼晩の食事記録をつけてもらった．この1週間の歩数記録や1行日記，食事記録によりAさんの日ごろの生活の様子をうかがい知ることができた．

栄養面では，管理栄養士とともに食事記録から不足しがちな栄養素をバランスよく十分摂取できるようなレシピを提示し，バランスのよい食事内容や食事量への意識づけを行った．運動面については，「なるべく○○しましょう」ではなく，意識的に「毎日○○歩（○○分）歩きましょう」といった数値で記録できる目標を具体的にプログラムとして設定し，生活歩数の記録と1行日記を日々の課題とした．

また，定期的な評価として1週間に1度，歩数や1行日記を確認し，体調や生活変化を聞き取り，ストレッチや筋力強化などの運動や食事のアドバイスを行った．

通院や買い物がある日には3,000歩程度歩くが，外出しない日は1,000〜2,000歩であった．歩数の記録といった日課に慣れ，徐々に運動習慣がついてくると，Aさん自身で歩数目標を1日平均3,000歩とし，3週目にはプラス1,000歩，4週目にはプラス1,000歩とし，2か月後には1日平均5,000歩の運動習慣が身についた．日に日に歩くことが楽しみになり，徐々に万歩計がなくても今日は活動量が少ないといった自らの気づきで，ウォーキングや運動を意識的に取り入れることができるようになった．Aさんの定期的な評価に合わせて，かかわりのなかで「よく頑張っていますね」「無理せず来週も頑張りましょう」といった励ましを行った．

2 意欲低下からの脱却

ウォーキングによる運動習慣が身につき，外出機会が増え，3か月後には食欲や睡眠が改善された．また，ウォーキングや外出先で近所の人と話す機会が増え，近所の人からお茶飲みに誘われることも多くなった．

3 社会資源の活用

3か月後，行政主体の介護予防事業や地域の高齢者の集いや趣味活動グループなどの集いを紹介し，参加を促した．以前，民生委員からの誘いがあっても参加できなかった高齢者の集いに，近所の人と参加できるようになった．月2回，定期的に集いに出席し，地域の人たちとの交流が楽しみになっている．運動習慣に加え，友人・知人との交流や外出機会を得て，健康的な生活を取り戻すことができた．今後，以前参加していたコーラスのクラブにも参加したいと意欲的に話している．

D 考察・まとめ

1 生活不活発からの介護予防

今は身のまわりのことは自立しており，すぐには介護や支援が必要ではないが，不活発な生活を続けることで，できていた身のまわりのことも徐々にできなくなり支援が必要となるケースが増えている．現在，地域住民による見守り体制の強化や地域包括支援センターなどの相談機関の充実により，早期発見から介護予防における作業療法士としてのかかわりも重要視されている．

生活不活発になるきっかけは，人によって違うが，心身機能の低下や生活環境の変化，家庭内・社会的役割の変化によるものが多い．これらの変化によって，徐々に活動量が減り，意欲の低下から外出頻度の減少がみられ，さらに体力が落ち食事量が減り，疲労しやすくなる．動かないうちに動けなくなるといった筋力や活力が低下した状態であるフレイルの悪循環に陥りやすくなる．しか

し，身のまわりのことはすべて自立しているために，「年だから」「別に生活に困っていない」と見過ごされがちである．このフレイルの悪循環から脱し，よい循環へ転換していくためには自身のフレイルの徴候に対する気づきが必要である．

作業療法士の役割として早期にこの気づきを促し，フレイル予防・介護予防への意識を高めることで，自身で予防に取り組む必要性を自覚し，日常生活に対策を取り入れるよう導くことが大切である．そのためには，生活習慣や心身機能の多面的な評価やプログラム設定において保健師や管理栄養士，歯科衛生士など多職種で連携をしてかかわっていくことが求められる．そのうえで，フレイル予防に向けてスモールステップで目標を設定し，意欲を引き出す働きかけを行っていく必要がある．

2 本ケースについて

地域支援事業にかかわる作業療法士や市町村などに所属する行政作業療法士は，本人やその家族，地域住民，地域包括支援センターなどからの相談を受けて個別支援を行うケースが多い．個別支援では，本人の意欲を引き出すための動機づけやしかけづくりをすることで自ら取り組むというプロセスに導くことが重要である．

当初，本ケースは自身の生活不活発や介護予防の必要性を認識していなかった．作業療法士は，Aさんとともに「この街で1人暮らしを長く続けたい」というニーズを再確認し，そのためにはどうしたらよいのかを考え，自分自身で目標を設定しプログラムを決定するための支援を行った．運動習慣の構築から「やればできる」といった自信を得て，意欲が生まれ，友人との交流から楽しみを増やし，地域活動への参加につながっていった．ほとんど自宅内に限られた生活が，外出や人との交流によって活動の質が上がり，外向きの地域活動に広がったケースである．介護予防継続への支援には，目標やプログラム設定において自己決定を促すことと生きがいのある活発な生活に導くことが大切であると考えられる．

3 介護予防に必要な作業療法の視点

Aさんに対する直接的な支援だけをみると，単純なアドバイスのみで生活改善につながっているようにうかがえるが，地域活動への参加につなげるためには，多面的なアプローチが必須である．つまり，作業療法士としての支援は，本人や家族に対する生活や運動の評価・アドバイスを行う直接的な支援だけでなく，介護予防を継続するための地域づくりや環境設定としての間接的な支援が必要であるということである．

間接的な支援として，地域全体で介護予防に取り組むことができる「集いの場」を活発化したり，介護予防を理解し地域の集いを円滑に進めるための「人＝担い手，ボランティア」を育成したりすることも，作業療法士の環境へのアプローチである．環境へのアプローチによって，より多くの住民が，生活の一部として介護予防に当たり前に取り組む地域をつくることにつながっていくと考えられる．作業療法士が，行政・地域包括支援センターなどの相談機関や地域住民と連携し，高齢者の介護予防の継続を多面的にサポートする体制づくりにかかわっていくことが求められている．

2 要支援者のケース
——通所リハで生活行為向上マネジメント（MTDLP）を活用したケース

要支援者への適切な作業療法実践を可能とするために，他・多職種とのよりよい連携について習得することができる．

1) 要支援者の生活像について表現することができる．
　　☐ ①要支援者がどのように生活しているかをイメージできる．
　　☐ ②要支援者がかかえている生活のしづらさをイメージできる．
　　☐ ③要支援者の生活のしづらさの要因を説明できる．
2) 要支援者の生活のしづらさに対して適切な援助をすることができる．
　　☐ ④生活範囲におけるさまざまな環境に，残存能力を適合させることができる．
　　☐ ⑤対象者のペースに応じた，段階的な作業療法計画を立案できたかチェックすることができる．
3) 要支援者の望む生活を援助するため，連携することができる．
　　☐ ⑥対象者が望む生活について MTDLP にて整理する方法を説明できる．
　　☐ ⑦援助チームスタッフ間で目標を共有する方法について説明できる．

A 「やりたい」を引き出すきっかけづくり

　Bさんとの出会いは，地域のケアマネジャーから「退院後不活発な生活状態になっている方がいる」との相談を受けて，通所リハビリテーション（以下，通所リハ）を家族とともに見学に来たときのことである．

　一見，どこも悪くなさそうだったが，表情は物憂げで元気がなく，どこか弱々しい印象を受けた．家族の話では「退院後，身のまわりのことはなんとかできているものの，やりたいことがないと無気力に寝てばかり．このままでは寝たきりになってしまうのではないかと心配」とのことだった．

　見学時，手芸，書道，卓球など，さまざまな活動を行っている場面を目にすると，表情が明るくなり「ここなら来て，いろいろなことをしてみたい」と興味を示したので，早速，週2回で開始となった．同時に，独居生活の完全な自立をはかるために，自立支援目的の家事援助の訪問介護を導入することになった．そこで，初回訪問時に作業療法士が同行して評価し，支援内容や方法について検討することとした．

症例提示

■一般的情報
①症例：Bさん，女性，80歳，要支援2．
②診断名：交通事故による左恥骨骨折，左鎖骨骨折（保存療法）．
③家族状況：独居．近隣に長男家族在住．
④通所に至るまでの経過：Y－2月，自動車運転中に橋から転落し受傷．2か月の保存療法，リハののち退院．受傷前は，週3回程度自宅で茶道教室を開いて指導し，月1回趣味でお盆や鏡に彫刻を施す彫刻教室に通っていた．既往歴は，X－6年から糖尿病で食事療法と薬物療法実施，X－1年にラクナ梗塞を発症したが，後遺症なく自立生活をしていた．退院してから数日しか経っていないこともあり，家事は長男妻にしてもらっている．
⑤家屋は2階建て．1階で茶道教室，2階を寝室にしていた．退院後は階段昇降の負担と事故への配慮から，家族の意向で1階に布団で寝ている．階段，玄関とも手すりなし．

B 作業療法評価

a 聞き取り

Bさんの希望は，「茶道教室を行い，彫刻教室に通える以前と同じ生活に戻りたい」「家事を自分で行い，再び2階で寝られるようにもなりたい」であった．Bさんに2階で寝たい理由を尋ねると，「1階は，あくまで茶道教室の場，師匠として弟子たちに向かい合う場としたいので，休む所は別にしたい」と凛として答えた．

b アセスメント（課題とともに強みを把握）

本人からの聞き取りをもとに，生活行為マネジメント（MTDLP）シートを用いて分析を行った（▶表1上段）．「心身機能」では，膝の関節可動域制限，手指の関節可動域制限と巧緻性の低下，全身的な筋力低下，立位バランス低下，歩行の耐久性低下が問題点としてあげられる．それらが「活動と参加」の正座をすること，着替えをすること，家事を行うこと，彫刻刀を使用することなどに支障をきたしている．また，立位バランスや歩行機能の低下から転倒のリスクが考えられる．

一方，強みとしては，認知機能が保たれておりコミュニケーション良好で活発な性格であること，体幹の筋力は比較的保たれていること，膝関節には痛みがないこと，および服薬管理を含めADLが自立していることがあげられる．

「環境因子」では，寝室が2階であったのを1階に移していること，自動車の運転は家族から止められていること，彫刻教室の場所は自動車で行かなければならない場所であることが課題としてあげられる．一方，茶道教室は自宅の1階であること，長男夫婦が協力的であること，外出に協力してくれる友人も多いことなどが強みとしてあげられる．

c 生活行為の予後予測

以上の結果から，以下のように予後予測した．
(1) 1か月後
膝の関節可動域が改善し，正座が可能となる．転倒予防の運動が習慣化し，歩行の安定性と耐久性が向上し屋外歩行が自立する．
(2) 2か月後
手指の可動域制限改善と筋力強化，巧緻性向上により包丁や彫刻刀の操作が可能となる．
(3) 3か月後
家事が自立したうえで，家族の協力を得て，自宅での茶道教室再開と，月1回の彫刻教室へ通う

ことが可能となる．歩行不安定は廃用によるものとの判断から，階段への手すりの設置を行えば，2階を寝室にすることも可能と予測した．

d 合意目標の形成

これらの生活行為の予後予測についてBさん，家族，ケアマネジャーともに共感してもらい，これらを合意目標とした．この合意目標に対するBさん自身の評価は，実行度1，満足度1であった．

C 治療・指導・援助

1 介入の基本方針

3か月後に，茶道教室再開と彫刻教室に通えるようになることを達成したら，通所リハを終了とすることを目標に取り組む．

正座が行えるようになるための膝の関節可動域運動を，自主トレで実施できるよう指導と確認を行う．手指の可動域，筋力，巧緻性が向上する興味ある活動を自宅で実施してもらう．経過について，週2回の通所リハで確認し，段階的な指導を実施していく．その他，服薬や血圧管理を含めた健康管理を自身で行いつつ，洗い物，洗濯，炊事など安全にできそうなことから自分で行えるようにしていく．そのために，通所リハで評価したことを訪問介護スタッフに伝えるとともに，自宅での様子を訪問介護スタッフやケアマネジャーから教えてもらい，情報共有したうえで対応していく．

2 生活行為向上プログラム

目標の達成に向け，生活行為向上プログラムを作成した（▶表1下段）．

(1) 基本的プログラム

健康チェック，関節可動域練習，筋力強化練習，立位バランス練習，応用歩行練習を自宅で行えるよう自主トレの指導を中心に行う（理学療法士担当）．

(2) 応用的プログラム

理学療法士と正座の練習，作業療法士と手指の巧緻性を必要とする作業の実施，進行状況をみて通所リハでの茶道，彫刻のそれぞれの実施，Bさんの希望や困っていることを聞きつつ，必要な家事動作を作業療法士が評価して解決策を提示していく．

(3) 社会適応プログラム

自宅で家族の協力を得て，和服を着てみること，茶道を実際に行ってみること，訪問介護スタッフと炊事や洗濯を行うこと，彫刻教室へ通うことを状況に合わせて実施していく．その他，施設での書道グループ，手芸グループ，料理グループなどの活動にも参加していただく．

環境調整については，寝室を2階に戻すことと玄関の段差昇降を安全に行うことを目的に，階段と玄関への手すりの設置をケアマネジャー，家族に提案し進めていく．

3 経過

(1) 1か月目

通所時に関節可動域練習，正座がどの程度できるかの確認，筋力強化練習とそれらの自主トレーニング指導を中心に行ったところ，自力で正座を行えるようになった．

訪問介護の初回利用時に作業療法士が立ち合い，調理場面では立位の耐久性が不十分であること，包丁で野菜の皮むきや切ることは可能ではあるが，力が弱く硬いものを切りにくいことを確認した．そこで，素材を軟らかいものから段階的に硬いものへとしていくこと，休憩を入れて作業すること，メニューについてはやさしいものから段階的に難しいものへと挑戦していくことを提案した．

洗濯については，濡れた洗濯物を多く運ぶことは重くかさばって不安定であること，既存の物干

表1 Bさんの生活行為向上マネジメントシート

利用者：Bさん　　担当者：　　　記入日：X年 Y月 Z日

生活行為アセスメント

生活行為の目標
- 本人：茶道教室，彫刻教室を行える以前と同じ生活に戻りたい
- キーパーソン：長男妻：すべて自分でしていた人なので，もとに戻れるとよい

アセスメント項目	心身機能・構造の分析 (精神機能, 感覚, 神経筋骨格, 運動)	活動と参加の分析 (移動能力, セルフケア能力)	環境因子の分析 (用具, 環境変化, 支援と関係)
生活行為を妨げている要因	#1 膝の可動域制限 #2 手指巧緻性低下 #3 立位バランス低下 #4 筋力低下　#5 体力低下	#6 正座困難 #7 着替えに時間がかかる #8 刃物の操作困難 #9 転倒リスクあり	#10 階段に手すりなし #11 茶道教室の和室を寝室にしている　#12 運転は家族が反対（彫刻教室は遠い）
現状能力（強み）	b1 認知機能正常 b2 体幹筋力あり b3 コミュニケーション良好 b4 活発な性格	b5 ADL自立している b6 初対面の人と交流可能 b7 お茶を立てられる b8 服薬管理可　b9 電話可	b10 茶道教室は自宅の1階 b11 長男夫婦が家事や外出に協力的 b12 友人が多い
予後予測（いつまでに，どこまで達成できるか）	1か月：膝の可動域拡大，歩行耐久力向上 2か月：四肢筋力強化・巧緻性向上	1か月：正座可能，屋外歩行自立 2か月：料理・洗濯自立 3か月：茶道教室再開	手すりを設置し2階に寝られる，3か月：家族や友人の協力があれば彫刻教室へ通える
合意した目標（具体的な生活行為）	家族や友人の協力を得て，3か月後に茶道教室を再開する．（家事も含めた独居生活が自立したうえで）趣味の彫刻教室にも定期的に通えるようになる．		
自己評価*	初期　実行度 1/10　満足度 1/10	最終　実行度 10/10	満足度 10/10

*自己評価では，本人の実行度（頻度などの量的評価）と満足度（質的な評価）を1から10の数字で答えてもらう

生活行為向上プログラム

実施・支援内容	基本的プログラム	応用的プログラム	社会適応プログラム
達成のためのプログラム	① 健康管理 ② 関節可動域練習 ③ 筋力強化練習 ④ 立位バランス練習 ⑤ 応用歩行練習	⑥ 正座練習 ⑦ 手指を使う作業 ⑧ 茶道実施　⑨ 彫刻実施 ⑩ 料理・洗濯などの家事練習 ⑪ 施設での活動参加	⑫ 自宅で着物を着る ⑬ 自宅で茶道を行う ⑭ 炊事・洗濯を実施する ⑮ 彫刻教室へ行く ⑯ 自宅の環境調整実施
いつ・どこで・誰が実施：本人	① 自身で行う PTと一緒に②～⑤を実施し，自主トレ方法を覚える	PTと一緒に⑥を，OTと一緒に⑦～⑩を実施し自宅でも行う	⑫⑬ 家族と実施 ⑭ 訪問介護時に実施 ⑮ 家族と彫刻教室へ行く ⑯ 住宅改修を進める
いつ・どこで・誰が実施：家族や支援者	家族：実施状況確認 看護師：①通所時に確認 PT：②～⑤指導 　　自主トレ実施状況確認	家族：実施状況を確認 PT：⑥を段階的に行う OT：⑦～⑩実施 CW：⑧⑪本人と実施	OT：⑫⑬時期を見て促す 　　⑭家事への助言 　　⑯環境調整の助言を行う 訪問介護：⑭本人の役割を増やす CM：⑯手すりの設置手配
実施・支援期間	X年 Y月 Z日 ～ X年 Y+4月 Z日		
達成	☑達成　□変更達成　□未達成（理由：　　）　□中止		

生活行為向上マネジメント　© 一般社団法人日本作業療法士協会　本シートは，この著作権表示を含め，このまま複写してご利用ください．シートの改変は固く禁じます．

〔日本作業療法士協会ホームページより〕

し台では高くて干すのが大変であることを確認した．そのため，大ぶりな洗濯カゴに代えて小さめの買い物カゴを導入することで，少量ずつ小分けにして運ぶように誘導すること，高さ調整のできる物干し台を導入し，本人が干しやすい高さに設定にすることなどの助言を伝えた．

以後，そのつど連絡ノートを活用して自宅での情報と通所時の情報の共有を行った．

手指ピンチ力の弱いことに対しては，興味を示した和紙のちぎり絵を導入し，自宅で制作していくこととした．

並行して，家族，ケアマネジャー，改修業者と同行訪問を行い，2階への階段と玄関の段差箇所への手すりについて，設置箇所と太さ，長さ，種類について意見を呈し，介護保険を使った住宅改修を進めていくこととした．

(2) 2か月目

正座を楽に行えるようになったので，自宅での茶道を試みてもらったところ，問題なくできたとのことであった．そこで，Bさん，家族，作業療法士で再開可能と判断し，お弟子さんたちに連絡して茶道教室を週1回ペースで再開することとした．

訪問介護スタッフ見守りのもと，洗い物から始めた家事も，Bさん自身，安全にできそうかどうかをそのつど家族や訪問介護スタッフに確認してもらいながら，炊事，洗濯干し，取り込み，掃除と徐々に増やすようにしていった．

通所時に，屋外歩行の練習を取り入れ，歩行の耐久性向上に向けて自宅周囲の散歩も導入してもらうようにした．作成したちぎり絵を作品展に出展して見学に出かけたが，Bさんは予想以上に疲労したとのことで，歩行に関しては「まだまだ」と実感したとのことであった．そこで，さらに耐久力向上をはかるため，屋外での園芸グループへの参加と屋外歩行の量を増やしていくこととした．

(3) 3か月目

茶道教室は，順調にもとの週3回実施できるようになった．

手指の力がついたため，通所リハ利用時には愛用の彫刻刀を持参してもらい，実際に彫刻動作を実施してみた．力は十分とはいえず，思うように彫るには時間を要するが，刃物の扱いに問題がないことが確認できた．その旨Bさん，家族，ケアマネジャーに報告し，月に1度，家族の送迎で彫刻教室へ通ってみることを提案し実施した．

独居での家事はすべて安全に自立してできるようになったため，訪問介護は終了とした．

介護保険を利用した住宅改修で，2階への階段と玄関の段差箇所に手すりの設置が完了し，2階の寝室で寝ることも達成した．

当初の目標をほぼ達成できたが，Bさんの希望で週1回通所リハを継続することとした．Bさんは，自動車の運転ができるようになりたいと希望したが，そもそも交通事故でけがをしたこと，高齢であることから家族の同意が得られないため保留とし，体力向上のための運動と相談事への対応を継続した．

(4) 4か月目

自動車の運転ではなく，「自由に外出すること」を新たな目標にするのはどうかと提案し，合意が得られたため追加した．家族以外に協力してくれる友人がいること，タクシーを自分で呼ぶことができることから，自ら連絡をとって買い物や外食などの外出に行けるようになった．そこで，通所リハの終了をBさんとケアマネジャーに提案し，終了することとした．

4 結果（最終評価：5か月目）

当初目標の「家族の協力を得て，自宅での茶道教室再開と，月1回の彫刻教室へ通うことが可能となる」については達成され，その実行度は10，満足度は10であった．追加目標の「自由に外出できる」についても，家族や友人の協力を得て行えるようになり，実行度8，満足度8であった．

その他，家事についても，炊事，洗濯，掃除をすべて自分で行い，買い物は家族に連れて行って

もらっている．ADLはすべて自立で受傷前とほぼ同じ生活ができるようになった．歩行時のふらつきもなく外出先で疲労することもなくなった．

心身機能については，膝の関節可動域，上下肢の筋力，全身の耐久力，手指の可動域，ピンチ力，巧緻性が改善した．「もう十分，今までどおりやれる」との発言があり，通所リハを終了することとした．

最後の記念に，和服を着てお茶を立て，通所リハ利用者さんへ振る舞うイベントを企画した．道具の準備やお茶菓子の手配など，Bさんとレク担当介護スタッフで相談しながら準備した．イベント当日，お茶を振る舞うBさんは，誇らしげに生き生きと輝いて見えた．

D 考察・まとめ

要支援者の特徴として，身のまわりのことはおおむね自立してはいるものの，外出や地域活動への参加が減少している場合が多く，そのまま経過してしまうと要介護に移行してしまう危険性が高い．その反面，社会的役割をもつことができれば，生き生きと生活できる状態に戻れる可能性も秘めているといえる．そのためには「やりたい」という思いを引き出すことが重要となる．Bさんは，自らやりたいことを発言できたので，聞き取りの部分での苦労はなかったが，やりたいことを自分では見いだせない人も多い．そのような場合は，興味関心チェックリストなどを用いて，本人の「やりたい」を聞き出すことも1つの方法と考えられる．

1回の面接で聞き出せない場合は，時間をかけて本音を聞き出すことが重要である．急いで表面的な目標を立てても意欲向上にはつながりにくい．

Bさんは，交通事故，骨折，入院という経過を経て廃用症候群となり，ADLは自立していても疲れやすく，気落ちして寝てばかりいる不活発な生活になっていた．そこで，通所リハの利用を機に，復職と趣味の再開という目標をもち，それに向かって自主トレに取り組むことができた．目標を一緒に立てることで，もとどおりに戻りたい，戻れそうと気持ちが動き，行動に移せたことが目標達成の理由としては大きいと考えられる．

自分が立てた目標の達成のためには何をするべきか，お茶を教えるには正座ができることが必要，そのためには膝の可動域練習が必要というように，理解しやすい目標を立てて取り組めたのがよかったといえる．その意味で，MTDLPを用いて合意目標を立てて取り組んだことは意義があったといえる．

彫刻という趣味再開に向けても，手指の可動域改善，筋力強化，巧緻性向上のため，ちぎり絵や裁縫などピンチ力を必要とし反復する作業，刃物の使用などの実践を行い，自信をつけることができた．独居での家事の再獲得に向けては，自信がつくまでの間，訪問介護を利用し，作業療法士と訪問介護スタッフ，ケアマネジャーで連携をとりながら，自立に向けた取り組みを実践できた．作業療法士が評価したことを他職種に伝えて実生活に反映させ，直接的にかかわる時間以外に効果を上げることができた．併せて，環境調整を実施できたことも，独居生活自立によい影響を及ぼしたといえるだろう．

また，追加目標とした「自由に外出できる」という目標に向け，フォーマルなサービスだけでなく，家族や友人に参加してもらうことができた．これは，Bさん自身の能力によるものが大きいが，目標として言葉にして表すことで，Bさん自身がどうしたらよいかを見いだせたように感じている．

作業療法士が要支援者にかかわれる時間は限られている．そのことをふまえ，対象者自らが行動できるように働きかけていくことが重要である．

3 要介護者のケース
——医療から在宅まで

医療保険(回復期リハビリテーション病棟)と介護保険(介護老人保健施設,通所リハビリテーション,訪問リハビリテーション)で適切な作業療法が実践できるために,それぞれの施設における作業療法士の役割を認識する.

1) 回復期リハビリテーション病棟における作業療法士の役割をクラスの中で述べることができる.
- ☐ ①回復期リハ病棟でのCさんへの治療・指導・援助を知ったうえで内容をイメージできる.
- ☐ ②回復期リハ病棟の役割と早期リハの課題を説明できる.
- ☐ ③回復期リハ病棟における作業療法士の役割を説明できる.

2) 介護老人保健施設における作業療法士の役割についてクラス討議に参加できる.
- ☐ ④介護老人保健施設入所中のCさんへの治療・指導・援助を知ったうえで内容をイメージできる.
- ☐ ⑤家族が対象者の現状を理解することについて,支援する必要性を説明できる.
- ☐ ⑥多職種協働の必要性を説明できる.

3) 通所リハビリテーションにおける作業療法士の役割を友人に説明できる.
- ☐ ⑦通所リハの機能を口述できる.
- ☐ ⑧通所リハでのCさんへの治療・指導・援助の内容を知ったうえで内容をイメージできる.
- ☐ ⑨通所リハにおける作業療法士の役割を説明できる.

4) 訪問リハビリテーションにおける作業療法士の役割を家族に説明できる.
- ☐ ⑩訪問リハの特徴を口述できる.
- ☐ ⑪訪問リハでのCさんへの治療・指導・援助の内容を知ったうえで内容をイメージできる.
- ☐ ⑫訪問リハにおける作業療法士の役割を説明できる.

　回復期リハビリテーション病棟(回復期リハ病棟)の役割には,できるだけ早く急性期医療から患者を受け入れ,早期の在宅復帰が求められる.それに伴い医学的管理も増大し,リスク管理を行いながらいかにADLを向上させるかが大きな鍵となる.入棟患者の重症化に伴い直接在宅復帰につながらないケースもあるが,介護老人保健施設(老健)などと連携しながら在宅復帰を目指すことが重要である.

　ここでは回復期リハ病棟から老健につないだケースについて検討する.

１ 回復期リハビリテーション病棟

A 在宅復帰を目指して回復期リハ病棟でできること

症例のCさんは当院へ入院してすぐに，下腿部に深部静脈血栓症(deep vein thrombosis; DVT)が指摘され，抗凝固療法が開始された．リスク管理のため日常生活上ではベッド上安静，リハビリテーション(以下，リハ)でも積極的な離床がはかれなかった．Cさんの表情は暗く，発話も少なかったが，「何かやりたいことはありますか？」と聞くと，涙ぐみながら「家に帰りたい」「仕事に戻りたい」との希望が聞かれた．

Cさんの左上下肢の運動麻痺と感覚障害は残存したが，食事や排泄，起居，移乗，車椅子駆動が自立となり，FIMは67点から100点まで改善し，4点杖と金属支柱付き短下肢装具を使用して見守り歩行ができるまで改善した．回復期リハ病棟から直接在宅復帰に向けて調整したが，家族よりリハ継続の希望があり，移動やADLの改善を目的に入院後17週で在宅強化型の介護老人保健施設(以下，老健)へ入所し，在宅復帰を目指すこととなった．

症例提示

■一般的情報
①症例：Cさん，70歳代，女性．
②診断名：右視床出血．
③現病歴：外出中に倒れ，A病院へ搬送となった．搬送時，意識障害と左上下肢の運動麻痺，構音障害を認めた．頭部CTにて右視床出血を認め，保存療法が開始となった．1か月後に意識状態が改善し，リハ目的で当院へ入院となる．
④既往歴：高血圧．
⑤家族状況：夫(建築関係の仕事)と2人暮らし．Cさんは病院食をつくる会社にパートとして勤務．
⑥主訴：Cさん「自宅に帰りたい」．
夫「1歩でも歩けるようにしてやりたい」「自宅に連れて帰りたい」．
⑦家屋状況：築25年の持家平屋，全和室で布団を使用している．

B 作業療法評価・実施計画

a 評価

①高次脳機能：軽度の左半側空間無視と注意障害．
②認知機能：MMSE 25/30点．
③BRS🔑(ブルンストローム・ステージ)：上肢Ⅰ，手指Ⅰ，下肢Ⅰ．
④感覚：上下肢ともに表在・深部感覚重度鈍麻．
⑤基本動作：起居要介助，端座位見守り．
⑥ADL：FIM 67/127点．
⑦その他：下肢静脈エコー検査にて，下腿部にDVTあり．24時間ヘパリン投与中で，ベッド上安静．主治医よりリハ時のみ起立練習の許可あり．

b 目標

本症例の場合，DVTによる肺塞栓症のリスク

> 🔑 **Keyword**
> **BRS(Brunnstrom Recovery Stage)** 米国で理学療法士の資格を得たスウェーデン出身のシグネ・ブルンストローム(Signe Brunnstrom)が，片麻痺患者にどのような順序で随意運動要素が出現するかを見いだし，回復段階として表したもの．上肢，手指，下肢の回復段階をStage Ⅰ(弛緩期)からⅥ(ほぼ正常)に段階づけた．

があることから，積極的な離床はできず，基本動作や廃用性変化の予防を主体にしてADL獲得を目指した．

C 治療・指導・援助

1 運動制限期間

入院時より下腿に発生していたDVTによる肺塞栓症を併発するリスクから，リハ時のみ起立練習が許可された．肺塞栓症を予防するために基本的にはベッド上安静とし，不良肢位を避けるためのポジショニングや麻痺側上肢の管理法，スタッフコールの操作を指導した．端座位練習は頻呼吸や胸痛の有無，血圧低下に注意を払いながら実施した．

2 ADL拡大の時期

入院後2週間でDVTが消失したことにより，積極的な離床が可能となった．チームカンファレンスによりADL拡大に向けてデイルームでの食事，トイレでの排泄，入浴を行っていくことが確認され，Cさんにスケジュール表を提示した．作業療法士はそれに合わせベッドサイドの環境整備や車椅子の調整を行い，移乗動作の練習を行った．車椅子調整は，骨盤や体幹の安定性を重視し，安楽性・機能性を得られるようにした．

ADL練習では，移乗・排泄動作の自立を目標に，生活場面での動作練習を繰り返し行った．カンファレンスでは，練習場面で「できるADL🔑」から「しているADL🔑」へとつなげるため，看護・介護スタッフが見守りで行うこととした．入棟後9週には，起居，移乗，排泄動作，車椅子駆動が自立となった．

▶表1 退院前訪問指導内容

外玄関	夫が1/6勾配のスロープを作製．安全面の確認と車椅子での介助方法の指導を行った
内玄関	上がり框に26 cmの段差があり，手すり設置を提案した
居室	居室内の移動は車椅子駆動であれば自走が可能．廊下幅が狭いため，小回りの利く6輪車椅子の導入を提案した．居室と廊下の間には敷居の段差があるため，段差解消のためのスロープの設置を提案した
トイレ	車椅子でのトイレの使用は困難なため，トイレ内はつたい歩きで移動できるように移動用と方向転換用の手すりの設置を提案した
浴室	浴室入口の段差を昇降できるようにドアの開きを反対にする．段差昇降用と移動用の手すりの設置，シャワーチェアの導入を提案した．入浴動作の介助方法の指導を行った．介護保険サービスの利用も検討した
寝室	今までは布団を使用．今後は電動ベッドとスイングアーム介助バーを使用する予定とした．夜間は，ポータブルトイレの使用を提案した

3 退院前訪問指導

入院後12週にCさん，夫，担当の理学療法士，作業療法士，医療ソーシャルワーカー，介護支援専門員（ケアマネジャー）で退院前訪問指導を実施した（▶表1）．作業療法では，手すりを使用した歩行練習や更衣練習を開始し，生活場面では夜間のポータブルトイレでの排泄動作練習を実施した．

> **Keyword**
>
> **できるADL** 本人のADL（日常生活活動）が，必ずしも普段，家庭や病棟で行っているADLと一致しているわけではない．普段のADLとは異なり，やればできるADL能力のこと．できるADLをしているADLに変えることが望まれる．
>
> **しているADL** 普段，家庭や病棟で行っているADL．必ずしも本人のADL能力と一致しているわけではない．能力を十分発揮している人もいれば，やればできるのにやっていない人もいる．

D 考察

1 早期リハビリテーションの課題

　回復期リハ病棟の役割は，集中したリハを行うことで身体機能やADLの改善をはかり，早期に在宅復帰につなげることである．しかし，高齢化とともに基礎疾患や合併症をもつ患者が増えてきていることから，より重症度やリスクの高い患者が対象となってきた．よって合併症の管理を適切に行い，安全に早期離床ならびにADL拡大を進めていかなくてはならない．それには医師や看護師と情報を共有しながらリハを実施する必要がある．

　本症例のように積極的なリハが行えない時期には，長期臥床による不良肢位や廃用性変化を予防しなければならない．症例のようなDVTの発見や管理を怠れば重大な合併症を惹起することとなるため，病態の変化を注意深く観察してリハを行っていく．

　合併症の改善とともに，離床を促進するためのリハを行う．本症例の場合，車椅子への移乗動作を安全に行うための環境整備，加えて安定した座位保持や駆動動作が可能となるように車椅子の調整を行った．多職種によるカンファレンスでは，「しているADL」の拡大に向け，どのようなチームアプローチが必要かについて共通認識をもつことが重要である．またADLのみならず，服薬管理や食物形態の支援も行うため，薬剤師や管理栄養士との連携をはかる．

2 在宅復帰を目指すために

　在宅復帰のためには，退院前訪問指導を行い，身体機能やADLの予後予測に応じた環境調整が必要である．しかし，重症度や合併症によって必ずしも計画どおりに進むものではない．Cさんの場合は，DVTによる積極的なリハが遅れ，身体機能やADLの改善も遅れる結果となった．また夫が仕事のため，日中独居になることから生活環境の調整とADLの安定化をはかるため，老健に入所し在宅復帰を目指すこととなった．

　重症度の高い患者の在宅復帰を目指す場合，老健を経由する方法が選択肢の1つとして考えられる．入所が決まった際には，退院前訪問指導の内容などの情報を共有し連携をはかる．

3 回復期リハビリテーション病棟での作業療法士の役割

　在宅復帰に対する回復期リハ病棟での作業療法士の役割は，①適切なリスク管理のもとで早期離床をはかり，機能回復とADLの改善を促すこと，②リハで獲得した「できるADL」を生活場面で「しているADL」とするため，多職種と協働をはかること，③身体機能やADLの予後予測をもとに自宅復帰のための適切な環境整備を行うことが重要である．

　重症度が高いケースでは，在宅復帰後も介護や継続的なリハの必要性があると考えられる．そのため退院前には，ケアマネジャーと協議し，家族の要望を加味して，目的に応じた介護保険サービスの種類や頻度も検討していくことが重要である．

❷ 介護老人保健施設

A 医療との連携

　回復期病棟を退院した日が，Cさんの当施設への入所日となった．Cさんの利用目的は，夫が仕事で忙しく，日中独居になる可能性があることから，生活環境の調整とADL動作の安定化をはかり，在宅復帰することである．担当作業療法士が評価のためCさんの部屋を訪れ，話を聞くと「早く家に帰りたいけど，不安もあるのよね……」とのことだった．

　不安は漠然としたもので明確ではなかったが，回復期病棟から直接自宅に帰れなかったことからの不安や焦りがあるように思えた．Cさんは早期の在宅復帰を強く希望していたため，回復期スタッフの退院前訪問の情報や入所後訪問で確認した課題を整理し，できるだけ早く在宅復帰を可能にするべく必要最低限の練習と環境調整を行った．

❶ 施設サービス計画上の目標

　本人の意向は「早く家に帰り，転倒せず快適に過ごしたい」，家族の意向は「歩けるようになってほしい」であった．総合的な援助の方針は，転倒予防に努め，リハにて歩行練習を行い，移乗動作の指導を行っていくこと．また居宅サービスの調整や外出，外泊を実施し，家族と情報の共有をしていくことであった．

B 作業療法評価と計画の立案

❶ 入所後訪問による在宅環境の評価

　入所後5日目に，在宅環境の調整と家族への介護指導の目的で入所後訪問を実施した．訪問前のカンファレンスで，担当の医師（リハビリテーション科専門医）との協議の結果，現状では車椅子が実用的な移動手段であったが，まだ発症後半年程度なので，短距離の屋内移動や休日の家族介護による外出などが可能になると予測された．これらのことを想定しての環境評価となった．また課題として，①玄関の上がり框の段差，手すり未設置，②居室からトイレまでの廊下幅が狭い，③トイレ・浴室の段差や間口の狭さ，手すり未設置，④台所環境が狭い，などがあげられた．

　Cさんは車椅子を使用した在宅復帰には難色を示していた．家族もCさんが歩けることを望んでおり，車椅子設定での在宅復帰に対しては，介護方法や介護量増加に伴う自分の時間の確保に不安を訴えられた．作業療法士としては，車椅子環境を整えれば日中も自立した生活ができる可能性が高く，むしろ介護量は軽減すると考えており，家族の在宅復帰後の生活イメージと差が感じられた．そこで在宅復帰後に想定されるADL動作の確認と介護指導を行い，入所でのリハ時や外泊時に合わせてCさんのできる能力や介護方法などを定期的に指導することとした．

❷ ICFに基づく評価とリハビリテーション計画の立案

　入所後訪問の結果と各職種のアセスメント，そ

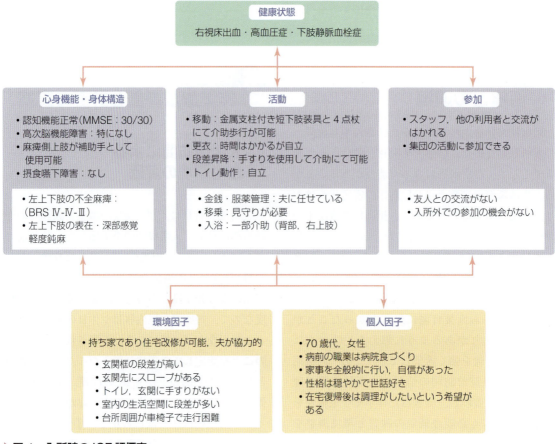

▶図1　入所時のICF評価表

の後のカンファレンスであがった課題を，ICFの構成要素ごとに整理したものが図1である．

　在宅復帰後の玄関の出入りは，家族もしくは通所サービスなどのスタッフの介助にて行うこととした．トイレへの移動は動線が短いが，狭い環境を広げるにはかなり大がかりな改修が必要となるため，4点杖歩行を目標とした．そのほか，日中独居の際の居室内や広い空間での移動は車椅子とし，歩行と車椅子の折衷案で考え，復帰後のADLを想定したリハ計画を立案した．

　また，リハ中の会話や評価を進めていくなかで，以前まで行っていた調理に意欲があることがわかった．Cさんは病前の職業や家庭内の役割として調理を行う機会が多く，自信をもった作業であることがうかがえた．本人からも在宅復帰後に実施したいという希望が聞かれたため，調理の支援は在宅復帰後のサービスに引き継ぐことを計画した．

C 治療・指導・援助

1 在宅環境を想定した練習

　Cさんの在宅復帰後の大きな課題は，日中独居の時間帯のADLである．そのなかでも，トイレまでの移動に必要な短距離の歩行とトイレでの更衣を最優先課題とした．また，在宅復帰後に通所リハを利用することを考慮して，玄関上がり框の

昇降動作の獲得が必要であった．まず，家族・本人の意向が強かったトイレまでの移動に関して練習を開始した．予後予測に基づいて，4点杖歩行を反復して練習することで軽介助状態から遠位監視状態まで向上し，湯之児式プラスチック装具（下腿前面がプラスチックで成型された短下肢装具）での歩行が可能となった．また，玄関上がり框の段差昇降を，手すりが設置される状態を想定して練習を行った．

2 施設内でのADL支援

施設内でのADLは，できるかぎり在宅で実施する状況を想定して行った．入所時は入院中にベッドから車椅子への移乗の際に転倒した経験があり不安があることから，見守りにて移乗を行っていた．日中・夜間を通して介護スタッフと協同して移乗動作の確認を行い，本人の不安軽減に努めた．トイレに関しても日中は居室から介護スタッフと歩行にて移動し，さらに一時外泊後には家族からの希望により夜間はポータブルトイレの使用を練習するようになる．更衣は時間を要していたが，介護スタッフと実行することで改善がみられた．

3 住宅改修🔑と外泊練習

回復期の退院前訪問により，玄関・トイレ・浴室の手すりの設置，居室・台所の環境整備が検討事項としてあげられた．また，入所時に確認するよう依頼を受けた課題として，福祉用具（シャワーチェア，ポータブルトイレ，車椅子）の導入と浴室の扉の変更があげられた．入所後訪問で，施設ケアマネジャーと改修業者とともに，手すりを設置する位置の確認を行った．入浴は通所リハで行うとのことであったが，夏場のシャワーなどを考慮して浴室の手すりなどの設置案のみ提供した．

そのほか，各福祉用具に関する使用方法とADL動作を家族に説明した．

在宅の環境が整い，施設内のADLが安定してきた段階で外泊を実施．外泊ごとに家族へ介護状況の確認や生活上の不安などを確認することで，家族の不安も少なくなっていった．これらの支援を繰り返し継続することで，約2か月の経過で居宅サービスを利用した在宅復帰となる．在宅復帰後のADL課題や本人の希望である調理の課題に関しては，居宅サービスのスタッフに申し送った．

D 考察

1 家族の理解を支援する

老健を利用するケースとして，在宅環境の調整や身体機能・ADL能力を向上させることが目的となることが多い．しかし，回復期病棟から直接在宅復帰できない理由としては，家族・本人の在宅生活のイメージが身体状況から想定される生活と乖離していることも多く，支援者と初めて発症後の生活を考える本人・家族とでは差がみられる．この差は，在宅復帰に際し家族の受け入れや本人の不安に大きく影響してくる．

Cさんのケースも本人・家族・支援者の間で差があり，不安があったのだと考えられる．そこで，退院前訪問から引き継がれた課題を入所後訪問で調整し，早い段階で自宅環境が整ったことから，早期に外泊練習も実施できた．このことが家族・本人の在宅復帰に対する不安の軽減にもつながったと考える．老健では，回復期から引き継いだ課題，在宅に帰るための課題，在宅に帰ってからの課題を抽出し支援していくことと，家族が本人に対する理解を深める援助を行うことが必要となる

> **🔑 Keyword**
> **住宅改修** 在宅生活を維持できるよう，その住宅環境を整えるために行う．身体機能に対応した住宅改修により，本人の能力を生かした日常生活の自立，事故防止や介護者の負担軽減をはかることができる．介護保険からの支給がある．

のである.

2 多職種協働（包括的ケアサービス）

老健でのケアは，チームで作成したケアプランに基づいて実行される．また，提供されるサービスはリハの理念を基軸にしたものになっている．そのために介護保険下では，リハマネジメントの仕組みが導入されている．Cさんの場合は日中に独居状態になることが考えられ，トイレまで1人で移動することが課題となっていた．歩行練習もリハ時だけではなく生活場面で介護スタッフとともに行うことで，より円滑な支援につながったと考える．

また，医師や看護師から使用している薬の副作用や夜間の動作への影響などを情報収集することで，夜間のADL環境の設定を考えなくてはならない．リハ時にできるADL動作を，しているADL動作となるように促すためには，他職種と連携し，実際の実施状況をすり合わせていくことが重要になってくると考えられる．このように，老健ではリハ専門職の専門的なプログラムのみに終始するのではなく，包括的ケアサービスにリハの理念と専門的技術を取り入れて機能させることが重要である．

3 通所リハビリテーション

A 集団での活動から役割獲得へ

通所リハビリテーション（以下，通所リハ）は，医師をはじめとする医療スタッフによる健康管理や生活機能の維持改善のための個別のリハやケアの提供以外に，社会交流，社会参加，または家族のレスパイトといった複数の機能をもつ．退所後のCさんは，週に3回通所リハを利用することになった．入所時に外泊練習を繰り返し行っていたため，セルフケアを中心とした在宅生活に大きな問題点はなかった．

通所リハを利用することで同年代の人と馴染みの関係ができ，定期的な運動を習慣化できた．通所リハの利用にも慣れ，在宅生活が安定してきたころに，入所スタッフから申し送られた「調理」に関しての話を，個別リハや評価時の会話を通じて投げかけた．利用当初は，不安な様子で気が進まないようであったが，ほかの利用者との集団の中で誘うことで「みんなとなら一緒にやってもいいかも」と言うようになった．この言葉がCさんの役割獲得に向かう支援の第一歩であった．

1 居宅サービス計画上の目標

本人の意向は，「自宅での生活を続けたい」「外に出て刺激を受けながら生活したい」であった．総合的な援助の方針は，通所リハ・訪問リハにてリハを継続し，他者との交流をもち情報交換を行うことであった．通所リハの目標として，外部との交流を保つこと，調理の動作練習をすること，歩行状況や耐久性の維持・向上をはかることであった．

B 作業療法評価と計画の立案

1 利用前訪問

通所リハの初回訪問指導では，主に送迎時の玄関先や上がり框での動作を中心に，本人の生活にかかわる動作を確認する．それらの情報により送

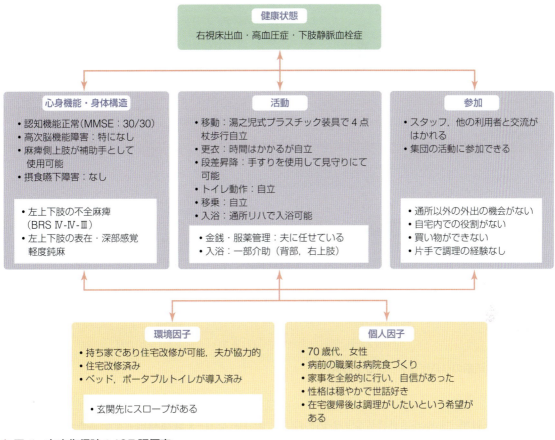

▶図2 在宅復帰時のICF評価表

迎方法や通所リハでの支援内容を決定している．訪問指導で確認した自宅内の移動手段は車椅子自立で，上がり框には式台と手すりが設置され見守りにて動作可能であった．玄関先はスロープ勾配が急なため，送迎車から上がり框の間は車椅子で誘導することになった．上がり框の昇降は見守りにて行い，自宅用車椅子まで誘導するように設定した．

トイレは，改修により取り付けた手すりを使用した移乗動作，下衣の上げ下げなど問題なく行えている．杖歩行による居室内の移動は不安定で，転倒の危険性があった．本人に，気になっていることや不安なことを尋ねると，「今は，転倒しないように自宅で安心して暮らせるようにしたい」「落ち着いたら家で料理できるようになりたい」「でも，片手じゃできないかもしれないわね」との

回答だった．

2 ICFに基づく評価とリハビリテーション計画の立案（▶図2）

退院退所直後に通所リハを利用する場合，回復期で獲得できた生活を行うための維持，発症前の生活と比較して改善したい生活に目標設定することが多い．

入所スタッフからの申し送りと利用前訪問による生活状況の把握により，Cさんの当面の課題は，玄関先での動作や上がり框の昇降にまだ不安があること，トイレのための歩行能力を維持するために定期的な運動習慣を確保することであった．以上をふまえて立案したプログラムは，入所からの

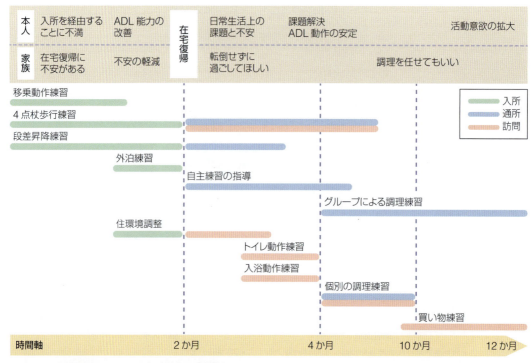

▶図3　生活期のリハビリテーションの流れ

課題であった外出にかかわる動作安定のための段差昇降練習，歩行練習であった．また，Cさんの希望であった調理に着目した個別調理練習と調理のグループ活動を立案した（▶図3）．

C 治療・指導・援助

1 在宅での生活課題に合わせた援助

玄関先での動作や上がり框の昇降は，通院などの外出にかかわる．そのため，自宅の環境を想定した場所を通所リハ内につくり，段差昇降や屋外での歩行練習を実施した．練習で行った動作を送迎時にも確認し，フィードバックすることで動作が定着し，玄関・居室で転倒なく経過することができた．定期的な運動習慣の確保に関しては，通所リハを6～8時間利用しているため，午前・午後で運動を行う機会を確保することができた．利用から3か月後には，自主練習により耐久性の向上もはかられた．

2 グループ活動による在宅内役割への援助

自宅で転倒なく生活ができ，ADLに対しての不安がなくなってきた時期に本人の希望であった調理に関して話をするようにした．Cさんが「自信がないわ」と言うため，同年代の利用者で片手だけで家事を行っている人を紹介し，自宅での調理の話をするようにした．自信のなかったCさんも「みんなとならやってみてもいいかも」と言うようになった．

そこで，ピアサポート🔑によるグループ活動を展開することにした．活動は，自宅で家事を行っている人1名，家族の調理を手伝っている人が

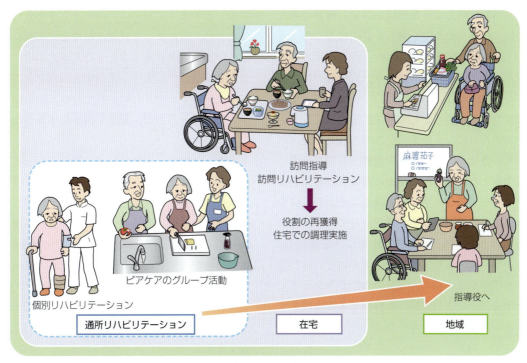

▶図4　通所リハビリテーションにおける役割獲得へのプロセス

Cさんを含めて2名の計3名で行った．活動前にアンケートにて自宅での調理実施状況を聴取した．また，調理に必要な上肢機能，下肢機能，道具操作能力の評価を行った．その結果から，調理における問題点を抽出し，話し合いと実技を実施した．そのあと，隔週でミーティングと調理活動を1クールとして実施した．自宅での実施を促す目的で自己評価シートを作成し，ミーティング時に確認をした．課題となった動作に関しては調理活動時に個別に練習することで可能な動作が増えていった．また訪問リハスタッフと情報を共有し，自宅での練習も並行して行った．活動終盤では，自宅でつくったメニューや味付けなどを，メンバーと共有することを楽しみにするようになった．取り組みを継続していくことで，同じ境遇にあるほかの利用者グループの指導役となっていった．

D 考察

1 通所リハビリテーションでかかわる生活課題への支援

通所リハの利用前に訪問指導を行うことで，入院（所）中に設定した環境でADLが実施できているかを確認できる．また，復帰後の生活で気づく新たな不便さも把握することができる．本ケースの場合は，移動や段差昇降に対する不安と能力低下を予防するために，習慣化した練習が必要であった．自宅内の環境を実際に確認することで，

> **Keyword**
> ピアサポート（peer support）　peerは「対等」「仲間」などの意味であり，ピアサポートは同じような障害をもった者どうしが知識や経験などの情報交換を行うことで，精神的にも行動においても互いを支え合う世話や心づかいをすること．

通所リハ内に同じような環境を設定し練習できたことは，自宅での不安を減らす要因になった．また6～8時間の利用時間のため，自主練習の指導を少ない時間で頻回に実施でき，習慣化がはかりやすかった．

セルフケアを中心とした日常生活の課題が安定してきたころに，入所から引き継がれた調理へと気持ちが変化してきた．次の課題へ目標を円滑に移行できたのは，利用当初から達成目標を作業療法士と共有することや，その課題にかかわるほかの利用者とのつながりを築けたからである．通所リハでは，まずは日常的な不安や悩みを解消し，そのかかわりのなかで趣味や生きがいといった課題への手がかりを探り，人とのつながりをうまく利用することで次の課題へと移行できる準備をすることが重要であると考える．

2 ピアサポートによる援助の利点

Cさんは自宅で調理を行うことを希望していたが，どのようにしていいのわからず不安な様子であった．このような状態が続くと，実際に希望している課題が表出することなく本人の中に眠ったままになってしまう．希望があったときにいかに早く，自分がやりたい活動を行っている様子をイメージできるかが，意欲を引き出す重要な点になる．

本ケースでは，実際に自宅で調理を行っている他の利用者をモデルとすることができた．Cさんは病前の自分や家族と比較することで自己評価が低く，活動前の状況に満足し意欲が低かった．しかし同じ境遇にある利用者どうしで活動を行い，比較対象が変化したことで自宅で行うイメージを明確にすることができ，意欲が向上したと考える．また自宅での実施内容をグループ内で報告するようにしたことも，集団を利用した意欲の引き出し方である．

以上により円滑な自宅内役割の獲得につながり自信がついたことで，ほかの利用者への指導役へと移行できたと考える（▶図4）．

4 訪問リハビリテーション

A 在宅から地域へ

通所リハと同様に，退所後から訪問リハが週に1回の頻度で開始になる．自宅復帰後，Cさんから「ポータブルトイレは使いたくないわ」「夏場は自宅でも風呂に入りたい」という希望が聞かれた．訪問リハは，対象者の生活の場で直接支援するサービスである．そのため，他のサービスでは訴えない希望や愚痴を話されることも多い．自宅でCさんが調理という役割を再獲得できたころに，夫が買ってくる材料を見たCさんは「やっぱり自分で見なきゃわからないわ」と言った．この一言がきっかけで，買い物を目的とした外出の支援が課題にあがった．

1 居宅サービス計画上の目標

本人の意向，総合的な援助の方針は，「3.通所リハビリテーション」（→176ページ）で前述したとおりである．訪問リハの目標は，来客時の対応方法の指導やADL動作の確認，調理における環境調整と動作練習，福祉用具の適合調整であった．

B 作業療法評価と計画の立案

1 退院後のADL

　自宅内ADLは，老健で指導した方法と環境整備によりほぼ問題なく実施できていた．しかし，トイレまでの歩行に関して不安が聞かれた．また，「ポータブルトイレを使用したくない」「自宅でも入浴したい」との希望があったため，浴室内の環境設定と動作練習が必要となった．

2 ICFに基づく評価とリハビリテーション実施計画の立案

　在宅復帰時のADLは，図2（➡177ページ）に示したとおりであった．本人希望の調理を行うにあたって，台所までの移動経路に段差があることや，来客時に対応するために玄関先の框を昇降する動作の改善が必要であった．また，自宅で調理を一部役割として担い始めたころ，買い物に行きたいとの希望が聞かれた．そのため，玄関から車までの移動練習や外出先での練習を立案した．外出に関しては，本人の意向を家族，ケアマネジャーに伝達し，居宅サービス計画への追加を依頼した．以上より，訪問リハで立案したプログラムは，ベッドからトイレまでの一連の動作練習，入浴動作練習，調理練習，買い物練習であった（▶図3）．

C 治療・指導・援助

1 在宅復帰後に気づく生活課題

　トイレまでの歩行に関しては，ベッドからの一連の動作に不安が聞かれた．また，老健での計画では改修を行わなかった場所（台所や応接室）で活動したいといった希望が聞かれた．トイレまでの移動はベッドからの起き上がり，装具の装着，移動を繰り返して練習していくことで動作の安定化をはかった．台所や応接室の入り口に段差があるため，ミニスロープを設置した．また自宅での入浴の希望があったので，手すりの設置と歩行にて浴室までの移動練習を行い，シャワーチェアの導入を行った．入浴時には家族の協力も必要であったため，家族に対しての介護指導を行った．

2 ニーズの変化に応じた役割獲得への支援

a 調理支援

　自宅のADLに対する不安がなくなってきたころに，課題であった調理に関して通所リハと共同して支援を開始した．訪問リハでは，自宅での調理方法や環境を考慮して練習していった．Cさんは，麻痺側上肢が補助手として使用できたので包丁操作時に使用するようにし，単純な野菜から皮剝きが必要なもの，肉・魚などに内容を変更していった．また，皿洗い時に皿を固定する自助具を作製し取り入れた．連続した調理時間も活動当初は15分程度で休憩が必要であったが，1時間連続で活動できるように耐久性も向上していった．その様子を，家族に伝え，時間があるときは家族も一緒に調理の場に参加してもらうことで適切な援助の量や方法を指導し，自宅での役割の獲得へつながった．

b 外出支援

　自宅で役割として調理をするようになってから，夫が買ってくる材料を見たCさんが「やっぱり自分で見なきゃわからないわ」と言った．そこで，外出に対しての希望を訪ねたところ「今までは，行きたいと思わなかったけど，皆も行っているし挑戦してみたい」とのことであった．そのため，玄関から車までの移動練習を杖歩行にて行

い，夫の近接見守り状態で車の乗降も可能となった．また，スーパーまで行き，トイレ動作の確認と車椅子でも移動可能な動線の確認を行った．その帰りに「夫はこれが好きだから買ってあげよう」と言い，クジラの肉を買って帰り，その日の夕飯の支度を行った．練習を繰り返して行うことで，夫と定期的に買い物に行くことができるようになった．

D 考察

1 在宅で気づく細かな生活課題

退院退所前訪問では，在宅生活のスタートが切れる最低限の環境調整でとどめることが多い．これは，1〜2回の訪問では気づきにくい生活上の課題が在宅復帰後に出てくることも多く，再調整を行う必要があるからである．訪問リハで継続して対象者とかかわることで，より対象者に適した環境に調整することが可能になる．Cさんのケースは，在宅復帰後の生活を早期に再建し，最低限の生活を不安なく過ごす環境をつくることで，活動や参加への取り組みに移行しやすかった．

日本人は本音と建前のある文化のなかで生活をしている傾向がある．老健や通所リハのような場所では建前で話すことが多く，本当は困っていることでも「大丈夫です」と答えることが多い．さらに，老健の退所前訪問や通所リハの初回の訪問指導では，家族側も準備をして訪問者をお客様として迎え，普段の生活環境と異なってしまうことがある．訪問リハを行う在宅では，継続的にかかわるなかで，本音や細かなことでも遠慮なく伝えることができ，本来の生活環境も見えやすくなるのである．

2 生活の場で支援できる強み

訪問リハの強みは，習得した調理動作の一連の流れを実生活の場に落とし込み，練習ができることである．施設環境での練習は，練習中に宅配便や来客などにより調理を中断しなければならない事象はおこらない．これらの事象に適切に対応できるかどうかも，訪問リハでは評価しやすい．さらに，施設環境と異なり，道具や環境に不便さがあればすぐに対応ができるので，意欲が低下せずに活動を進めることができる．

また調理を役割として担うには，家族の理解が不可欠である．できる部分と協力を必要とする箇所を理解してもらい，役割へと移行していくことが重要である．Cさんのケースも夫とともに練習が可能であったため役割の獲得につながりやすく，買い物のための外出という新たな目標へと広がっていった．外出も目標が明確であったため，自宅内から玄関先，屋外，近くのスーパーへと生活範囲の拡大がはかられた．またその経過のなかで，夫の好きなものを買って喜ばせたいという気持ちも芽生えた．

疾病の発症後に障害が残ると，以前まで行っていたことが困難になり，周囲にお礼を言ったり謝ったりすることが自然と多くなってくる．しかし生活の場で対象者が望む作業にかかわることで，Cさんのように家事をして夫に感謝されたり，内緒で好きなものを買ったりすることのような当たり前の日常を取り戻すことができる．そのことが自尊心を取り戻し，より主体的な生活へ移行することにつながるのだと考える．

5 まとめ

　医療から介護保険下における作業療法士の役割をCさんの症例の経過を通じて述べてきた〔図3（→178ページ）〕．急性期・回復期・生活期におけるICF構成要素上の課題解決イメージ（▶図5）のなかで，急性期では健康状態に，回復期では心身機能や活動に，生活期では個人因子，環境因子を考慮した参加レベルに視点をおくことが必要となる．

　生活期において老健では在宅復帰を目的とした支援，回復期からの課題を引き継いだ活動レベルの支援に加えて対象者の生活環境を考慮した参加レベルにも視点を向けた支援が必要になってくる．通所，訪問では，対象者の状態を把握し，心身機能・身体構造レベルや活動レベルに対して支援するのか，生きがいや役割などの参加レベルの支援をするのか，優先順位をつけて支援していく必要がある．

　具体的に通所リハでは，外出に関する動作安定のために段差昇降練習，歩行練習を実施し，自宅内の生活が安定してきたところで，参加レベルの支援に切り替えていった．通所リハでは，同じ境遇にある対象者どうしの相互的な影響を加味しながら，グループ活動を展開することも作業療法士に必要な視点であるといえる．訪問リハでは，実際の生活場面でトイレ動作，入浴動作の練習指導を実施し，本人・家族の不安を解消することで，円滑に参加レベルへの支援につなげていった．さらに自宅での参加（調理）だけにとどまらずに，次の参加（外出支援）に発展させていくことも必要な視点である．

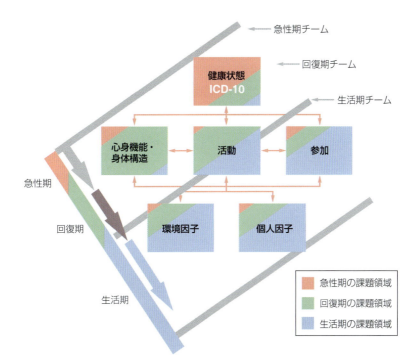

▶図5　急性期・回復期・生活期におけるICFの構成要素上の課題解決イメージ
〔訪問リハビリテーションセンター清雅苑（編）：図説 訪問リハビリテーション―生活再建とQOL向上．p10, 三輪書店, 2013 より〕

今回，通所リハと訪問リハで「調理」という共通の目標に対して介入した．互いが連携するうえで留意すべき点は，環境因子に配慮した情報共有である．具体的には，支援者の違いによる介護負担の変化，季節の変化による介入環境への配慮の2点である．支援者の違いによる介護負担の変化とは，支援者がセラピストや利用者どうしなどの第三者がかかわる場合と家族や親族など親しい関係者がかかわる場合とでは介護状況に大きな差がみられる．一般的には，親しい関係であるほうが介護負担は大きくなりやすい．また，季節による環境の変化にも配慮が必要である．衣服が半袖から長袖に変化することや，冷暖房機器の配置場所などが実施していた活動にどのように影響するのかを考えることが重要である．

さらに，通所リハは訪問リハと比べてかかわる頻度と時間が多いため，実施可能な「できる能力」の把握に長けている．一方，訪問リハは在宅での介入ができるので，「している能力」の把握が可能である．通所リハと訪問リハで共通の目標に対して介入する際は，対象者が残存能力を十分に発揮した生活が持続可能な形で実践できているのか，互いに知り得ている情報を共有しながら介入することが望ましいといえる．

上述してきた支援過程のなかで作業療法士が配慮しておかなければならないことは，われわれ支援者と対象者・家族間では心身機能の変化，できる活動の理解，次の課題への気持ちの切り替えや参加の受け止め方などにおいてかなりの時間差があることである．生活期では「楽しみ」「役割」などを自己決定できるまで現状や支援策を伝えながら，制度上の期限にとらわれずに待つことも重要である．計画的な支援プロセスと対象者の変化のペースの協調を，「その人らしい生活」が送れる住み慣れた地域で支えて行くことが，生活期における作業療法士の役割であると考える．

4 軽度の認知症高齢者のケース

軽度の認知症高齢者に作業療法を実践するために，必要な知識・技術を身につけ，関連機関との連携の重要性を認識する．

1) 軽度認知症の疾患・障害・臨床像について説明できる．
　□ ①Dさんの状態から軽度認知症の臨床像をイメージできる．
　□ ②ICFの視点に基づいた軽度の認知障害構造を整理し，理解できる．
2) 軽度認知症における実践過程の評価，作業療法立案，実践に必要な知識・技術・態度について示すことができる．
　□ ③軽度認知症に対する作業療法の適切な評価項目をあげることができる．
　□ ④評価結果に基づく課題項目を抽出することができる．
　□ ⑤Dさんの意思を遂行する活動や，参加に関する作業療法の重要性を説明できる．
3) 予後・予測に基づいたリハビリテーションゴールを設定し，関連機関との連携の重要性を述べることができる．
　□ ⑥将来を見据え，リハのゴールを設定する重要性を述べることができる．
　□ ⑦Dさんをとりまく環境を理解し，家族・関連機関との連携の重要性を説明できる．
　□ ⑧病期・病態に応じた医療・介護サービスを受けられるよう，好循環の重要性を説明できる．

A 大切な生活行為を継続するための視点

　Dさんはレビー小体型認知症と診断された日に，肺炎の治療目的で総合病院に入院となった．総合病院での入院環境に混乱し，認知症治療病棟に転院したが，特に問題なく治療を受けることができ，肺炎も改善したため在宅復帰の検討が始まった．在宅復帰に向けてDさんと家族に意向を確認した．双方とも在宅復帰を望んでおり，Dさんは退院後一番したいことは，入院中の妻に洗濯物を届けることと語った．
　次男夫婦は，母のことを大切に思っている父の希望を叶えたいが，何かあったときに1人で大丈夫だろうかと心配していた．Dさんも家族も，認知症が進行することへの不安があった．双方の不安を軽減し，在宅での生活をできるだけ長く継続できるよう，現状能力の把握と課題抽出のため，自宅を訪問してアセスメントを行った．
　軽度認知症高齢者は，表面的には生活の課題がみえにくいが，困りごとを明確化した具体的な支援が必要である．Dさんの大切な生活行為を継続させるための支援について紹介したい．

症例提示

■一般的情報
①**症例**：Dさん，男性，78歳．
②**診断名**：レビー小体型認知症．

■家族からの情報
①**生活史**：3人きょうだい末っ子の長男として，B市で生まれた．高校卒業後，炭鉱の機械工として勤務し，定年まで勤めた．20代前半に結婚し，2男を儲けた．同居していたDさんの実母や実姉による嫁いびりがひどく，妻には大変苦労をかけたという思いがあった．子どもたちの独立後は，夫婦2人暮らしであった．夫婦仲はよく，買い物や温泉など，どこに行くのも一緒で，Dさんが運転し，妻と出かけることを楽しみにしていた．妻は重度のアルツハイマー型認知症で，1年半前から認知症治療病棟に入院している．Dさんは，毎日の面会と洗濯物を届けることを役割として大切にしていた．
②**性格**：温厚で優しい．
③**趣味**：自宅内外の補修や庭の木の剪定，季節の花壇づくりのほか，日曜大工で，収納や模型，椅子などをつくっていた．
④**家族状況**：アルツハイマー型認知症で入院中の妻は要介護3の介護認定を受け，今後施設入所を検討されている．長男の居住地は500km程離れており，年に1～2回Dさん宅を訪れる．次男は隣県に住み，月に1度は夫婦でDさん宅を訪れる．次男の妻が毎日電話でDさんと連絡をとっている．次男の仕事は転勤が多く，数年単位で社宅への引っ越しを繰り返している．Dさんの姉たちはすでに他界し，妻の姉妹が市内に住んでいるが，交流はほとんどない．
⑤**支援開始までの経過**：妻担当の作業療法士が，Dさんと会話する際の表情変化の少なさやズボンからシャツがはみ出すなどの服装の乱れ，受け取った洗濯物の置き忘れなどから認知症の初期症状を疑った．家族や関連部署より地域包括支援センターに相談し，認知症初期集中支援チームの訪問支援対象者となった．Dさん宅を訪問した初期集中支援チーム員から専門医療機関の受診をすすめられた．外観や会話の様子から日常生活は支障がないようであったが，抑うつ的な発言や睡眠の課題，便秘，転倒しやすさなどより認知症が疑われたためである．

初診では認知症の診断には至らず，総合病院で脳血流シンチグラフィの追加検査を行うこととなった．検査前日より息苦しさなどの症状があり，脳血流検査と併せて血液検査や胸部X線検査を行い，レビー小体型認知症と肺炎の診断となった．そのまま総合病院に入院して肺炎の治療が始まった．入院2日目に，幻視を伴う不眠が出現し，点滴を自己抜去するなど，治療に拒否が強く，総合病院では入院継続困難となり，翌日認知症治療病棟に転院となった．この時点で認知症初期集中支援チームの関与は終了し，認知症治療病棟の作業療法士がDさんの支援にかかわることとなった．

B 作業療法評価・実施計画

1 評価

認知症治療病棟では，入院日より生活機能回復訓練の枠組みで作業療法開始となり，病棟生活場面での観察と面接による評価を行った．肺炎治療に拒否や抵抗はなく，肺炎は改善傾向を示したため，早期退院に向けて入院7日目に自宅を訪問し，在宅での生活能力や環境の評価を行った．

a ICFに基づく評価結果

(1) 心身機能・身体構造

　感覚や運動面では，日常生活に支障をきたす感覚・関節可動域・筋力の低下はみられない．精神認知機能面では，意識は清明，日常会話の理解表出ともに可能．MMSE(Mini-Mental State Examination)23/30点で，減算，遅延再生，言葉の流暢性に失点を認めた．エピソード記憶・手続き記憶・見当識は保たれている．社会性は保たれているが，興味関心や意欲が低下し，物事を否定的にとらえる傾向がみられた．睡眠は，夜間の覚醒や幻視などを認め，熟眠感が得られない．臨床的認知症尺度(clinical dementia rating; CDR)は1，認知症行動障害尺度 (Dementia Behavior Disturbance Scale; DBD)は8/112点で，抑うつ傾向や夜間に動き回る行動に加点がみられた．障害老人の日常生活自立度A1，認知症高齢者の日常生活自立度Ⅰであった．

(2) 活動・参加

　ADLはすべて自立しているが，歩行時の歩幅が狭く，すり足でつまずきやすい．入浴は病院内では見守りレベル，入院前の自宅ではシャワー浴で回数は2日に1回であった．排泄は自立している．便秘傾向で1〜2日ごとに1回の排便回数である．

　IADLは，電話や買い物の前にはメモを活用し，確認していた．移動は自動車を運転していたが，昼間の晴天時のみの近距離で，時間に余裕をつもつなど安全運転を心がけていた．退院後は免許証を返納するため，代替移動手段の獲得が必要である．バスなどの公共交通機関の利用は経験がないこと，長い距離を徒歩で移動すること，買い物した荷物を持って歩くことへの不安がある．食事の準備は，調理の経験がなく，炊飯と味噌汁のみつくり，副食は惣菜か納豆，豆腐などで済ませており，栄養バランスの偏りがある．洗濯は，屋外の物干し場への出入りと，洗濯かごを持って移動する場面で転倒のリスクがある．

　対人交流に関しては，礼節が保たれ，控えめではあるが，誰とでもコミュニケーションをとることができる．作業療法活動場面では，他者を気遣い，席を譲る，他者が終わるのを待つなど協調的であるが，人を頼る・困ったときに相談するといった場面はみられない．活動参加に関しては，自ら個別・集団活動に毎日参加しており，工作系の活動では完成度の高い作品をつくる．入院前は妻への面会，買い物以外の外出や他者との交流はほとんどなく，近隣住民とは挨拶を交わす程度であった．

(3) 環境・個人因子

　自宅は持ち家・平屋の一戸建てで，築10年のバリアフリー住宅である．寝室にはベッド導入済みである．浴室内には浴槽内と立ち上がり用の手すりが設置され，背もたれ付きのシャワーチェアーが使用されていた．道路から玄関までのアプローチは10段のコンクリート製の階段で，手すりが設置されているが，雨天時滑りやすい．介護保険は申請予定である．厚生年金受給中で経済的負担感はない．

　妻はアルツハイマー型認知症で入院中である．次男夫婦は隣県に住み，入院手続きなど協力的であるが，今後転勤の可能性がある．

　Dさんの性格は，温厚で優しく几帳面で，妻のことを大切に思っている．炭鉱の機械工として定年まで勤務し，趣味は妻との外出，日曜大工，園芸であり，妻入院後は毎日の面会や洗濯物を届けることを役割にしている．交通手段は，免許返納に伴い代替移動手段検討の必要がある．次男夫婦はDさんの在宅復帰に関して賛成しているが，認知症の診断を受けたDさんが独居で生活が大丈夫なのかという不安がある．次男に聴取したZarit介護負担尺度は，28/88点であり，介護に時間が割けないこと，今後の対応についての不安が強い傾向にあった．

b Dさんのニーズ

　退院して，入院中の妻に面会に行きたい．洗濯

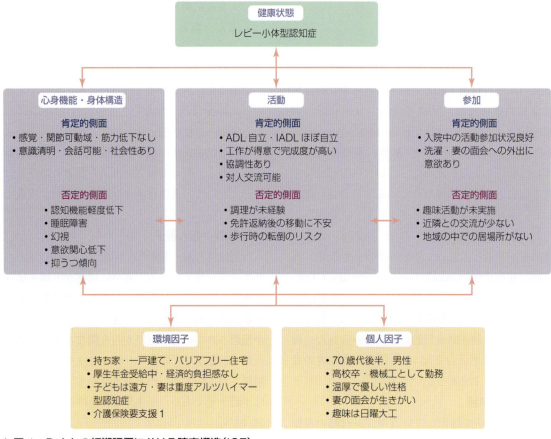

▶図1　Dさんの初期評価における障害構造（ICF）

物を届けたい．次男も，Dさんの気持ちを大切にしたい．

c 作業療法で扱う問題点

Dさんは，軽度の認知機能の低下を認めていたが，日常生活には大きな支障はみられなかった．認知症診断後の不安と，レビー小体型認知症による幻視や睡眠障害，転倒のリスク，移動手段の変更に伴う混乱が予測された．

Dさんの初期評価による障害構造（ICF）のまとめを図1に示す．在宅復帰に向け，レビー小体型認知症の疾患特性や将来像を考慮し，作業療法士として以下の問題点を抽出した．
①レビー小体型認知症による転倒リスク
②軽度認知症によるADL・IADL遂行能力の低下
③レビー小体型認知症に伴う夜間の睡眠状態の変動
④移動手段変更に伴う混乱
⑤認知症の診断や今後の生活に対する不安
⑥意思表出不足による周囲との関係悪化のおそれ

d 目標

在宅復帰し，妻へ洗濯物を届けることができる．

2 実施計画

これらの評価に基づき，以下の実施計画を立案した．
①転倒予防のための身体運動訓練
②在宅復帰後の生活を想定したADL・IADL訓

練と環境調整
③夜間の睡眠改善のための活動獲得と環境調整
④代替移動手段の方法検討と訓練
⑤在宅復帰後の相談や交流の場の獲得

C 作業療法士としての かかわり，支援

a 転倒予防のための身体運動訓練

　パーキンソニズムによる運動機能低下に対しては脳からの指令が筋肉にうまく伝わらないことで，身体の動かしにくさが生じることを説明した．起床時や座位から動作を開始する前に2〜3分程度の関節運動を伴う身体ストレッチ体操を促し，自主訓練とした．転倒予防の重要性を説明し，起立時は，立ち上がることを意識し安定した物につかまり，両足の支持面を確認するよう声かけした．歩行時は歩幅を広くし，下肢の挙上を意識するよう声かけを行い，実際の歩行状態を確認した．自宅内での移動を意識し，蹴り上げ，踵上げ，段差またぎ，立位バランスの訓練を行った．

b 在宅復帰後の生活を想定した ADL・IADL訓練と環境調整

　Dさんが退院後の生活を想定し，自宅でのADL・IADLの遂行について確認後，必要な調整と訓練を行った．

　ADLはほぼ自立しているが，自宅ではシャワー浴であり転倒のしやすさをDさん自身も認識できている．今後の進行状況に応じて，介護保険などのサービス利用の検討が必要であることを担当予定の介護支援専門員（ケアマネジャー）へ伝達することとした．

　IADLについては，食事の準備について，栄養バランスの偏りがあり便秘傾向であることも考慮し，退院後は1日1回の副食のみの配食サービスを利用することとした．安否確認を兼ねて手渡しでの受け取りとし，支払いは次男が金融機関引き落としの手続きをした．

　洗濯はDさんにとって大切な生活行為であるため，今後も長く継続できるよう動作分析や工程分析を行い調整した．洗濯機は脱衣室に設置されており，脱衣室の入り口は引き戸で開閉は問題がなく，操作も可能である．縦型の全自動洗濯機に立位で洗剤を投入するときと洗い終わった洗濯物を取り出す際の転倒リスクが予測された．入浴時の衣服の着脱場面での使用を兼ねて洗濯機の前と棚の間に椅子を置くことを提案した．椅子に座って，洗剤の容器を取り，体幹を回旋させ，洗剤を入れる動作を想定し，自主訓練を行った．

　干す作業については，物干し台が屋外で，出入りには30cm程の段差があり，転倒のリスクが高く，Dさんも不安に感じていた．雨天時に干している部屋は，日当たりもよく，室内の物干し台がすでに置かれていたため，天気にかかわらずこの部屋を利用することとした．ハンガーに掛けるなどの干す前の準備は室内で行っていたが，立位で行っていた動作を，作業台を活用し，座位で行うように変更した．

　院内で，座位で回旋を伴う物干し動作を想定した自主訓練を実施した．洗濯機から洗濯干し場までの洗い終えた洗濯物の移動については，介護保険でレンタル可能な室内用のブレーキ付きの歩行器を活用することとした．洗濯機から物干し部屋までの動線の確認をし，障害物の除去など環境を整えた．歩行器の使用経験がないため，院内で歩行器を使用しタオルを運ぶ訓練を行った．退院前に自宅を訪問し，実際の歩行器の使用状況を確認し，退院後は，ケアマネジャーに確認してもらうよう情報提供した．

　電話の使用については操作方法を写真入りで示したカードを用意し，発信前に確認できるようにした．固定電話の前の壁に連絡先一覧を掲示し，支援者間で情報伝達できるノートを用意し活用することとした．玄関へのアプローチは10段のコンクリート製の階段があり，手すりはついている

が境界が見えにくく滑りやすい．階段の縁に滑り止めと視覚誘導を兼ねたカラーリング塗装を退院前までに行うこととした．

c 夜間の睡眠改善のための活動獲得と環境調整

睡眠に関しては，入院前の自宅では「怖い夢を見て眠れないことがあった」「入院しているはずの妻が夜中に来ているように感じることがあった」と語った．総合病院での入院中に点滴抜去や幻視を伴う不眠の問題がみられた．認知症治療病棟においては，中途覚醒はみられるものの，怖い夢を見るなどの訴えはほとんどみられなかった．入院前から幻視を伴うレム睡眠行動障害が出現していたが，認知症治療病棟の夜間も明るい環境や，日中の活動により睡眠の課題が軽減できていると考えた．

退院後の在宅生活でも継続できるような日中の活動として，午前中に30分の日光浴と軽体操を導入し，睡眠の改善プログラムとした．環境面では自宅寝室のベッド周辺の照明を増やし，寝室からトイレの動線を確認した．ベッド周辺のハンガーに吊るされた衣類が錯視をおこす可能性があるためハンガーラックの位置を変更した．

d 代替移動手段の検討と訓練

入院前の移動手段は自動車で，Dさん自身が運転していた．入院中に医師より運転中止勧告を受け，退院時に免許証を返納する予定となった．公共交通機関を利用したことがなく，路線バスの利用は自信がないと語った．バスの行き先の選択，時刻表の見方，料金の支払い，乗り降り，荷物を持っての移動に不安があった．妻との面会や買い物が主な移動の目的であり，退院後の主な移動手段をタクシーとした．次男とタクシー会社の取り決めで，週間で自宅への配車時間を決め，支払いはチケットを利用し月決めで金融機関引き落としとなるようにした．妻との面会後は，病院職員からタクシー会社に電話し配車を依頼し，スーパーではタクシーの待機場所を確認し利用することとした．タクシーの乗り降りがスムーズにできるよう，車への乗降訓練とチケットでの支払いのシミュレーション訓練を行った．実際のタクシー利用に関しては退院後となるため，退院後に関与する支援者へ確認を依頼した．

e 在宅復帰後の相談や交流の場の獲得

認知症は進行性の疾患であり，生活障害や関係性の障害が複雑化することにより家族の負担も増す．在宅復帰後の生活を見守り，生じた課題に関して速やかに対応できる体制の確保をすることで，Dさんや家族の不安軽減につながる．通院先で妻が入院中の病院内での情報共有が行いやすいよう，退院後のDさんや家族の相談窓口を医療相談員とした．入院中に担当者と面談をもち，外来受診時や面会時の利用方法を確認した．重度認知症の妻との関係における不安については，洗濯物の受け渡し時に妻担当の職員が声をかけ，必要時仲介や関連機関へ連絡する体制を整えた．

介護保険を申請し，要支援1の認定が下りたため担当ケアマネジャーに情報提供し，退院後のサービス検討を依頼した．ケアマネジャーは，入院前に携わった認知症初期集中支援チーム員との情報共有も行い，支援計画を立案することとなった．小規模多機能型居宅介護を利用し，新たな楽しみの獲得と交流のための通いと，ADL・IADLの遂行状況の確認のための訪問サービスを受けることとなった．退院後のサービスにつながりやすいように院内の集団活動への参加や，小集団での共同作業を実施した．

地域の中での居場所や相談先の確保として，地域包括支援センターの職員を通して民生委員に協力を依頼した．民生委員の訪問や地域住民から公民館でのサロン活動への呼びかけ，小学校で行われる世代間交流へ参加呼びかけが行われることとなった．

▶表1　軽度認知症高齢者にみられる生活の障害

- 身だしなみ・おしゃれにあまり構わなくなる
- 外出の準備に時間がかかる
- 確認が多くなる
- うっかりミスが多くなる
- 会話がまわりくどくなる
- 人の悪口や批判的な発言が多くなる
- 人や物の名前がなかなか思い出せない
- 車のシートベルト装着に時間がかかる
- 家電製品の操作ミスが増える
- 冷蔵庫の中が乱れている
- 片づけが苦手になる
- 必要な物を切らしたり，買いすぎたりする
- 献立が浮かばない
- 調理が面倒になる
- 好きなテレビ番組や趣味に興味を示さなくなる
- いらいらして怒りっぽくなる
- 気分が落ち込み，やる気がおきない
- 薬の飲み忘れや，飲んだかどうかわからなくなる
- 物を探すことが増える
- 運転時，車庫入れや合流が難しくなる
- 失敗の言い訳や人のせいにすることが増える
- ゴミの分別やゴミ出しがおっくうになる
- 家事が雑になる

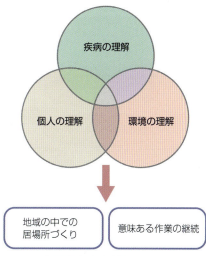

▶図2　軽度認知症高齢者への作業療法の役割

D 考察・まとめ

1 軽度の認知症高齢者へ必要な視点

　認知症は早期発見・早期対応することで，本人の意思を尊重した質の高い生活の維持につながる．認知症の初期症状は，会話や日常生活のちょっとしたつまずきなどから始まることが多く，作業療法士が気づくことで早期発見につながる．認知症の初期に生じやすい症状を表1に示す．

　軽度認知症のケースでは，認知機能の低下が出現し始めるが，日常生活においては時間をかける，確認するなどの代償行動により失敗を防いでいる．一見生活には支障がなく，周囲の理解が得られにくい．さらに，本人の現在の能力と過去の能力や周囲が期待する能力のズレにより不全感や疎外感を感じ，他者との関係が崩れやすい．認知症は進行性の疾患なので，日常生活や対人関係に支障をきたす前に，現在保たれている能力と予後予測をふまえたアセスメントを行い，本人が望む生活を長く継続できるように支援する必要がある．

　特に診断直後は，本人も家族も心理的な不安をかかえているが，適切な相談ができず必要な支援が受けられないまま生活の混乱が増し，重度化する可能性がある．軽度の認知症高齢者に対する作業療法の役割を図2に示す．早期から，本人や家族の生活上の困りごとを明確にしたうえで，疾病・個人因子・環境因子の理解に努める．本人にとって意味のある大切な作業が地域の中で継続できるよう，居場所作りや連携などの具体的な支援方法を考えていくことが大切である．

2 本ケースへの視点

　作業療法士は，ICFの視点を生かし本人を理解し，大切な意味のある作業を継続できるよう支援する．その際，疾患の特性や将来像を予測し包括的なマネジメントを行う．Dさんの支援においても面談を通してニーズを明確にし，実際の生活場面でのアセスメントを通して現状能力の把握を行った．また転倒リスクや幻視，レム睡眠行動障

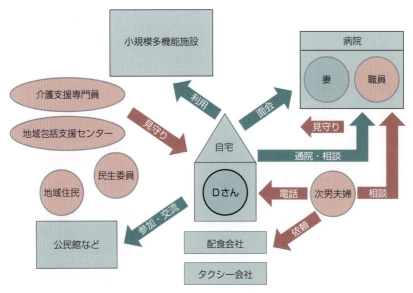
▶図3　Dさんをとりまく支援体制

害などレビー小体型認知症の特性を考慮したうえで，Dさんが大切にしている生活行為が長く継続できるように環境調整を行った．

認知症は進行性の疾患であり，今後生活障害や関係障害が重度化・複雑化する可能性がある．Dさんの意思を尊重し，家族の介護負担を軽減したシームレスなサポートができるように関係機関との連携体制の構築に努めた．Dさんをとりまく支援体制について図3に示す．

3 疾患の特性を考慮した困りごとの明確化

認知症の生活障害は類型・病期・病態・個人因子・環境因子が相互に影響し，複雑化・重度化する．作業療法士は，生活場面で動作分析・工程分析を用い障害の要因や残存能力の把握を行い，類型の特性から将来像を予測し，個別で具体的な支援を行うことが望ましい．以下に，類型による生活障害と支援の例を紹介する．

(1) レビー小体型認知症

幻視やパーキンソニズム，レム睡眠行動障害など多彩な症状を呈し，その症状がADLやIADLに直結していることが多い．幻視などに伴う不安を理解し，幻視は錯視が多いため照明や配置を工夫する．転倒による身体機能の低下で生活障害が重度化するため，転倒の予防や症状の変動に注意した環境調整が重要である．

(2) アルツハイマー型認知症

初期から記憶や見当識の障害が出現し，服薬管理や金銭管理などのIADLの低下が先行し，更衣や入浴などのADLの低下が進むという特徴がある．失行・失認により道具の使用が困難になり，リモコンなどの複雑な機器の操作が難しくなる．シンプルな機器，使い慣れた道具，番号や手順を視覚的に示し，誤りなし学習や手続き記憶を活用した残存能力の活用に努める．他者の視点で物事を考えることが苦手となるため，操作ミスを機械の故障と主張し，時間をかまわず他者に対応を求め，感謝の言葉もないことなどで周囲との関係が崩れやすいため，家族への支援も必要である．

(3) 血管性認知症

脳の責任病巣と一致した身体機能障害によりADLやIADLが低下し，再発を繰り返すことで悪化する傾向がある．麻痺や筋緊張異常などによる動作のしづらさが活動性の低下や廃用症候群を

▶表2 認知症の類型による生活支援の視点

	レビー小体型認知症	アルツハイマー型認知症	血管性認知症	前頭側頭型認知症
生活障害の現れ方	幻視やパーキンソニズムの影響を受けたADL/IADLの障害	記憶力低下・見当識障害・失認・失行の影響を受けたADL/IADLの障害	身体機能の低下と一致したADL/IADLの障害・できることとできないことの差が大きい	常同行為や脱抑制の影響を受けた不適切なADL/IADLの遂行
生活障害の進行	転倒や身体症状悪化に伴う低下	IADLの低下から始まり進行とともにADLが低下	再発を繰り返すことによる悪化	不適切なADL/IADLの進行
支援のポイント	●錯視を防ぐ環境調整 ●転倒防止 ●幻視などの不安を理解する ●症状の変動に応じた遂行	●手続き記憶の活用 ●視覚表示の工夫 ●操作が簡単な道具工夫 ●誤りなし学習 ●家族との関係調節	●再発予防 ●福祉用具活用を含めた残存能力活用 ●感情失禁・意欲低下への対応	●被影響性，常同行為を利用したルーチン化 ●行為そのものは保たれるため行動を妨げない

まねきADLの低下が加速する．脳の損傷領域や日によって現れる症状が異なり，できることとできないことの差が激しい傾向にある．意欲低下や感情失禁がみられ，この対応に家族がストレスを感じる場面がある．再発や廃用の予防のため福祉用具の活用を含めたできることを自分で行う工夫が必要になる．

(4) 前頭側頭型認知症

ADL行為そのものは保たれるが，常同行為や脱抑制などにより不適切な行為になりやすく，進行とともに重度化する．影響されやすさを利用した方法提示や，ADLを遂行する時間をルーチン化することで残存能力の活用に努める．

認知症の類型による作業療法士の生活支援の視点を表2に示す．疾患の特性を理解することで，軽度認知症高齢者に生じやすい困りごとを明確化できる．

●参考文献
1) 山口智晴, 他：認知症に対する訪問リハビリテーション医療. Jpn J Rehabil Med 55:669–673, 2018
2) 田平隆行, 他：Evidence Basedで考える認知症リハビリテーション. pp50–62, 医学書院, 2019

COLUMN 認知症初期集中支援チーム

認知症初期集中支援チーム（支援チーム）は，認知症に関する専門家が自宅を訪問し，アセスメントや家族支援などを包括的，集中的に行うことを目的に，2018年から全市町村での活動が位置づけられた．支援チームは一定の条件を満たした保健師や作業療法士，介護福祉士などの専門職2人と医師1人の計3人以上で構成され，医療・介護サービスが中断している認知症の人などを対象とする．依頼を受けた支援チームは，自宅を訪問して得られたアセスメントをもとに，多職種で編成されるチーム員会議で支援の方向性について協議する．その結果に基づき，本人に対して医療・介護サービスの利用勧奨や介護家族に対する支援を行い，支援体制が整備されれば終了となる（▶図1）．

前橋市の支援チームでは，支援前後で認知症重症度とBPSD（→70ページ）の指標は大きな変化を認めなかったが，家族の介護負担感は統計学的に有意に軽減したことを報告した[1]．2023年にはチーム立ち上げから10年経過したが，その効果は持続している．

認知症の人やその家族が穏やかに在宅生活を継続するためには，専門職がアウトリーチして適切なアセスメントをもとに具体的な助言ができる仕組みは非常に有効である．市町村によってチームの運営形態は異なるが，作業療法士も積極的に関与していくことが望まれる．

● 参考文献
1) 山口智晴, 他：前橋市における認知症初期集中支援チームの活動実績と効果の検討. *Dementia Japan* 29:586–595, 2015

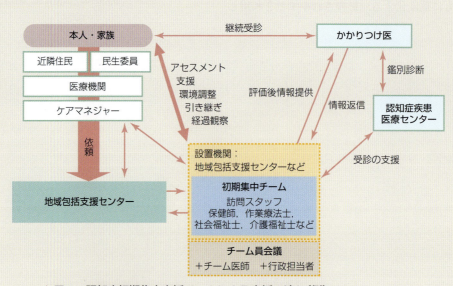

▶図1 認知症初期集中支援チームによる支援の流れ（例）
〔山口智晴：認知症初期集中支援チームにおける作業療法士のかかわり. OTジャーナル 49(7):656–661, 2015 より作成〕

5 中等度の認知症高齢者のケース

GIO 一般教育目標
中等度認知症高齢者に対する効果的な作業療法の実践を可能にするために，認知症高齢者1人ひとりの臨床（障害）像の理解，その人らしさの引き出し，チームアプローチを展開することの重要性について理解することができる.

SBO 行動目標
1) 中等度認知症高齢者の臨床（障害）像と環境やかかわり方の重要性を解説することができる.
   - ①Eさんの状況から，認知症高齢者の障害像を説明できる.
   - ②認知症症状は状況によって変動することを説明できる.
   - ③行動症状の出現機序は理解可能であることを説明できる.
   - ④行動症状に対するケアの考え方について説明できる.
2) その人らしさを引き出し活用するアプローチの重要性と効果を，クラスの中で意見交換できる.
   - ⑤Eさんのその人らしさについて説明できるとともに，その人らしさを見つけるための視点と考え方について説明できる.
   - ⑥なぜEさんに"手伝い作業"を導入したかを説明できる.
   - ⑦Eさんの変化（経過）と作業が及ぼした効果について説明できる.
   - ⑧不安感の解消と残存能力の活用の重要性と，その効果について説明できる.
   - ⑨チームアプローチの重要性を説明できる.

A 「その人らしさ」を引き出すアプローチ

「私の赤ちゃんはどこ？」「赤ちゃんがおっぱいを欲しがって泣いているの．ほら，あなたにも聞こえるでしょ！」「何で私の言っていることがわからないの！」と涙を流しながら訴え，続いて，「（非常に激しい口調で）家へ帰してください！」「どうしたらいいのかしら．何かあったら……．○○〜，○○〜（大きな声で子どもの名を呼ぶ）」と叫びながら，子どもと出口を探しての徘徊が始まる.

入所当時，幾度となく繰り返されていたEさんの行動である．また，「家で子どもが待っているから，早く帰らなきゃならないの」「子どもはまだ2歳にならない乳飲み子で……．出口はどこ？」と職員に訴えていたかと思うと，いつの間にか施設の外へ出て行ってしまうこともあった.

身体的障害もまったくなく，認知症症状などあるとは思えない印象を受けることもあって，面会に来た他入所者の家族がその訴えを素直に受け取ってしまい，車に乗せて連れて行ってしまいそうになることもあるなど，認知症専門棟入所者のなかでも，最も離園などの注意を要していた対象者であった.

症例提示

■一般的情報
①症例：Eさん，女性，84歳．
②診断名：アルツハイマー型認知症

■家族からの情報
①生活史：10代で看護師になる．22歳で結婚し，1女4男をもうける．若くして夫が病死してしまったため，生計を立てるために看護師として病院に勤務し，5人の子どもを女手一つで育て上げる．定年(65歳)まで勤務した．
②性格：気丈，人情深い，困っている人がいると放っておけない，親切．
③趣味：まったくなく，仕事(看護師)と子どもが生きがいであった．
④家族状況：長男夫婦と同居している．介護者は長男の妻であるが，Eさんの被害妄想の対象が，いつも顔を合わせている長男の妻に対してであることもあって，口論・争いが絶えず，長男の妻は非常に大きなストレスを感じていた．
⑤入所までの経過：80歳ころより物忘れがひどくなり，同時期より長男の妻などに対する被害妄想も出現した．次第に見当識障害も著しくなり，自宅にいるのにもかかわらず「家へ帰る」との激しい帰宅要求と，それに伴う著しい徘徊がみられるようになった．外へ出て行ってしまうこともしばしばみられ，自動車の往来の激しい自宅前の道路を横断しようとして，事故に遭いそうになることもあった．入所直前にはこの傾向はさらに著しくなり，頻回に外へ出て行こうとするため，家族は目を離すことができない状態となっていた．また，妄想に思考が支配されて不穏興奮状態となることが頻回にみられるようになり，たびたび家族とトラブルをおこしていた．このような状況のなか，家族は自宅での介護に限界を感じ，当介護老人保健施設認知症専門棟への入所申込みとなった．

> **Keyword**
> **アルツハイマー(Alzheimer)型認知症** 老年期認知症(65歳以上で発症する認知症)の代表であり，初老期認知症(50〜64歳に発症)の代表であるアルツハイマー病に比較して，失語，失行，失認などの大脳皮質の巣症状がはっきりせず，進行速度は比較的遅い．

B 作業療法評価・実施計画

1 評価

　Eさんの身体機能については，同年代の一般健常女性に比べてもまったく遜色なく，むしろ体力・耐久力ともに優れている印象さえ受ける．

　入所時の「認知症高齢者の日常生活自立度」はⅢaレベルであり，柄澤式老人知能の臨床的判定基準では中等度〜高度，長谷川式簡易知能評価スケール改訂版の得点は7点，N式老年者用精神状態尺度(NMスケール)(▶表1)は23点で，中等度認知症であった．その他の入所時評価の概略を表2に示す．やはり記憶障害，見当識障害ともに著しく，妄想・徘徊などの症状が目立っていた．

▶表1　N式老年者用精神状態尺度（NMスケール）評価点

項目	評価
家事，身辺整理	5点
関心・意欲，交流	7点
会話	5点
記憶・記銘	3点
見当識	3点
NMスケール	23点
評価点	中等度認知症

▶表2 入所時評価概略(不穏興奮時を除く)
※随伴精神症状および BPSD など,本文中で記述されている内容については割愛する.

服薬	特になし
感覚・運動	●感覚:触覚,痛覚,温冷覚,深部覚問題なし ●視力:老眼鏡使用.時々かけ忘れていることがあるが,日常生活に特に支障なし ●聴力:問題なし ●関節可動域:全身各関節とも正常範囲内.痛みの訴えなし ●筋力:すべて MMT(徒手筋力テスト)5 レベル.非常に力強い ●耐久性:非常に高い
ADL	●起居動作:自立 ●歩行動作:自立(時々小走りで施設内を移動している姿もみられるほど安定) ●食事動作:自立(箸を使用して,普通食を自力摂取可) ●排泄動作:動作そのものは自立しているが,トイレの場所がわからずに誘導を要することがある(探していて間に合わずに漏らしてしまうこと稀にあり) 徘徊中に偶然トイレを見つけるような形で,なんとか排泄できている様子 ●更衣動作:自立(時々異常なほど厚着をしていることがあり,確認を要する) ●入浴動作:一部介助(背,頭をうまく洗うことができない) ●整容動作:自立(洗顔,歯磨きはできている.整髪もきれいに整えられる)
行動観察	●活動場面:全身を使用する遊びの要素を取り入れたレクリエーションなどへの参加は積極的だが,折り紙などの手作業には消極的 ●余暇時間:自分の子どもや出口を探して終始徘徊している姿が多い ●役割遂行:スタッフの手伝い作業は依頼しなくても手伝ってくれることあり 時々同室者の面倒を熱心にみている姿がみられる ●夜間行動:睡眠状況は良好であり,夜間徘徊はほとんどみられない
認知	●記憶 即時記憶:HDS-R 5 つの物品テスト 2 個 近時記憶:日常的なことに関しては 10 分ほどで忘れてしまうが,行事などの非日常的なことに関しては数時間程度ならば保持できる.昨日のことはまったく覚えていない 遠隔記憶:過去のことに関してはエピソードとしては比較的覚えているものの,時間軸に沿った記憶としては保持されていない ●見当識:自室外へ出てしまうと戻れなくなってしまう.自室,食堂やトイレの場所がわからない.現在の年月日,季節,時間の認識なし.自身の年齢認識曖昧であり,質問に若いときの年齢を答えるときと実年齢に近い年齢を答えるときがある ●集中力:活動参加時は,活動そのものには集中はできる
対人関係技能	●二者関係技能:自発的交流あり,相手を気遣い,相手に合わせた会話や行動ができる ●集団関係技能:他者を気遣ったり,集団の動きに合わせた会話や行動ができる

2 面接・観察

a 認知症症状の現れ方

認知症症状の現れ方には不安定な部分が多く,たとえば 1 回の会話のなかで,自身の年齢を 23 歳と笑顔で語っていながら,次の瞬間には「もうおばあちゃんだからね.だって 80 歳過ぎてるんだもの」と言い,それに合わせて会話をすると,今度は「人のことをおばあちゃん呼ばわりして失礼ね!まだ 40 よ!」と険しい顔で怒り出すという状況である.全般に会話に一貫性がなく,つじつまの合わない会話が多い.

不穏状態を呈しているときのEさんは,「〜が,私を馬鹿だって言うの?」「皆が,私なんか死んだほうがいいんだって言うから,私死んじゃうから」など,次々と妄想的言動をエスカレートさせ,興奮の果て,時に暴力的となってしまうこともあった.また,被害的な妄想から,通り過ぎる人誰かれかまわずに激しく暴言を浴びせたりするので,トラブルメーカーにもなっていた.

訴えの多くは,子どもに関する心配とそれに伴う帰宅要求であり,それらに対する不安が高まると,徘徊行動をおこすという特徴があった.子ど

もに対する認識は曖昧であり，子どもの名前は合致しているものの，「○○(息子の名前)は，2歳でまだおっぱいを飲んでいるから，とっても手がかかるのよ」という話の続きで，「うちの嫁は……で」となり，「え，誰のお嫁さんですか？」の問いに，「何言ってんの，○○(息子の名前)に決まってるじゃない！」となっている状況であった．Eさんにとっては，赤ちゃんのころの息子に対する意識が強いせいか，嫁(息子の妻)の顔は「○○の嫁」ということで認識はできるものの，当の息子の顔は面会に来ても認識できていない様子であった．

b 対応のきっかけ

「先生，点滴が終わりましたので，針を抜いておきました」．入所して間もないある朝，たまたま廊下で出くわした筆者にEさんが発した言葉である．最初，筆者は何のことやらわからなかったが，ふとEさんと同室のQさんが昨夜から点滴を受けていたことと，Eさんが元看護師であったことを思い出した．あわててQさんのベッドに駆けつけてみると，しっかり抜針されてあり，今でもそのときの驚きは忘れられない．普段のレクリエーションでは簡単な折り紙でさえ難しいEさんからは想像もつかないことであった．

Eさんは，長く病棟勤務の看護師として従事し，入院患者のさまざまな身のまわりの世話を行っていたということであった．

その後のEさんの言動の観察および他のスタッフからの情報収集により，Eさんは自分が施設に入所しているのではなく，病院に勤務していると思っているらしいことがわかった．また，そのような行動をとっている場面では「子どもがいない」といった訴えや徘徊の発生はなく，不安から不穏状態を呈してしまうこともなく，安定して過ごせていることも明らかとなった．

3 実施計画

同室者だけでなく，他入所者に対しても積極的に世話を焼いている姿がしばしばみられ，そのときのEさんの表情は穏やかで，徘徊・不穏状態のときのそれとは大きく異なっていた．

- 他入所者の世話を甲斐甲斐しく行っている場面では，妄想的言動も聞かれず，安定した精神状態を保つことができていること
- 家族からの情報で，若いときに夫を亡くしてしまい，生計を女手一つで立てなければならないために常に働き続けの人生で，性格的にも非常に勤勉であったこと
- さまざまな施設内レクリエーションなどの活動場面に拒否なく参加でき，やはりそうした場面では妄想的言動・徘徊もみられずに純粋に活動を楽しむことができていること

これらのことから，カンファレンスにおいて，施設全体のEさんへの取り組みとして，施設内の簡単な手伝い作業に積極的に参加してもらえるようスタッフが誘導すること，また自ら意欲的に行っている他入所者の世話については，危険を未然に防げるようスタッフが常に注意をして見守ることで，引き続き行っていけるようにした．その際，他入所者に対して直接的な世話を行おうとした場合には，間にスタッフが入って一緒に行うようにし，安全確保を最優先としながらも本人の意欲や自尊心をなるべく削がないよう，できるかぎり本人の欲求を満たすことができるよう介助方針を統一してサポートすることとした．

施設内の簡単な手伝い作業として具体的に行ってもらったのは，「おしぼりたたみ」「洗濯物たたみ」「お茶配り」「掃除」などである．作業療法部門としては，この段階では，まずEさんがより活動的な生活に身を置くことができるようにすることを目的に，「料理グループ」「レクグループ」「手芸グループ」「園芸グループ」「書道グループ」に参加をしてもらうことを計画・実施した(▶表3)．

▶表3　Eさんの週間活動状況

曜日	午前	午後
月	入浴	リハビリ体操
火	料理グループ／レクグループ｝隔週	リハビリ体操
水	手芸グループ／書道グループ｝隔週	リハビリ体操
木	入浴	リハビリ体操
金	認知症専門棟レク／園芸グループ｝隔週	リハビリ体操
土	リハビリ体操	認知症専門棟レク

- 午前の活動は10～11時，午後の活動は2～3時
- リハビリ体操は，筆者が考案したものであり，(月)～(金)は午後2時から，(土)は午前10時から，40分程度で行う椅子に座ってできる全身運動である．終了後には，毎回お茶会を行う．
- "手伝い作業"は基本的には随時であるが，主に昼食終了後から1時ころまでと，リハビリ体操終了後から4時30分ころまでの時間に行っている．

C 治療・指導・援助

1 さまざまな活動への取り組み

さまざまなレクリエーション活動や各種グループ活動，手伝い作業にはおおむね積極的に取り組み，非常に活動的な生活を送ることができて，Eさんの満足度も満たされている印象を受けた．

a 手伝い作業

さまざまな手伝い作業については，常にたいへん意欲的に取り組んでいる姿がみられた．本人は「仕事」としてとらえているようで，「お給料は月末にいただけるのかしら．楽しみ」といった発言もしばしば聞かれていた．

また，「おしぼりたたみ」「洗濯物たたみ」といった作業については，非常に手際がよく，次第にていねいに，しかも速くできるようになっていき，作業の遅い他入所者に対して指導(時に叱責)をしたり，手伝ったりする場面もみられた．作業中の会話などから，看護師をしているころに毎日行っていた作業であることがうかがえた．

スタッフは，毎回作業終了時には手伝ってもらったことに対する感謝の言葉を忘れないようにした．「今日もお仕事ご苦労様でした．ありがとうございました．とても助かりました」と声をかけると，満面の笑顔を見せ，その後しばらく時間が経過しても上機嫌な状態が持続していた．

b グループ作業

手伝い作業に比べ，「料理グループ」「園芸グループ」では，眺めていることが多く，促さないと手を出さないなど，積極性という点では低かった．ただ，作業内容そのものは楽しめていたようであり，他参加者とも良好な交流がみられ，グループ員としての役割も果たせていたようであった．

「手芸グループ」「書道グループ」については，「やったことがない」「下手だから恥ずかしい」との訴えが毎回聞かれ，著しい拒否はなかったが，表情は硬くなりがちであった．作品もていねいさに欠け，グループ中の他者との交流も少なかった．「手芸グループ」では，「刺し子」に取り組んだものの，毎回，前回に自分が作業した作品であることを忘れてしまっており，名前が書いてあっても理解できず，「私の名前がこんなところに書いてあるけど，誰が勝手に書いたのかしらねぇ」と不審に感じて怒り出してしまったこともあって，2回で中止となってしまった．

その後，1回で完成できる雑巾縫いに変更すると，前述のようなトラブルはなくなったが，要求される作業能力が本人には高すぎたようで，縫い目も粗く，曲がってしまっており，自力のみでは完成できなかった．また，完成した物を眺めて，不満そうに溜息をつくような場面もみられた．

2 対象者の変容

a 症状の安定

取り組み開始後まもなく，帰宅要求や子どもに

関する妄想的言動からの不穏興奮状態となることは減り，3か月経過時点で半減した．6か月経過時には妄想から不穏興奮状態となることも，著しい帰宅要求もほとんどみられなくなっていた．それと比例するように，甲斐甲斐しく他者の世話をする姿がさらに多くみられるようになり，看護・介護記録には，他者の世話に関する記述があふれるようになっていた．

スタッフからは，入所者にかかわることに対して「危険だからやめさせたほうがよい」との声も聞かれたが，「スタッフとして雇ってもいいくらいだね」という言葉も聞かれるようになっていた．

表情も，以前のような険しいものではなく，終始笑顔がみられるようになり，入所者間でトラブルがあると，その仲裁に入るなど，トラブルメーカー的存在から皆のまとめ役的な存在へと大きく変化を遂げていた．

b 徘徊への対応

ただし，自身の徘徊については，日中にはほとんどみられなくなってはいるものの，夕方の周囲が暗くなってくる時間帯，スタッフが帰宅し始めて活気がなくなってくる時間帯と，就寝までの間の時間帯に，「私もそろそろ家に帰ります」「子どもが待っていますので」といった言葉とともに時折みられていた．しかし，入所当時のように妄想に支配されて不穏興奮状態を呈するといったことはまったくなく，「今日はもう遅いので，お食事をとっていただいて，ゆっくり休んで明日帰られたらいかがですか」と説明をすると，「そうですね．今日も1日頑張りましたから．お言葉に甘えさせていただきます」と素直に納得してもらえるようにはなっていた．

c 家族との関係

子どもに関する妄想的言動がなくなるにつれて，面会に来る息子の顔も判別できるようになっていった．入所前や入所直後には険しく硬い表情で妄想的言動を繰り返していたEさんが，面会時に笑顔で穏やかに迎えてくれるようになるに従い，家族の面会回数も増え，談話室では家族団らんの場面も多くみられるようになっていった．

d リーダー的存在へ

あまり積極的ではなかった「料理グループ」「園芸グループ」への参加も，症状が安定するにつれて積極性がみられるようになり，特に準備や後片付けに関しては誰よりも意欲的に行い，リーダー的存在として振舞うようになった．「手芸グループ」については，簡単な雑巾縫いから始め，徐々に複雑なものを導入していき，最終的には「刺し子」ができるようになった．前回までの作業を覚えていることも多く，自分の布を名前を確認して探してから作業を行うこともできるようになった．

e 再悪化の予防

カンファレンスにおいて，看護・介護スタッフ，作業療法士，医師から，現在の状態であれば家庭復帰も可能であること，支援相談員より家族も今の状態であれば家でも面倒をみることが可能であるとの意見が出されており，入所から7か月で家庭復帰となった．その後，週5日間デイケアを利用し，認知症症状の再悪化は防がれている．

D 考察・まとめ

1 BPSD発生原因のとらえ方の例

アルツハイマー型認知症などに高頻度に出現が認められるさまざまなBPSDは介護負担を著しく増加させ，家庭介護を困難にしてしまう主たる要因である．特に本ケースのように，歩行自立の状態で落ち着きなく徘徊を繰り返してしまう場合や，不穏興奮を呈しやすい場合には，リスク管理という点からも介護が困難となる．では，どうすればこれらのBPSDを軽減させることがで

きるだろうか．それには，認知症高齢者が呈するBPSDの原因を理解することが必要である．

Eさんの中核症状は，記憶と見当識の障害である．記憶障害は，あたかも過去から未来へと架かる「記憶という橋」が，その上を歩く（経験する）そばから崩れ落ちていくように，経験したこと（近い過去の記憶）を忘れてしまう．そして，見当識は「今（の自分）」と「近い過去（の自分）」との間断ない自動的な照合作業により保たれているので，近い過去の記憶が保持できないと照合不能に陥り見当識障害をおこす．記憶障害により「何をしていたのか」がわからないと，「これから何をしなければならないのか」もわからなくなる．さらに，「ここはどこ？」「今はいつ？」「この人は誰？」といった見当識障害も生じ，ついには「私は誰？」（自己見当識の喪失）となってしまう．

もし自分がこの状態に陥ったらと，想像してみてほしい．いかに怖いものであるかは容易に想像がつくであろう．ただし，認知症高齢者自身はこの状況をわれわれのように分析的には理解できないので，この恐怖感は漠然とした「不安感」として，感情そのものに常に影響を与え続けることになる．この状態にいる者にとって確かなのは（「安心」できるのは），記憶障害の影響を受けていない，はっきりとした記憶のなかの「くっきりとイメージできる自分」だけなのである．本ケースでは，看護師として働いていたころの自分がそれにあたると思われる．

しかし，周囲（環境・人）から見れば，外見だけでなく相互作用的にも，明らかに「老人」としての存在でしかないのである．ここに，現実の世界と本人の頭の中の世界との大きなズレが生じる．これもまた，不安感を助長するものとなる．これらの不安感が，焦燥や落ち着きのなさ，徘徊，不条理な怒りの表現，険しい表情や攻撃性といったBPSDを生み出してしまうと考えれば，彼らの行動に一応の納得はいくのではないだろうか（▶図1）．誰でも心配事があれば，落ち着かなくなったり，意味もなく不機嫌になったりするものである．

2 「昔取った杵柄」の効果

a 不安感の解消

脳の器質的障害に起因する知的機能障害などの中核症状については，作業療法で治癒させることは困難である．現実的に行えるのは（行う必要があるのは），BPSD発生の引き金となっていると考えられる「不安感」の解消であると思われる．

不安感の解消に有効な手だてを探し出すには，認知症高齢者自身が自己をしっかりと認識できる，いわば「自分らしさ」を実感することのできる活動を探し，提供するという視点が必要となる．このときに参考となるのが，かつてしていた仕事や家事，趣味や特技といった，いわゆる「昔取った杵柄」の視点である．本ケースは，青年期から壮年期にかけて子育てと生計の維持に懸命な生活を経験していた．ゆえに，趣味などする余裕もなく，生きがいは看護師としての仕事と子どもであったといえる．そこで，看護師業務の一環である「手伝い作業」や「他者の世話」は，ケースにとって重要な意味をもつ活動であると考え，これを「昔取った杵柄」ととらえたのである．

加えて，看護師になった理由である「困っている人を放っておけない」という性格であるという情報を収集できたこと，進んで他者の世話を行っている光景とそのときに見せる穏やかな表情や言動，それに伴うBPSDの減少という表出された心理を観察・把握することができたことも，その裏づけとなった．

では，なぜ「昔取った杵柄」の視点に基づいた活動は，不安感の解消に有効といえるのであろうか．それは，認知症高齢者にとってみれば，「知らないこと」「できないこと」だらけの不安に満ちあふれた世界に現れた，「知っていること」「できること」であり，その活動に身を置くこと，行うことは「安心」できるからであると考えられる．

「手伝い作業」については，認知症高齢者に導入しやすい作業活動だったために，有効となったと

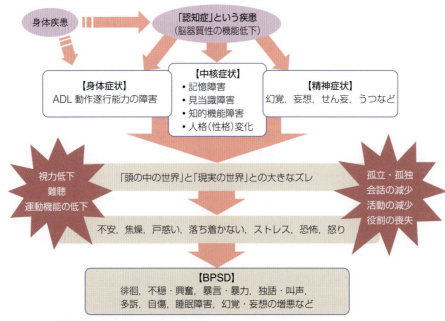

▶図1 認知症高齢者像のとらえ方の例

もいえる．特に「たたむ」や「拭く」という動作は，多くの場合習慣化・自動化されており，重度の認知症症状をもつケースであっても，導入しやすく効果的でもあった経験は多い．

さらに，「世話をする」という行為は，人間の基本的な欲求を満たすものであるので，効果的となったともいえる．ほとんどの認知症高齢者には子育ての経験があり，ほかにも農作物や家庭菜園，花や観葉植物，ペットなど何かしら世話をすることにかかわってきていることが多い．作業活動で草花などの世話が好まれるのは，人間の基本的欲求を満たすことに加えて，「昔取った杵柄」の視点に基づいた作業活動でもあるからといえる．

人間は作業的存在であるといわれるように，「何も」しないことは，人を不安にさせる．言い換えれば，「何か」することは，人を安心させることができるともいえよう．そもそも認知症高齢者のBPSDは，他人からみれば支離滅裂な行動かもしれないが，本人にとっては，自身の不安状態を何とかしようとして行っている「何か」であるとも考えられなくはない．その「何か」に「昔取った杵柄」の視点に基づいた作業活動を導入することは，さらなる安心をもたらすことになろう．

b 残存能力の発揮

認知症高齢者に対する作業活動の目的は，主に，「不安からの解放」と「**残存能力**🗝の発揮」であるといえるが，この「残存能力の発揮」にも「昔取った杵柄」の果たす役割は大きい．それは，認知症高齢者の残存能力は，「昔取った杵柄」に基づく能力であることが多いからである．

本ケースの場合でいえば，他者の世話をする能力，さまざまな手伝い作業を手際よく行う能力などがそれにあたる．

筆者が経験した一例として，自分の名前を認識することも会話もできず，更衣，食事摂取にも介助を要する重度認知症の入所者が，針と糸を巧み

> 🗝 **Keyword**
> **残存能力** 疾患や事故により心身に障害がおこっても，障害されず残っている能力をいう．特に広範にわたって能力が低下している認知症高齢者の場合は，「身体が覚えている（手続き記憶）」能力を発揮させることが重要である．

に使って見事に雑巾を縫い上げた例があった．この入所者は，若いころに和裁の先生をしていた人であった．何もできない人と思われていただけに，周囲の驚きようは忘れられないものがある．

臨床ではこのような，かつて身につけた「技能」を，たとえ記憶障害があっても「身体が覚えている」といった経験をすることはよくある．この「技能の記憶（身体で覚える記憶）」は，「手続き記憶」といわれる．たとえば，かつて自転車に乗れていた人であれば，その後長い間乗っていなかったとしても，練習なしで乗りこなせてしまうのもこの記憶のおかげである．このように，手続き記憶は非常に消去されにくい．また，手続き記憶は，主に小脳に保存されるが，小脳へのアルツハイマー病変の出現は軽度であり脳血管障害の頻度も少ないため，認知症高齢者においても障害されにくく，能力として残存しやすいとされる[1]．「昔取った杵柄」は，この「手続き記憶」という残存能力に着目し活用する働きかけでもあるのである．

「できないこと」ばかりの世界に身を置いていると，「できない」状態はさらに進行し，廃用により残存能力さえも低下させてしまう．これを防止し，低下した機能を再活性化させるためには，「できること」を積極的に活動に取り入れ，残存能力を可能なかぎり使うことが重要である．

また，残存能力を発揮できる場面をできるだけ設けることは，家族や施設スタッフ・他の入所者の，対象者に対する認識にも大きく影響を与える．何もできないと思っていた人や厄介者と認識していた人の，「何か」を「している」場面や，「できる」ところを見ることで，その認識が逆転するといっても過言ではないからである．対象者への扱いが変わるといってもいい．それは，私たちが人としての存在価値を，「生命としての存在自体」にではなく，「何か」を「している」場面や，「何か」が「できる」能力に見いだそうとする傾向があるからともいえよう．

本ケースの場合でいえば，さまざまな手伝い作業を手際よくこなすEさんを見たスタッフから思わずもれた「職員として雇いたいね」の言葉に象徴されているといえる．厄介者（「いないほうがいい」）のように認識されがちであった存在が，「いてくれないと」という存在へと変わったのである．さらに，それが対象者に伝わることで自己有用感が生じ，喜びや満足感へと昇華する．作業を行うことによる安心感だけでなく，他者から認められるという安心感も加わることになる．こうした「思い」は，特に意識しなくても，自然と表出される態度などで対象者へ伝わることが多いが，アプローチとして用いる際には，本ケースのように手伝い作業の作業中や終了時に積極的に感謝の意を伝えるようにすることが大事である．

3 注意点

本ケースでは，より活動的な生活に身を置くことができるように，さまざまなグループ活動へと参加を促したが，いずれも「受け」はよくなかった．アクティビティの選択にあたって，女性というだけで，料理や裁縫も十分にしていたであろう，都会ではないから畑仕事もしたであろうと安易に判断をしてしまったことがその理由であるといえる．あとから，Eさんは生計を維持するために働き続けたがゆえに，料理や裁縫といったことはほとんどしなかったし，まして畑仕事はする間もなかったことが判明した．今回の失敗は，手芸や園芸といったアクティビティを選択するときに，年齢や性別，時代背景，地域性といった情報は手がかりとしては有効であるが，それだけで安易に決定すべきではないことを示している．

さらに，「手芸グループ」において，Eさんの裁縫に関する作業能力も未把握の段階でいきなり「刺し子」を行わせてしまったこと，併せて，そもそも「刺し子」作業が要求する作業遂行能力も把握していなかったことは反省すべき点である．これらを作業分析によりしっかりと把握し，適切にマッチング（難易度調整を含む）させることは，作業活動を提供する際の肝である．

それらが不十分であると，時に，本人の能力以上の作業をさせてしまうことになり，結果，「うまくできない」「わからない」といった挫折体験を，その結果としての作品の出来栄えからは，「不細工」「こんなはずじゃなかった」という失敗体験を本人に味わわせてしまうことになる．そして，この挫折・失敗体験は，不安やストレスをもたらし，作業活動への参加拒否や，BPSDの悪化をまねくことにもなりやすい．

特に，手芸や書道・絵画のように個人作品が残る作業活動の場合には，その結果が直接本人に返ってくることになるので注意が必要である．これらについては，「昔取った杵柄」に基づく作業活動を提供する場合にはより注意をする必要がある．それは，「昔取った杵柄」は，時に個人のアイデンティティを意味することもあるほどに本人にとって非常に意味の大きい作業であるだけに，失敗や挫折による悪影響は，他の作業のそれよりもはるかに大きいものとなるからである．

また，完成に複数回を要す作業であったことも反省点である．中等度以上の認知症の場合，作業間隔が1日でも空くと前回の作業は覚えていないことが多い．自分が取り組んでいた作品であることも理解できないし，名前が書いてあっても，本ケースのように名前を書いたこと自体を忘れてしまうために，それが原因で不安になってしまうこともある．かといって名前がない物を与えれば，「これは自分の名前がないから」と拒否してしまう．さらに，完成作品を想像しながらそれに向けて計画的に作業を積み上げていくということも困難である．中等度以上の認知症高齢者に作業を行ってもらう場合には，「今」楽しいもの，きれいなもの，1回で仕上がる程度のものから，様子を見ながら導入をしていくことが大切である．

4 チームアプローチの実現へ向けて

認知症高齢者のかかえる課題は，多種多様かつ生活全般に及ぶため，どれほど優れた専門職であろうと到底一専門職の単一の視点で把握しきれるものではない．課題把握には多角的視点による評価，すなわち「チームアセスメント」（多職種協働で生活機能の低下状態を把握し，原因を分析，課題を明らかにすること）が必要である．そして，これを基にチーム全員で目標とケア方針を策定・共有化しケアプランを立案する．このプロセスがあってこそ初めて実効的な**チームアプローチ🔑**（各専門性を生かした多職種協働）は実現できるのである．

5 BPSDに対するケアの考え方

認知症高齢者のBPSDに向かい合ったとき，たとえ眼前で意味不明かつ問題となる行動が展開されていても，その行動自体を問題ととらえないようにしたい．つまり，その行動自体は刺激に対する認知の結果としておこっている当たり前の（意味のある）反応であり，問題なのは行動ではなく，反応を引きおこすもととなっている認知にあると考えるのである．すなわち中核症状により，脳に入力された刺激の認知処理が正しくできなかったことで，（目に見えるかたちで）出力された行動がその刺激に対するものとしては不適切になってしまったと理解するのである．

たとえば「弄便」の場合，手に付いた便を壁などに塗りつけてしまう理由は，手に付いた異物を取ろうとしたからだととらえてみる．手に何か得体の知れない異物が付いたとき，何とかしてそれを取ろうとするのは当然の行為である．そう考えると，その行為が問題行動化した要因は，手に付いた異物を便と認知できなかったことにあることがわかる．お尻に異物感があったので手を入れた

> 🔑 **Keyword**
> **チームアプローチ** 問題解決のためにさまざまな職種が協力して対象者にかかわること．それぞれの専門性をもとにした視点からの情報をまとめ，チームとしての目標を定め，各職種がその目標に向かっておのおのの専門性を提供する．

ら何か異物が手に付いてしまい，それが何なのか手で触りながら（弄便），視覚や嗅覚も動員して考えてみるが，それらの情報と記憶がうまく統合できない．そのうちに，手が異物まみれになってしまったので，それを何とかしようとしたのではないかと理解することが可能になる．

このような考え方をすれば，排便パターンを調べて，トイレ誘導によるトイレでの排便を促すトレーニングや，おむつ内に排泄した便を迅速に処理するようにしてお尻に異物感を生じないようにするなどのケアにより，弄便というBPSDを改善に導いていくことができるかもしれないとみえてくる．しかし，単に「弄便」という異常行動・問題行動でとらえてしまえば，ミトン型手袋やつなぎ寝巻きなどという間違ったケア（行動抑制）に陥ってしまい，状況は改善することなく，排泄に関する感覚の廃用という事態をもまねいてしまうであろう．

ほかにも，おむつ交換をしようとしたら叩いたり暴れたりしてさせないといった，いわゆる「介護への抵抗」はなぜおこるのかといえば，見ず知らずの他人によって突然自分のズボンやパンツが脱がされそうになっていると認知したからである．そう考えれば，誰でも必死の思いで抵抗するのも当然だと納得がいく．

このような考え方ですべてのBPSDが理解できるわけではないが，一般に意味不明な異常行動と片付けられがちな認知症高齢者の行動も，決して理解不可能ではないこともあることをわかってほしい．そして，そのように理解を進めるように心がけてみる（視点をもつ）と，とりつく島もないと思われていたBPSDに対してもアプローチの方法が見つかることもあるのである．

人は異常な行動を目の当たりにすると，その客観的現実に目を奪われ，ついそれを力ずくで何とかしようとしてしまう傾向がある．結果，叱責したり行動抑制したりといったBPSDに対するきわめて対症療法的な不適切なケアを誘発し，それがさらにBPSDを誘発・重症化させ，悪循環をつくり出してしまうことになる．客観的な現実（結果としての異常な行動）に目を奪われてしまうのではなく，認知症高齢者の生きている，そして「認知症高齢者の目」に見えている主観的な世界を理解しようとすること．そのうえで，その行動をおこしてしまう本人なりの理由を理解し，本人が納得できる対応を探ることが大事である．

認知症高齢者のBPSDを真に問題行動化させているのは，われわれのBPSDに対する認識不足に端を発する，適切とはいえない画一的ケアにもその一端があるかもしれないことを認識すべきである．

BPSDは，中核症状をベースとしてそこから生み出される不安感や焦燥，ストレスなどの要因により現れると考えられる．そして，不安感や焦燥といった心理的要因が生み出されるのを助長しているのが，認知症高齢者をとりまくさまざまな環境因子（阻害因子）である．

ICF概念に基づく対象者理解によれば，ケアの提供者も提供されるケアの質も認知症高齢者の全体像を形成する重要な「環境因子」の1つである．われわれは決して認知症高齢者の阻害因子にならぬよう，そして促進因子となるよう認識をもたなければならない．

6 BPSDに向き合うにあたって

最後に，BPSDには，脳病変による脳機能の低下から直接的に生じているものから，介護者のかかわり方など周囲の環境により二次的に生み出されるものまで，その発生にはさまざまな背景が複合的に存在することを忘れないようにしたい．そして，その背景をさまざまな情報や認識から考察・探究することが，効果的なアプローチに直結するということを認識してほしい．

●参考文献
1) 山口晴保（編）：認知症の正しい理解と包括的医療・ケアのポイント．p60, 協同医書出版社，2016

6 重度の認知症から寝たきりに移行したケース

> **GIO 一般教育目標**
> 重度の認知の障害状況の改善の可能性を認識できるために，重度の認知症高齢者に生じやすい廃用状態とその悪循環の影響を理解し，多側面からのアプローチおよび残存能力を最大限に活用したアプローチを学ぶ．
>
> **SBO 行動目標**
> 1) 重度の認知症から寝たきりに移行する臨床像の経緯について，その理由を口述することができる．
>   - ①入所までの経過から，重度の認知症から寝たきりへ移行する臨床像をイメージできる．
>   - ②"つくられた寝たきり状態" から "真の寝たきり状態" に移行する要因を説明できる．
>   - ③人が寝たきり状態で放置されることによる影響を説明できる．
>   - ④機能の向上には時間がかかるが，機能低下は簡単におこることを説明できる．
> 2) 重度の認知症であっても働きかけ次第で障害状況が改善する可能性があることを，具体的に示すことができる．
>   - ⑤Fさんの作業療法経過から，多側面からのアプローチの重要性を説明できる．
>   - ⑥適切な刺激材料を用いて感覚入力することの重要性を説明できる．
>   - ⑦刺激材料の選択にあたって，生活史および趣味などの個人因子との関連を説明できる．
>   - ⑧残存能力を見つける視点と考え方，それを強化することの重要性を，実践課程を通して説明できる．
>   - ⑨Fさんの生活圏を拡大することの重要性を，事例をあげて説明できる．
>   - ⑩家族の感情面に訴えかける対象者の変化をもたらすアプローチの重要性を説明できる．

残存能力を見つけ活用するアプローチ

「Fさーん！ はい，お口をあけてくださーい！」スタッフの大きな声が食堂に響きわたる．うっすらと目を開けたが，口は開かない．「Fさーん！」「お口をあけてくださーい！」スプーンを口に近づけるも，口はつぐんだまま．こんなやりとりの何回かに1回は，小さくではあるが口を開けてくれるときもあり，その機会を見計らって口へ全粥・ペースト食を入れる．だが，今度は咀嚼せずに口の中にためたまま飲み込もうともしない．傍らで，頬をつついたり，耳元で大きな声で「モグモグしてください！」「ゴックンしてください！」と頻回に促して，やっと1～2回の咀嚼のあとに飲み込んでくれる．

そんな状態なので，Fさんの食事には毎回1人のスタッフがマンツーマンで介助にあたらなければならず，時間も1時間を超えてしまう．しかも，食事1回の摂取量は非常に少ないため，時間を空け何回かに分けたり（昼食は3回くらいに分けていた），高栄養流動食を用いたり，時には点滴も行う必要があった．これが，入所当初のFさんの状況を特徴的に表している状態である．

症例提示

■一般的情報
①症例：Fさん，女性，82歳．
②診断名：アルツハイマー型認知症．
③既往歴：特になし．

■家族からの情報
①生活史：X市に生まれ，高等女学校を優秀な成績で卒業．卒後はタイピストとして従事する．X市に戻り，20歳代で結婚し，5男1女をもうける．主婦として子どもの世話や夫の仕事（会社経営→政治家）の手伝い（事務・書類作成→秘書）をしながら，地域の婦人会長を長く務めていた．
②健康状況：20年ほど前より両膝関節痛を訴え，近医に受診をしていたが，歩行状況には特に影響はなかった．また，白内障による視力の低下がみられていた．それ以外は特に病気はしたことがない．寝たきりになる以前は，軽度肥満気味であったが，寝たきりになってから非常にやせてしまった．
③性格：穏やかで，非常に我慢強い．
④趣味：若いころは読書好きで，暇があれば本を読んでいた．また，音楽（歌）鑑賞も好んでいた．読書は高齢期になって認知症症状が現れ始めてからも，しばらくの間は変わらず続けていた．また，若いときに流行っていた曲をカラオケやカセットテープで聞くのが好きであった．テレビ観賞も好んでいた．
⑤家族状況：約30年前に夫が死亡してからは，20年ほど四男およびその家族と同居していた．それ以降は，現在まで次男家族と同居していた．次男夫婦はFさんの状況に対して理解的ではあるが，次男の妻は体調を崩しやすく，現在のFさんの状況では家庭介護を継続することは困難であると考えており，否定的でもある．次男自身は，母親の面倒を家でみたい気持ちはあるものの，現在法律関係の仕事をしており，その業務の性質上，昼夜・曜日の関係なく仕事をしているため，家庭介護についての協力は困難であり，現在のADL状況では妻に与える負担を考えると，家庭復帰させることは不可能であると考えている．他の子どもたちも，Fさんを家庭に受け入れることに対しては拒否している．

⑥入所までの経過：70歳代前半から物忘れや見当識障害がみられていた．症状は徐々に進行し，自分の名前もわからない重度の認知症状態だったが，誘導があれば独歩で移動でき，食事摂取も自立していたことに加え，何よりその穏やかな性格とBPSDがないことから，現在までデイケアやショートステイを活用しながら，在宅で生活を送ることができていた．

70歳代後半から徐々に意欲・活動性が低下，それに伴いベッド上で寝て過ごすことが多くなり，離床させてもソファーなどで横になって寝てばかりいた．同時期から全身の筋力低下が目立つようになり，時折転倒もみられるようになっていた．

入所の3か月ほど前，急に腰を痛がり歩行ができなくなったので受診をすると，右大腿骨頸部に不完全骨折（ひび）が認められたため，そのまま入院し，保存的加療となった．入院直後からまったくの寝たきり状態となり，ADLも全介助状態となってしまった．

骨折は完治したが，それ以来，寝たきりおよび終始閉眼状態で，自力体動もみられなくなり，食事も鼻腔からの経管栄養摂取となり，仙骨部に褥瘡も生じてしまった．この状態での家庭生活への復帰は不可能と判断され，当介護老人保健施設への入所となった．

入院前の認知症症状は，直前（数分前）のことも忘れてしまう状態だったが，会話や指示は通じていた．意欲低下が著しく寝ていることが多かったが，読書は好んで行っていた（ただし内容はまったく覚えておらず，いつも本のはじめから読んでいた）．

▶表1 入所時評価概略

感覚・運動	
感覚	コミュニケーション困難なため,検査は実施不能.手足を軽くつねったり,氷を当てたりすると,刺激された手足を動かす程度の反応を示す(左右差なし)
視力	開眼させた状態で,検査者の顔や,カラーボール,白い紙に大きく黒字で書かれた文字などのさまざまな物を注視することができ,眼前で動かすと,追視することができている
聴力	終始閉眼状態であるが,耳元で話しかけると,開眼する.すぐにまた閉眼してしまうが,話しかけると再び開眼するなど,音声刺激に対する反応あり
関節可動域	他動的には可動域は正常範囲内であるが,全身の関節に廃用性のものと思われるこわばりが感じられ,特に右股関節,両膝関節,両肩関節,両肘関節では,最終可動域付近になると,顔をしかめ,痛みと思える反応を示す
筋力	指示に従うことができないため,筋力検査は実施せず.普段の状態は全身が脱力状態で,他動的に座位をとらせようとしても前方や側方に"つぶれて"しまうような状態で,上下肢も空中で保持できない状況であるが,稀に重力に抗するように自発的に上下肢を動かす姿も目撃されている.上下肢を含め,全身筋の廃用性の萎縮がみられている
ADL	
起居動作	全介助.寝返り全介助.他動的に座位をとらせようとしても前方や側方に崩れるように倒れてしまう.普通型車椅子上での座位保持は不可
歩行動作	不可.自室ベッド上で寝たきり状態
食事動作	全介助にて,経口摂取を行うが,自発的な口開け,咀嚼はみられない.常に,口開けや咀嚼,嚥下の強い促し介助が必要.摂取量が少ないので,高栄養流動食を定期的に摂取してもらうこと,および点滴管理をしている
排泄動作	便・尿ともにおむつ使用.排尿・排便の訴えやサインはみられない
更衣動作	全介助
入浴動作	全介助(機械浴)
整容動作	全介助
認知	
●コミュニケーション困難(自発言語もなし)なため,記憶や見当識などの判断はできない ●「目を開けて」の指示に従えるが,単なる音声刺激による反応とも考えられる ●終始閉眼状態で,音声や体を揺り動かすなどの刺激で開眼させても,維持ができずに再び閉眼状態になってしまう	

B 作業療法評価・実施計画

1 評価

入所当初は完全な寝たきり状態であり,終始閉眼状態で自発的な動作や発語はまったくみられず,ADLも全般にわたって全介助状態であった(▶表1).N式老年者用精神状態尺度(NMスケール)では0点で"重度認知症",N式老年者用日常生活活動能力評価尺度(N-ADL)では1点であった.

Fさんの現在の状態は,もともと活動性や意欲が著しく低下していたことに加え,入院による寝たきり状態によって,精神機能がいっそう低下してしまった状態であると考えられた.

同時にそれが,身体機能を実際の能力状態より

> **Keyword**
> **N式老年者用精神状態尺度(NMスケール)** 高齢者および認知症高齢者の日常生活における実践的な精神機能(認知症の症状)を種々の角度からとらえ,点数化して評価する行動評価尺度である.N-ADLとの併用で,日常生活面での実際的能力が総合的にとらえられる.
>
> **N式老年者用日常生活活動能力評価尺度(N-ADL)** 高齢者および認知症高齢者の日常生活活動能力を種々の角度からとらえ,点数化して評価する行動評価尺度である.NMスケールとの併用で,日常生活面での実際的能力が総合的にとらえられる.

も低下させていると考えられた．さらに，仙骨部の褥瘡や関節の拘縮，筋の廃用性の萎縮などの**廃用症候群**を引きおこしている原因ともなっていることは明らかであり，このままでは廃用症候群のいっそうの悪化が予測された．

2 実施計画

作業療法部門においては，以下の5点を当初の目標として，取り組みを開始した．
① 寝たきり状態からの脱却
② 感覚入力の寡少状態からの脱却
③ 精神機能の活性化
④ 廃用症候群の防止・軽減
⑤ 食事の経口摂取の継続（ADL）

C 治療・指導・援助

1 寝たきり状態からの脱却，経口摂取の継続

他動座位でさえも安定しないことから，フルリクライニング車椅子を使用して徐々に背を起こしていくこととし，1時間起こしたら1時間はフラットにするようにし，その間も介護スタッフが適宜体位変換を行った．

食事も当初ストレッチャー上で軽度ギャッチアップしてとっていたのをフルリクライニング車椅子上で背を起こしてとることとした．摂取量の少なさから，カンファレンスにて経管栄養も検討されたが，経口摂取を続けていくことを提案するとともに，食事介助については作業療法部門が昼食時に担当するようにした．

2 感覚入力・精神機能の活性化

全身の各関節の関節可動域運動を毎日実施した．カンファレンスにおいて，ただ離床してもらうだけでなく，その間にさまざまな刺激を与えることによって精神機能を活性化させることが可能であることを説明した．そして，Fさんへの頻回な声かけやスキンシップ（耳元で名前を呼んで開眼してもらい，手や体に触れながら挨拶や声かけをしていく）を，支援相談員や事務職員も含めて施設スタッフ全員が行っていくこと，フルリクライニング車椅子を使用して生活圏を拡大していき，レクリエーションや行事，集団リハビリ体操などの場には必ずFさんを誘導することを提案し，実施することを決定した．

3 刺激材料の検討

作業療法部門においては，Fさんに対してより効果的であると考えられる刺激材料を検討し，関節可動域運動の機会などを通じて与えていくこととした．

刺激材料を検討する際に参考としたのは，Fさんの生活史と趣味である．当時としては非常に高い水準の教育を受けていたこと，青年期から50歳代まで文章や文字・活字を扱う仕事をしていたこと，青年期から高齢期（つい最近まで）にわたって非常に読書を好んでいたことから，「読書」「活字」「文字」をキーワードに，いくつかの刺激材料をFさんに与えて反応をみることとした．

また，歌を聞くことも少女期から高齢期にわたって非常に好んでいたことから，同様に反応をみた．

4 刺激材料の効果

まず，耳元で昔話を朗読するも無反応で，閉眼

> **Keyword**
> **廃用症候群** 心身の機能を十分活用しないことにより，本来低下すべきでない心身機能が低下する状態で，高齢者の場合，この影響はきわめて甚大である．寝たきり，寝かせきりは廃用症候群の最大の原因となる．

状態に変化なく，声かけをして開眼状態にしてから行っても，すぐに目を閉じてしまった．続いて行った小説の朗読でも，結果は同じだった．また，女性支援相談員の協力のもと，女性の声で試したが，これも結果は同じだった．

次に，声かけをして開眼状態にしてから画用紙に大きく書かれた平仮名（1字）を見せ，「Fさーん，声を出して読んでくださーい！」と大きな声で指示をしてみた．開眼状態は維持できるものの，注視しているだけであった．

続いて平仮名だけでできた3文字程度の単語（「りんご」「さかな」など）を示し，同様の指示を与えるものの，結果は先ほどと同じであった．

この時点で次の課題は無理と思われたが，準備してあったこともあり，試行してみた．漢字も混じって書かれた1行の文章（「昔むかしあるところに……」など）を見せ，やはり今までと同様の指示を与えると，なんと，小さい声ではあるもののはっきりと声を出して文章を読むことができたのである．このときの驚きは，あとで介護スタッフや看護師にこのエピソードを伝えても，誰一人として信じてもらえなかったということからも，わかるであろう．

しかし，2行，3行と行が増えてくると途中で止まってしまい，特に行が変わると止まってしまう傾向があった．改行が原因と思われたため，1行を長くしてみたが，やはり途中で読むのを止めてしまっていた．

歌を聞かせての反応については，演歌や民謡，童謡，クラシックと，どれを聞かせても開眼状態にはなるが，反応に差はなかった．ただし，童謡については筆者が耳元で歌いながら一緒に歌うよう促すと，歌いはじめだけは一緒に歌うように声を出すことがあった（筆者が「ポッポッポッ，ハトポッポ……」と何度も歌うと，合わせて「ポッポッポッ」と小さな声で歌う）．

5 プログラムの発展

これらの結果を受けて，作業療法部門においては，関節可動域運動のとき以外に，毎日午前11時30分と午後4時の1日2回，「簡単な文章（活字）読み」「童謡鑑賞」「歌を歌ってもらう」の3つのプログラムを実施することとした．

「簡単な文章（活字）読み」を行ってから歌ってもらうようにすると，歌が出やすく，まもなくこちらからの問いかけに対して，自分の名前程度であれば答えられるようにもなってきたので，実施1か月経過時点で，上記のプログラムに「自身や家族のことについての簡単な受け答え」を追加した．

これは，筆者がたまたま知っていた次男の名前を上記のプログラム中に発した際に，Fさんが自発的に次男の名前を言い出したことから追加したものである．夫や子どもたち，さらに最近まで同居していた次男の家族について名前を答えてもらうように問いかけをした．名前を調べて，家族図を作成し，それを片手に問いかけを繰り返した．

3か月経過時点での状況は，相変わらず終始閉眼状態で自発言語はまったくないものの，「簡単な文章（活字）読み」のときの声は驚くくらいはっきりした声を出すことができるようになった．時折難しい漢字が出てきても読むことができ，読むことのできる文章も開始時に比べると長くなっていた．

最後に「自身や家族のことについての簡単な受け答え」を行うと，自分の名前，次男の名前，四男の名前は正しく答えられるが，夫や他の子どもたちの名前は答えられなかった．また，自身の年齢は18歳で未婚であると答えるものの，「子どもは3人」と答えるなど支離滅裂であった．終了後はしばらく開眼状態でいることができており，周囲をぼんやりと眺めて過ごす姿がみられていた．

食事摂取についてもスプーンを口に近づけるだけで口を開けられるようになり，介助に要する時間が短縮されただけでなく，摂取量も増加し，点

滴の必要性はなくなった．しかし，全介助であることには変化なく，「モグモグ」「ゴックン」と声かけしたり，頬をつついて促さないと咀嚼嚥下はできないことが多く，介助量は依然多い．

フルリクライニング車椅子上の座位は安定してきたため，普通型車椅子に変更した．左右の脇にクッションを入れ，ポジショニングするとともに，疲れてくると左右へ大きく倒れてしまうので，特に時間は決めずに適宜様子をみながらベッド上へ移して休んでもらうようにし，座位生活が主になるようにしていった．さらに，毎日2回の「簡単な文章（活字）読み」などのプログラム実施を，プラットホーム上で筆者が後ろから抱え込むようにしての他動座位姿勢で行うようにし，座位保持練習の意味ももたせるようにした．

自発的に上下肢を動かすことは相変わらずほとんどみられないが，関節の拘縮については防止できており，全身関節のこわばりや右股関節にみられた軽度拘縮によるものと思われる痛みの表情もなくなった．仙骨部の褥瘡もほぼ完治した．

6か月経過時点では，毎日2回の「簡単な文章（活字）読み」などのプログラムは，筆者が横に並んで座り，左右へ倒れないように軽く支える程度での座位で行えるようになってきたため，そのままプログラムのなかで輪投げやボール投げを行うようにした．かなり促さないと動作をおこそうとしないが，数回ではあるが行うことができていた．相変わらず閉眼状態でいることが多く，自発言語もないが，レクリエーションなどの刺激があれば開眼状態でいることができるようにもなった．

「結婚していて子どもがいる」と話すようになり，子どもの名前も次男，四男に加え，長男と五男の名前が答えられるようになったが，子どもたちはまだ幼いという認識であり，面会に来た次男などの顔もまったく理解できていない．

食事は，スプーンを持ってもらい，1回1回口へ運ぶのを介助していると，何回かは自力のみで口へ運ぶことができるようになってきた．しかし，相変わらず咀嚼と嚥下には促しが必要であった．

8か月目くらいからは，「簡単な文章（活字）読み」などのプログラムを，プラットホーム上に端座位になり，筆者との対面で30分間程度は行えるようになるなど，自力座位が安定してきたため，「起立・立位保持練習」を新たに追加して行った．

9か月経過時点には，一部介助で起立ができるようになり，肋木（ろくぼく）につかまっての立位保持であれば30秒程度可能となったので，カンファレンスにおいて，ベッドから車椅子の移乗の際には，介護スタッフは全介助で行ってしまわずに一部介助で行うように介助方針を定めた．また，「ハトポッポ」や「富士山」などの簡単な童謡であれば，出だしを歌ってあげると途中介助は必要であるが，最後まで歌うことができるようになった．

年齢は答えられないが，会話のなかで自分のことを「おばあさんだから……」と言うことがみられるようになってきており，夫がすでに亡くなっていることや，子どもたちはもう大きいということも口にするようになってきている．

毎日の集団リハビリ体操参加時には，傍らで促せば手を上げたり回したりといった簡単な動作を行えるようになった．ボール投げなども，以前は眼前にボールが来てもそのままボールを見ているだけで，手を出すことも避けようと首を動かすこともなく，顔に当たってしまうような状態であったが，反射的に手が出るようになってきている．

食事動作は，今までと同様にスプーンを持ってもらい，1回1回口へ運ぶのを介助している．何回かは自力のみで口へ運ぶことができているが，相変わらず咀嚼と嚥下には促しが必要である．

11か月経過時点（退所を1か月後に予定した時点）の状態は，起立動作の一部介助には変化ないが，つかまり立ちは安定し，一部介助で車椅子への移乗もできるようになり介助量は大きく減少した．相変わらず，刺激がないと閉眼状態でいることは多いが，リハビリ体操も少しずつ手を上げたり回したりといった簡単な動作を行えている．

自発言語も時折みられるようになり，表情が豊かになってきている．まだ退所予定が決まってい

ないころ，面会に来た次男が「○○だよ．おかあさん」と言うと，大粒の涙を流して泣き出してしまったことがあり，次男夫婦ももらい泣きをしてしまうというエピソードがあった．

食事動作は，途中までは自力で摂取動作を行えるようになったが，動作の中断は依然としてみられ，介助を必要としている．咀嚼や飲み込みは促さなくてもできるようになり，食事自体の摂取量も増加，高栄養流動食を使用する必要もなくなった．何より，食事介助に要する時間が短くなったことは，スタッフも喜んでいたことである．

6 目標の達成から家庭復帰へ

寝たきり状態から座位保持可能へ，そして起立・つかまり立ち・移乗動作能力の向上による介助負担の軽減．また，食事の経口摂取能力の向上による，本人の栄養状態の向上と介助負担の軽減．これらにより，次男家族はFさんを家庭復帰させることに非常に前向きになり，入所から1年経過を目前に退所が予定されることになった．

ところが，退所を2週間後に控えたときに，風邪をひいてしまった．1週間程度の治療・安静ののち，風邪症状は全快したものの，再び入所当時のような寝たきり・終始閉眼状況に戻ってしまった．退所が危ぶまれたが，結局，家族の希望でそのまま退所となった．しかし，退所先は予定されていた家庭ではなく，長期療養のできる他病院であった．

D 考察・まとめ

1 寝たきり状態の要因

本ケースのように，重度の認知症状態から寝たきり🔑へと移行してしまうケースにこれまで多く出会ってきた．そして，その多くは脳の器質的変

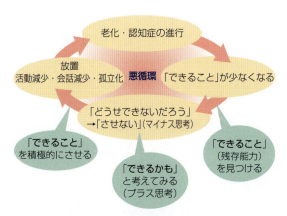

▶図1 「放置」をめぐる悪循環とアプローチの視点
〔新井健五：廃用症候群を防ぐためのリハビリテーション—(2)作業療法士の視点から．総合ケア 14(8):38-43, 2004 より改変〕

化の最終局面に伴う脳機能の低下（一次的要因）によるものというよりも，廃用状態（二次的要因）によって移行したものであった．

認知症が進行して「できること」が少なくなると，いわゆる「放置」されてしまう傾向が強くなる．「どうせ，何もできないから……」と何もさせてもらえなくなったり，「何を言ってもわからないから……」と話しかけてもらえなかったり，部屋に1人で，ただおかれるようになる．

このような「孤立」「孤独」「会話の減少」「活動の減少」が，認知症症状を悪化・進行させる（▶図1）．また，身体機能の低下がある場合や，主な認知症症状が意欲や活動性の低下の場合，うつ状態の場合などでは，さらに容易に廃用状態を引きおこして寝たきりへと移行させやすくしてしまう．

本ケースの場合は，もともと主な認知症症状が意欲や活動性の低下ではあったが，デイケアの積極的利用などにより，廃用状態や寝たきりになることは防げていた．しかし，骨折治療のための入

🔑 Keyword

寝たきり 寝たきり患者のもつ疾患としては，脳血管障害が30～50％，骨折が10～20％とされる．このほかに高血圧症，心臓病，老人性認知症などがあげられる．リハビリテーションの不足による廃用症候群から二次的になる場合もある．

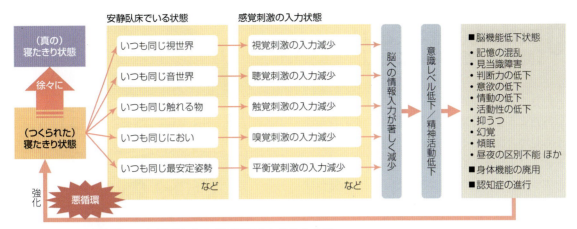

▶図2　つくられた寝たきりが引きおこす悪循環のとらえ方の例
〔新井健五：廃用症候群を防ぐ認知症ケア―残存能力を活かす視点から. 総合ケア 17(8)：25-29, 2007 より改変〕

院安静という「つくられた寝たきり状態」におかれたことによって廃用状態へ一気に陥り，そのまま寝たきりへと移行してしまったと考えられる．

2 つくられた寝たきり状態から真の寝たきり状態へ

寝たきり状態は，自然と人を終始閉眼状態にさせてしまう．そして，たとえ目を閉じているだけだったとしても，周囲からは眠っている人として認知され，かかわってもらえなくなる．

人が寝たきり状態に置かれかかわってもらえなくなる影響は，目や耳からの感覚刺激が寡少となるだけではない．自力で手足を動かさないため，固有感覚や皮膚感覚，平衡感覚の刺激も寡少になる．口から食べなくなれば味覚からの入力も寡少となるのである．

人はこうした状態に長期間おかれると，意識レベルそのものが低下し，精神活動を低下させてしまう．それは，脳機能の低下をさらに加速させることにもなる．そして，精神活動の低下は，身体機能についても有している能力より低い状態をつくり出し，徐々につくられた寝たきり状態から真の寝たきり状態へと進行させてしまう（▶図2）．

3 多側面からのアプローチ

つくられた寝たきり状態が生み出す連鎖は，放っておけば自然と「悪循環」へと陥っていく．これを防ぐには，連鎖を断ち切ることである．だが，本ケースのように重度の認知症症状から寝たきりになった場合，それでは効果は弱いうえに，身体面のみ，精神面のみというようにアプローチを偏らせてしまうことにもなる．とりわけ本ケースのような場合では，拘縮予防のための関節可動域運動のみといったアプローチになりやすい．

ここで重要なのは，多側面からのアプローチである．まずは環境面から調整して（自力座位が困難でも使用できる車椅子の使用など），とにかくベッドでの寝たきり状態を解消するとともに，他動座位から開始して，自力座位へと「座力」をつける．これだけで心身ともに大きな（劇的な）改善をみせるケースは少なくない．

加えて，廃用症候群の予防と進行防止，改善のためのアプローチ（関節可動域運動など）と，何よりさまざまな刺激を心身両面から入力し，たとえ反応が明確に得られなくても，刺激を与え続けていくことである．

4 「残存能力(できること)」と「問題点(できないこと)」

Fさんのような完全な寝たきりでかつ無反応といったようなケースでは，「残存能力」を心身両面から見つけ出し，それを強化していくという視点が非常に大切となる．

本ケースに，「問題点(できないこと)を見つける」という視点のみで評価を行ってしまうと，対象者を膨大(巨大)な「問題点(できないこと)の塊」としてしかとらえられなくなってしまう(眼前に立ちはだかってくることになる)(▶図3)．そうなると，「これは，よくなる見込みはない」などと判断され，結果的に取り組みを放棄されてしまうことになりやすい．また，いざ取り組もうとしても，「何から・どこから」手をつけてよいのかわからなくなってしまう．

「問題点(できないこと)」を洗い出してできるようにすることと，「残存能力(できること)」を見つけて伸ばすこととは，相反する取り組みのように思えて，そうではない．重度の認知症高齢者に限らず，「残存能力(できること)」の強化は，「問題点(できないこと)」の改善への手がかりにもなる．

しかし，「残存能力(できること)」は，大量の「問題点(できないこと)」に覆い隠されて，見つけ出すことが困難な場合が多い．その際に有効となるのが，「昔取った杵柄」の視点である．認知症高齢者の残存能力は，個人の生活史や趣味と大きく関連する「昔取った杵柄」に基づくことが多い．

ただ寝ているだけの状態で，できることなど何もない，と思われていたFさんから，「声を出して文章(活字)を読むことができる」という残存能力を発見できたのも，その考えによるものであった．生活史から，「読書」「活字」「文字」に関連する能力が「昔取った杵柄」に基づく能力にあたると考え，わずかでもその能力が残存しているのではないかと考えたからである．

そして，それを強化していった(発見された残

▶図3 問題点の(巨大な)塊を前にした援助者の心象
(圧倒・困惑・悲嘆・あきらめ・放棄)
〔新井健五：第Ⅲ編廃用症候群の正体とリハビリテーションの視点. 折茂賢一郎，他：別冊総合ケア 廃用症候群とコミュニティケア. p190, 医歯薬出版, 2005より〕

存能力そのものの強化だけでなく，その能力を広げていくこと)結果，これがきっかけ(手がかり)となって，低下していた精神機能の賦活に有効に作用し，身体機能や日常生活活動の向上への好影響にもつながっていったと考えられるのである．

5 生活圏の拡大

図4にNMスケールとN-ADLの評価点の経時的変化を示す．入所後，自室ベッド上での寝たきり状態からフルリクライニング車椅子上での生活となることで，「生活圏」が大きく拡大された．加えて，本人の興味・関心(「昔取った杵柄」の視点)を生かした取り組みを行うことで，「関心・意欲，交流」の向上がみられた．

生活圏が拡大すると，必然的に入力される刺激や交流の量も頻度も多くなるわけで，関心や意欲の向上にも有効に作用していたと思われる．「関心・意欲，交流」の向上に比例するように，「会話」

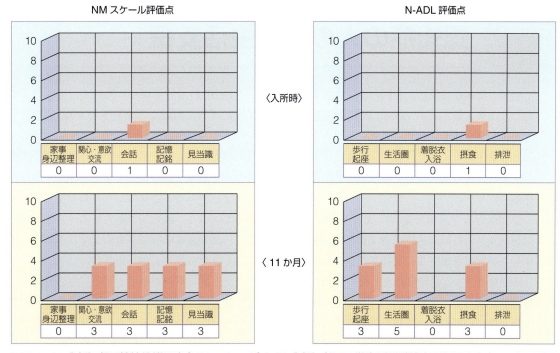

▶図4 N式老年者用精神状態尺度(NMスケール)とN式老年者用日常生活活動能力評価尺度(N-ADL)の評価点の経時的変化

や「記憶・記銘」「見当識」も向上している．この点からも，関心や意欲を高める取り組みは重要であり，その手段として「昔取った杵柄」の視点を生かした取り組みと，早期から寝たきりを解消して刺激や交流の多い環境におくことが重要であることがわかる．

6 大切な視点

完全な寝たきり状態から起立・つかまり立ち，移乗動作一部介助へ，また，食事の経口摂取能力の向上というような，ADLの向上とそれに伴う介護負担の軽減が，困難と思われた家庭復帰実現へと家族を向かわせたのは事実ではあるが，それ以外の理由も，大きかったようである．それは，Fさんが子どもたちの名前を言えるようになったということであり，さらには，次男の顔を見て泣き出したというエピソードであった．子どもの名前が言えるようになる程度の変化は些細なことのようにも思える．しかし，実はそれこそが家族にとって最も心を揺り動かしたことであり，家庭復帰を決断させるきっかけになったのである．

リハビリテーションの効果をはかる際には，客観的な機能や動作能力の向上などで判断がなされ，また目標も立てられがちである．しかし，本ケースのような場合，このようなストレートに感情に訴えかけてくる変化のほうが，目標や効果として，現実性も意義も高いのかもしれない．自分の大切な人が，Fさんのような状態であったなら，座ったり立ったりできるようになることよりも，わからなかった自分の顔や名前がわかるようになってくれることのほうが，どれほどうれしいだろう．

そう考えると，作業療法が果たす役割や効果は，私たちが考えている以上に大きいといえ，目標設定やプログラム立案に際して，このような視点を忘れないようにしなければならない．

COLUMN 認知症の人の地域生活支援

全国の認知症者数が，全国の小学生数を上回ることは第Ⅰ章8（➡ 67ページ）ですでに述べた．安心・安全な通学のためにスクールゾーンや旗振り当番があるように，認知症になっても安心して生活できる地域づくりは社会全体の課題である．

認知症の人や家族を地域で支える仕組みは，認知症カフェや認知症伴走型支援事業，チームオレンジなどさまざまに展開されつつある．

認知症カフェは認知症の人とその家族，住民，専門職が安心して気軽に集い，認知症に関する情報交換や相談ができる場である．そもそも認知症カフェは，公的な制度に基づくものではないため，地域包括支援センターや医療・介護施設，NPO法人，街の喫茶店など，さまざまな主体により取り組みが広がっている．作業療法士のかかわりとしては，所属する医療機関や介護施設でカフェの立上げや運営に携わる場合もあれば，都道府県作業療法士会の所属として家族会や自治体と連携して運営に携わる場合，個人でボランティアとして地域のカフェに携わっている場合など多様である．

認知症伴走型支援事業は，市町村が地域の既存資源を活用して介護者の負担軽減につながるよう，本人や家族に対して日常的・継続的な支援を提供するための拠点を整備するもので，本人の生きがいにつながるような支援や専門職ならではの日常生活上の工夫などの助言や，効果的な介護方法や介護に対する不安の解消など，家族支援を継続的に行うものである．

一方，チームオレンジは，認知症サポーターなどの住民を主体とした支援者と，認知症の人の身近な生活支援のニーズをコーディネートする仕組みとして，2019年度から整備が進んでいる（▶図1）．背景には，地域で認知症の人や家族に対して可能なサポートをする「認知症サポーター」の育成が2022年9月末時点で1,400万人以上に達した[1]にもかかわらず，講座の受講のみで地域支援の実践に結びつきにくかったことなどがある．これは，一方的な支援体制の整備ではなく，認知症の本人もチームの一員として，認知症になっても安心して住み続ける地域づくりを目指すものである．

また，認知症の当事者が自分自身の経験をもとに認知症と診断されたあとの不安や悩み，今後の想いなどを当事者どうしで語る場を設ける「ピアサポート活動支援事業」の取り組みも進んでいる．厚生労働省では，認知症の当事者本人を「希望大使」として任命し，国が行う認知症の普及啓発活動や国際会合への参加・協力を求める取り組みもある．

これらの取り組みは，2019年（令和元年）に策定された「認知症施策推進大綱」に基づき加速している．認知症の人は支援される側の人という従来の発想ではなく，人としての意思の尊重という当たり前の社会の流れを理解し，本人のニーズに応じた支援の提供が求められている．

筆者も，チームオレンジのコーディネーター育成や子どもを含む住民向けサポーター講座，県内市町村の認知症施策推進アドバイザー，認知症関連の条例策定委員などを務めてきた．その経験から，人と環境，作業を一体的にみることができる作業療法士の視点が，認知症にやさしい地域づくりにおいても非常に役立つと感じている．

その一方で，これまで作業療法は医療保険や介護保険など公的制度内のみでの活動が多かった．しかし，ここに紹介してきた活動には公的

COLUMN 認知症の人の地域生活支援 ● 217

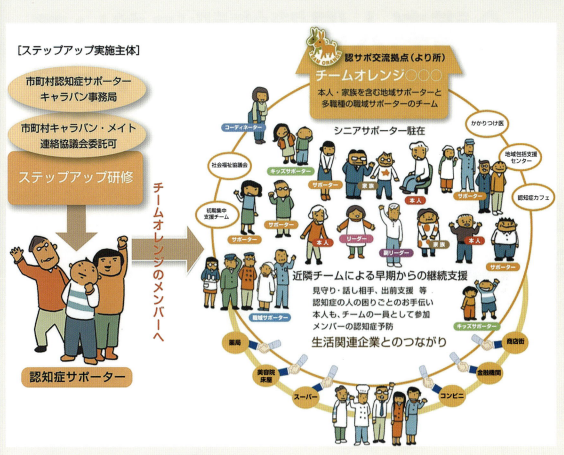

▶図1　チームオレンジの取り組みイメージ
〔特定非営利活動法人地域共生政策自治体連携機構ホームページより〕

制度に基づかないものも含まれる．当然だが職名記載などなく，診療報酬のように算定の基準が明示されているわけでもない．つまり，「作業療法士に何が求められているのか」は，自分たちの地域特性をふまえ，住民や行政，他職種と連携しながら，自らの活動や経験を通して考えていくものである．声がかかるのを待つスタンスではなく，自分たち作業療法の知識や技術といった知的財産をどのように地域社会に還元していくかという積極的な視点が重要である．

これまでの作業療法は，認知症の人に個別的にかかわる機会が多かったが，今後は認知症施策の基本指針を理解し，認知症の人が住みやすい地域づくりにもかかわっていくこともさらに求められるだろう．

●引用文献
1) 認知症サポーターキャラバン．
　https://www.caravanmate.com/

7 介護老人保健施設において エンド・オブ・ライフ・ケア を実施したケース

> **GIO 一般教育目標** 終末期にて，その人らしさを大切にし，寄り添ってかかわることの重要性について理解する．
>
> **SBO 行動目標**
> 1) 終末期における，エンド・オブ・ライフ・ケアの考え方について説明できる．
>   - ①対象者がどんな人生を送りたいのか，最期までどうありたいのかなど，その人の人生に焦点を当てることの大切さについて説明できる．
>   - ②家族を含めた対象者の周囲の人と目標を共有することの重要性について説明できる．
> 2) エンド・オブ・ライフ・ケアの流れについてクラスの中で説明できる．
>   - ③Gさんの臨床像について列挙できる．
>   - ④その人らしい姿を送るために，尊厳をもったかかわりと質の高いQOLの提供について説明できる．
> 3) 終末期における作業療法士の役割について100字程度にまとめることができる．
>   - ⑤病期に適した作業療法の実施内容について説明できる．
>   - ⑥チームの一員として，作業療法士が果たす役割について説明できる．

A 思いを知り寄り添う

　人は生を受けた以上，いずれは死を迎えるものである．私たち作業療法士は，その人らしい最期を迎えるために，その人の言葉を聞き，その人らしい最期を考え，介護老人保健施設の各専門職の間だけでなく家族も含めた皆で共有してかかわることが大切だと考える．

　「最後まで『その人らしい生き方（＝人生）』を尊重することが重要である」との考え方による，エンド・オブ・ライフ（人生の最終段階）に向かい合うケアとしての「エンド・オブ・ライフ・ケア」の考え方を施設として大切にしながら，「老健での看取り」として実施している．今回はそのなかの一例を紹介する．

　おしゃれ好きで，太めの黄色い毛糸で手編みしたふんわりニット帽がトレードマークのGさん．食事摂取量が低下しているものの，食べることが大好きで，いつも車椅子を自走しながら「腹が減ったなぁ」「どこかにおいしいものは落ちてないかなぁ」と，すれ違うスタッフに満面の笑顔で声をかけている．そんなGさんの思いを受け止め，Gさんらしい最期を迎えられるようにかかわったエンド・オブ・ライフ・ケアの介護老人保健施設での実践をお伝えする．

症例提示

■一般的情報
①症例：Gさん，女性，92歳．
②診断名：慢性硬膜下血腫，アルツハイマー型認知症．
③既往歴：パーキンソン病，右鎖骨骨折，腰椎圧迫骨折，脳出血．

■家族からの情報
①生活歴：長女で生まれ，地元の小中学校を卒業．幼少期より家業の農業を手伝っていた．その後，婿を迎え，2人の子どもを授かる．自身は引き続き家畜や農業を営み，夫は勤めに出ていた．生まれてから今まで同じ土地で暮らし，夫は亡くなってからも，息子家族との同居生活を送っていた．
②性格：人と話をすることが好きで，物事をはっきりと言う性格．
③入院から入所までの経過：転倒により硬膜下血腫を受傷し，当施設併設の回復期病棟へ入院となる．麻痺症状などはないが，下肢や体幹の筋力低下は著しく，車椅子の生活となる．認知機能低下による場所の見当識欠如，注意散漫，危険認識の欠如，収集行為などがあり，日中はスタッフの見守りが必要な生活となっていたことから当老健施設認知症専門棟へ入所し，グループホームへの入居の順番待ちとなっていた．

B 作業療法評価

1 入所時評価・実施計画

入所時は，障害高齢者自立度B1レベル，認知症高齢者の日常生活自立度はⅢaレベルであった．下肢や体幹の筋力低下，認知症の症状として場所の見当識障害，収集癖，危険判断力の低下などが生じていた．基本動作は自立していたが，移動に車椅子を使用し，日中はスタッフの見守りでの生活となっていた．

入所時の作業療法の目標は，グループホーム入居に必要な動作の獲得としてベッドと車椅子の移乗動作の自立であり，ブレーキ操作を忘れてしまうことに対する自動ブレーキ車椅子や低床ベッドの適応，習熟による移乗動作の安定性向上について練習・支援を行っていた．

2 面接・観察評価

a Gさんらしい生活や人生

Gさんらしい生活や人生を知ることは，介護老人保健施設での作業療法を実施するうえで必要であるが，特にエンド・オブ・ライフ・ケアの方針を決めるうえでは最も重要な視点となる．大切なことは，早期から「どのように生きてきたのか」「どのような最期を迎えたいのか」の確認を行うことである．その時々で内容が変わることがあるため，それぞれの職種が場面を変えて思いを聞き，必ず聞いた内容をカルテに記載し，各専門職の間で共有することが大切である．

b Gさんの好きなこと

Gさんを知ろうと話を聞いていくなかで，食べ物やおしゃれについて話題にあがることが多かった．「うんめぇものが食べたいなぁ」「もう歳だから…いつお迎えが来てもおかしくない．最後はうんまいものが食べられればいい」との発言がGさんの決まり文句となっていた．昔の話を聞くと「畑仕事の合間に食べるお饅頭はおいしかった」「昔は家で餅つきして…あんこもそれぞれの家の味があった．とっても甘いのが好きだった」「パンも甘い菓子パンが好きだよ」など，Gさんは，おいしいものを食べること，特に甘いものを食べることが大好きであることがわかった．

また，普段よりおしゃれが好きで，自身で編んだ帽子やマフラーなどを身につけて，鏡もこまめにチェックすることが多かった．「服でもご飯でも自分でつくるのが好きなんだ」「今みたいに洋服を買える時代ではなかったから…全部自分でつくっていた．子どもが大きくなるたびに，編んではほどいて，編んではほどいて…ってサイズを変えて着せていたんだよ」「子どもも新しくなると喜んでねぇ」など，和裁や編み物を得意とされ，若いころは自分や家族のために着るものを仕立てていたことがわかった．

3 病状説明とエンド・オブ・ライフ・ケアの意向確認

入所時から1回の食事摂取量の低下が懸念されていた．入所2か月後の定期検査の結果，貧血の進行が認められ，医師より家族へ「検査の結果，便潜血反応があり癌の可能性がある．しかし，検査をしないと癌かどうかは確定ができなく，また，治療や手術もできるかもわからない」と説明があった．家族は「本人が元気なころに，『管を付けてまで生きたくない』と言っていた」と話され，積極的な治療や検査は希望せず，当老人保健施設でのエンド・オブ・ライフ・ケアを選択した．

C 治療・指導・援助

終末期は，時期により対象者の状態が変化し，その状態に合わせた治療・指導・援助を検討していく必要がある．当施設では，エンド・オブ・ライフ・ケアを「食欲低下期」「点滴開始・経過観察期」「危篤状態・死亡までの時期」の大きく3つの時期に分けて取り組んでいる．今回，その時期ごとに合わせ作業療法目標とプログラムをまとめた（▶表1）．

1 食欲低下期

a 水分摂取への支援

Gさんのおやつ（毎日）と昼食（週1回程度）の時間に直接支援を行った．

お茶を飲むという作業のなかで，特に「嚥下」の工程において，むせ込みがみられ誤嚥のリスクが高い状態であった．作業療法は「お茶を口に入れる」工程を支援することで，水分を飲み込む力の弱さを補うことを計画した．支援前の「お茶を口に入れる」工程では，コップを使用して一度に多量の水分を口腔内に取り込み，頸部を伸展させて飲み込むため，むせ込みを増強させていた．口頭で頸部を伸展しないで飲むように修正を促したが，記憶力の低下もあり動作の定着は困難であった．そのため，自助具として蓋付きマグカップ，ストローを使用して摂取する方法を適応した．道具を変更することで頸部は前屈し，1口量も少なくなり，水分摂取時のむせ込みは軽減した．

b 地元の行事への参加

当施設は，イベントとして入所者が地元の夏祭りなどの行事に参加できるようにバスハイクというものを企画している．夏祭りはGさんが昔から毎年参加していた行事である．参加のためには，現地でトイレへ行けること，長時間の座位を保てることなどが必要である．

作業療法では，現地での排泄に対する練習として，夏祭り会場の右側手すりの車椅子用トイレに合わせ，当施設で同じような環境のトイレで排泄練習を行い動作の習熟をはかった．長時間の座位保持に対しては，毎日の役割活動（エプロンたたみ，タオルたたみ，おやつづくりなど）を提供し，日中はベッドから離れて過ごせるように働きかけた．また，お化粧も一緒に取り組み，おしゃれを楽しむ機会とした．久しぶりのお化粧に「紅なんか，久々にひいたなぁ」ととても嬉しそうな表情がみられた．会場で神輿や盆踊りなどを目の当た

▶表1　3つの時期の身体の状況に合わせたチームケアの方針と作業療法目標・プログラム

	食欲低下期	点滴開始期・経過観察期	危篤状態・死亡までの時期
障害高齢者自立度	B2	B2〜C1	C2
認知症高齢者の日常生活自立度	IIIa	IIIa	IV
生活状態の変化	●普通型車椅子自走可能だが，離床時の傾眠 ●リハビリテーションやレクリエーション終了後すぐに部屋に戻る ●ベッドでの臥床時間 ●移乗時の介助量 ●ADL全体に自力で行えるも時間がかかる	●自力での座位姿勢保持困難(ティルト型車椅子) ●移動全介助 ●排泄全介助 ●日中ベッド上で過ごす時間	●口からほとんど食べることができない ●栄養摂取手段は点滴
チームケアの方針	●継続的にAさんの想いを聞き，気持ちに寄り添いAさんらしさを大切にする ●家族の積極的なケアの参加の機会提供 ●地元行事の参加機会をつくり，家で暮らしていた生活に近い状態の維持	●居室に季節感を感じられる環境設定 ●スタッフ訪室回数，バイタルチェック回数の増加(急な状態悪化を考慮)	●家族と過ごす時間を大切にする ●家族への支援(細やかな病状の伝達，家族の希望の聴取，想いの傾聴)
作業療法目標	●安全な食事摂取の継続 ●廃用症候群の予防 ●安全に行事参加ができる支援	●シーティングによる安楽な姿勢の保持 ●食事環境調整(自力摂取の継続) ●人間らしい身体を保つこと(皮膚清潔保持・関節拘縮予防) ●家族とかかわる機会の提供	●人間らしい身体を保つことの継続 ●痛みなどなく安楽に過ごすことができる
作業療法プログラム	①水分摂取への支援 ②地元の行事への参加	①離床・シーティング ②食事摂取量の維持 ③関節拘縮や著しい変形の予防 ④家族支援	①関節拘縮予防 ②口腔ケア ③整容 ④家族支援

りにすると，子どもと出かけたころを回想し「昔と変わらないなぁ」と懐かしむ様子や，聞こえてくる笛や太鼓の音に合わせて手拍子して喜ぶ様子もみられた．なお，これはGさんが毎年楽しみにしていた夏祭りの最後の参加となった．

2 点滴開始期・経過観察期

a 離床・シーティング

徐々に体幹の支持性・耐久性が低下し，普通型車椅子では姿勢が崩れ，座位を保てない様子が多くなる．作業療法では，ティルト型車椅子を利用し，座位の崩れがおきない背もたれの角度を検討した．ティルト機能を用いて背もたれを30°倒し

た状態だと長時間姿勢の崩れがおきないことを確認し，他職種への対応の統一を働きかけた．また，体重減少による殿部の痛みや坐骨結節や仙骨の褥瘡リスクの軽減をはかるため低反発クッションを敷き調整をした．外へ出かける際には，トレードマークの帽子を自らかぶり，髪を整え，「気持ちがいいなぁ」「今日もいい日を過ごせたなぁ」と楽しまれていた．

b 食事摂取量の維持

嚥下能力の低下に伴い水分はトロミ付き・ゼリー状の物へ，食事の形態はミキサー固形と軟らかいものへ変更となった．空腹の訴えが頻回に聞かれるが，1回の食事の摂取量は低下していた．1

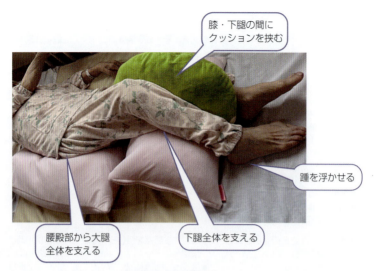

▶図1 ポジショニングの見本（半側臥位）
ポジショニングの一部．目的は関節の拘縮予防と安楽な姿勢をとることで，緊張緩和・褥瘡予防・呼吸器機能の低下を予防する．ポイント：①接触面を多くする，②体圧の分散をする，③衣類をきれいに整える．

回の食事の摂取量が低下する理由として，スプーンの操作には困難さはないが，座位が10分程度で崩れてきてしまうなど耐久性の低下があること，少量の摂取で腹部膨満感が出てしまうことであった．スプーンは嚥下能力の低下を考慮し，Gさんの1口量になる小さいスプーンを使用していた．小さいスプーンは，すくえる量は少なくなるため，頻回にすくう操作を行う必要があり疲労を増強させていた．また，机の上にお皿がいくつも乗っていることに対して「こんなに食べられない」との発言も多く聞かれ，心理的にも食欲を低下させていた．

作業療法では，まずスプーン操作の負荷量を軽減する目的で，左手で食器を持たなくても容易にすくえるよう滑り止め付きワンプレートで，スプーンですくいやすい皿を適応した．お皿の大きさも小さいものを検討し，手を伸ばさず体に近い位置ですくえるように調整を行った．小さいワンプレートのお皿に少量ずつ追加しながら盛り付けることは量の多さを感じさせない効果もあり，「こんなにも食べられない」という発言も少なくなった．これらによりスプーン操作の負荷量は軽減さ

れたが，座位保持の耐久時間は15分程度であった．そのため，車椅子の背もたれを倒し休憩を入れながら食事ができるように，介護福祉士へ申し送りをして対応してもらえるように働きかけた．

c 関節拘縮や著しい変形の予防

動く機会が少なくなることで，徐々に関節の硬さもみられてきたため，日々の関節可動域訓練やクッションを使用したポジショニングを実施した．股関節の動きが制限されるとおむつ交換や下衣着脱の介助量が増え，痛みや不快感を伴う．無理に足を開こうと力が加わることで骨折の危険も高まってしまう．また，関節可動域訓練と同時に発赤など皮膚状態の確認を実施し，褥瘡の発生の予防に対してもかかわった．ポジショニングでは，クッションの挿入位置を他職種でも統一できるように，ポジショニングの見本（写真とクッションを入れるポイントの解説が記載されている）を作成し掲示した（▶図1）．

d 家族支援

家族と作業療法の時間と面会時間を相談し，G

さんと家族とともに介入を行った．一例では，フロア行事の「手作りおやつ」に家族と一緒に参加してもらった．皆で和気あいあいとフロアでお好み焼きをつくるなか，栄養課に依頼しGさんにも食べられる軟らかさのお好み焼き具材を用意し，Gさんの目の前で家族に焼いてもらった．Gさんもつくり方について発言する様子がみられ，焼き上がりのにおいに喜ばれる様子がみられた．

食べるときの介助は家族が行った．Gさんは，家族から口に運んでもらえることがうれしく，「うんまい，うんまい」と言うとともに涙を浮かべる様子もみられた．家族は，Gさんと一緒に食事の機会がとれたことを喜ばれていた．また，状態が悪くなってきても，1人きりで部屋で過ごすのではなく，みんなで一緒に行事に参加し，楽しめていることに喜ばれていた．

3 危篤状態・死亡までの時期

a 関節拘縮予防

日々の関節可動域訓練と皮膚状態の確認がさらに必要となった．発話は少なくなっていたが，手足を動かすと，とてもうれしそうな表情を見せてくれることもあった．

b 口腔ケア

食事・水分摂取が減少してきたことで，口腔内乾燥・汚染がみられてきた．乾燥・汚染が悪化すると出血，口臭，痰がらみなどがみられるため，作業療法士も口腔ケアを実施した．

c 整容

トレードマークの帽子は，ベッドで横になる時間が増えてもかぶることをGさんは希望していた．おしゃれ好きであったGさんを考え，顔をきれいに拭くこと，髪を梳かすこと，帽子を整えることを行った．

d 家族支援

Gさんが，日々着用していた半纏（はんてん）も自分で仕立てたものであった．「最期のときには，（Gさんが）仕立てた着物を着せてあげたい．この着物は若いころに仕立てて，それを大切に長年着ていた．母にとって本当にお気に入りの着物だったと思う．最期にこの着物を着ている姿が見たい」と希望がうかがえたため，多職種に相談し最期に着てもらえるよう手配をした．

4 看取りのその日の様子

前日から長女が居室に宿泊され，一緒に過ごされていた．朝早くに医師より現状説明があった．看護師による朝の検温時には，笑顔がみられニコニコとされていた．午前の作業療法を実施するときも笑顔がみられており，いつもどおり実施した．口腔内は，汚れや出血もなく，きれいな状態を保てていた．身体的にも皮膚状態は褥瘡もなく，大きな関節拘縮もない状態であった．

その数時間後の14時10分，最後に大きく息を吐いたのち，静かに眠るように息を引き取られた．お浄めの際には，長女・孫・長男妻が一緒に参加して，自前の着物を着させた．Gさんらしさのある姿に整えられたとともに，旅立ちのその時を穏やかに迎えることができ，家族としては辛い状況下であったものの，心穏やかに受け止められていた．

5 エンド・オブ・ライフ・ケア振り返りカンファレンスの開催

亡くなったあと1週間以内に，多職種で振り返りのカンファレンスを実施している．利用者の死をどのように受け止めたか，エンド・オブ・ライフ・ケアが行えていたか，家族支援の取り組みに対しての家族の思いはどうであったか，エンド・オブ・ライフ・ケアの理念は生かされたかなどを

話し合う場としている.

カンファレンスでは，作業療法の振り返りについて報告した．Gさんらしい生活へ，食事やおしゃれ，地元の行事の参加支援を通して貢献できたと考えること，特に環境を調整することが食事摂取の継続に有効であったこと，また，家族も一緒にリハビリテーションに参加して支援ができたこと，チームと協力しながら最期まで人間らしい身体を保つことができたことがよかったと感じたと報告した．チームアプローチとしても，Gさんらしい生活の提供に貢献できたのではないかと話し合った.

D 考察・まとめ

1 その人らしさを知ることの大切さ

国連の高齢者のための5原則は自立，参加，ケア，自己実現，尊厳であり，エンド・オブ・ライフ・ケアもこの原則に沿った実施が求められる．今回，老健施設認知症専門棟からグループホームへの入居を目指していたが，入所2か月後の定期検査の結果でエンド・オブ・ライフ・ケアとなったGさんを紹介した．終末期は体が動かなくなり，自分の身を処しきれないこともある．そのとき周囲の人が尊厳をもって支援しなければならなく，そのためには，その人らしさを知っていることが大切である．

エンド・オブ・ライフ・ケアの対象となるときに，本人の意向，なかでも自らに行われる医療行為やケアに関することを確認しようとしても難しいことが多い．特に高齢者は認知症を合併することも多く，その人の本心を探りづらくなる．だからこそ，早い段階で本人の意向を確認する話し合いのプロセス（いわゆる**アドバンス・ケア・プランニング：ACP🔑**）はていねいに実施する必要がある．「どんなことを大切にして生きてきたのか」「今後どんなふうに生きたいか」を本人に尋ねること，本人だけでなく，家族も含めて，思いを尋ね，寄り添い，満足のいく生活が送れる支援をすることが求められる．

今回，早い段階から，それぞれの職種が場面を変えて思いを聞き，必ず聞いた内容をチームで共有することで，Gさんの思いを皆で理解し対応することができたと考える．

2 作業療法士がかかわるエンド・オブ・ライフ・ケア

リハビリテーションとは，能力低下やその状態を改善し，障害者の社会的統合を達成するためのあらゆる手段のことである．終末期は心身機能の低下と活動制限が避けられない状態である．作業療法士は，心身機能の低下を促進させないことに加え，福祉用具を含めた人的・物的環境の調整や動作の工夫と習熟の指導を行うことで，最期まで活動制限を改善することが可能である．

今回，食べることが大好きなGさんに対して，食具や車椅子の調整と動作を指導することで誤嚥のリスクを軽減し，可能なかぎり自力摂取の継続につなげることができた．

また，作業療法士は人間らしい身体を保つ，つまり清潔の保持や著しい関節拘縮・変形や褥瘡などの廃用症候群を予防することができる．関節の拘縮・変形が強まってしまうと，棺桶の中に納まらない．また，意識が明瞭でなくじっとしていても不動による苦痛を感じていることがある．片麻痺の人は麻痺側を動かしてもらうととても気持ちがよいというように，Gさんも関節可動域訓練を行ったときは発話がなくなったにもかかわらず，

> 🔑 **Keyword**
> **アドバンス・ケア・プランニング（ACP）** 将来の医療・ケアについて，本人を人として尊重した，意思決定の実現を支援するプロセス.

とてもうれしそうな表情をみせてくれた．

　終末期のリハビリテーションは死の直前でどのように行うのかではなく，それに至るプロセスを問うものであるといわれる．多死社会に向かうわが国において，介護老人保健施設では人の最期の姿を見る機会が必然的に多くなる．どうすればその姿がその人らしい最期となるのかという結果を考えながら遡り，できるかぎり早期から考えて支援を行っていくことが大切であると考える．

●参考文献
1) 新井健五：病期に応じた治療・援助内容の違い．松房利憲, 他（編）：標準作業療法学 専門分野 高齢期作業療法学, 第3版, pp95–104, 医学書院, 2016
2) 大田仁史：終末期リハビリテーション─ハビリテーション医療と福祉との接点を求めて．荘道社, 2002
3) 山口晴保, 他（監）, 大誠会認知症サポートチーム（著）：身体拘束ゼロの認知症医療・ケア．p41, 照林社, 2020
4) Nusberg C: UN takes action on principles for older persons. *Ageing International* 18:3–7, 1991

さらに深く学ぶために

　これからの高齢期の臨床に不可欠なのが，認知症の人やその生活障害に対する当事者視点からの理解についての学びを深めておくことである．認知症の人1人ひとりの見ている（見えている・住んでいる）世界，考えていること，生きづらさ，困りごと，その思いに寄り添い，理解する（読み解く）力を高めておかなければ，作業療法士に期待される，認知症の人の日常における生活障害や家族・周囲の人との関係性の障害に対する支援に，力を発揮することはできない．

　加えて，終末期におけるケアやリハビリテーションのあり方に対する理解を深めることは，高齢多死の時代におけるわが国の高齢期の臨床に携わる者にとって，これからいっそう重要となる．

　さらに，頻発する高齢者虐待の問題などについて，高齢者に接する者1人ひとりが理解を深め，しっかりとした意識のもと，高齢者の人権や尊厳を保持していくことが強く求められている．

　また，高齢期作業療法の展開にはケア（介護）との連動・協働が必須であり，生活障害を臨床対象とする作業療法にとって，ケア（介護）の概念や実態について理解を深めておくことは欠かせない．

　昨今，高齢者介護施設では，介護ロボットや外国人介護職員の活用が急速に進んでいる．作業療法士も，これらに関する理解を深めることは，これからの高齢期の臨床には不可欠となる．介護ロボットの適切な導入や活用に果たせる作業療法士の役割は大きい．また，異なる言語や文化をもつ人と協働へ向けて準備をしておきたい．

　今回，紹介する書籍の選定にあたっては，「手に取りやすさ」「読みやすさ」「理解しやすさ」を第一とした．とはいえ，どれも高齢期作業療法学をさらに深めるのに効果的なものばかりである．それに，面白くて，教科書のように説教臭くない．知識の押し付けではなく，自ら考えること，学びや気づきを促してくれるものばかりである．

　学んでやろうと構えなくていい．興味がわいたものからでよいので，ぜひ，ふれていただきたい．

■書籍

- 遠藤英俊（監），川畑　智（著），浅田アーサー（マンガ）：マンガでわかる！ 認知症の人が見ている世界．文響社，2021．
　認知症の人が見ている世界と，家族やケアをする人が見ている世界との違いをマンガでわかりやすく描き，認知症の人の言動の理由や意味，その思いを学ぶことができる1冊．

- 裵　鎬洙（ベ ホス）："理由を探る" 認知症ケア—関わり方が180度変わる本．メディカル・パブリケーションズ，2014．
　毎日新聞「医療プレミア」でも2017年から連載している．こちらも併せて読むと面白い．

- 杉山孝博（監）：認知症の人の心がわかる本　介護とケアに役立つ実例集．主婦の友社，2020．
　認知症の人の家族から寄せられた42の実例が紹介されており，事例から学べる1冊．

- 稲田秀樹：認知症の人の "困りごと" 解決ブック—本人・家族・支援者の気持ちがラクになる90のヒント．中央法規，2023．
　どんな状況のときに，どうすれば認知症の人の困りごとを軽減・解決できるのかの具体的なヒントを示してくれる．生活障害に向かい

合う作業療法士にとって学びが大きい1冊．

- 長谷川和夫，猪熊律子：ボクはやっと認知症のことがわかった─自らも認知症になった専門医が，日本人に伝えたい遺言．KADOKAWA，2019．

  日本を代表する認知症の専門家が実際に認知症になって初めて気づいたことがリアルに綴られている．当事者の視点は重要であり，初学者にぜひ読んでいただきたい1冊．

- 小澤 勲：痴呆を生きるということ．岩波新書，岩波書店，2003．

  認知症理解の入門書としての原点．徹底的に認知症の人に寄り添って理解し，どのような世界に生きているのかを教えてくれる1冊．

- 山口晴保：認知症ポジティブ！─脳科学でひもとく笑顔の暮らしとケアのコツ．協同医書出版社，2019．

  認知症を悲観的にとらえずに，認知症という不便さを前向きにとらえる秘訣が書かれている．学生のうちに読んでほしい1冊．

- 山口晴保，他：認知症ケアの達人をめざす─予兆に気づきBPSDを予防して効果を見える化しよう．協同医書出版社，2021．

  BPSD（認知症の行動・心理症状）について，学術的視点だけでなく，現場の観点も含めてどのようにとらえるべきかが理解できる．BPSDを深く学ぶために役立つ1冊．

- 虫明 元，山口晴保：認知症ケアに活かすコミュニケーションの脳科学20講─人のつながりを支える脳のしくみ．協同医書出版社，2023．

  コミュニケーションについて，脳科学と認知症ケアの観点を融合させ，認知症の人の言動やそれに対応する工夫が詰まった1冊．

- 鳥羽研二：ウィズ・エイジング─何歳になっても光り輝くために……．グリーン・プレス，2011．

  老年医学の大家が，老化に抗うアンチ・エイジングではなく，歳を重ねることのすばらしさ，老いとの付き合い方を教えてくれる1冊．

- 徳田雄人：認知症フレンドリー社会．岩波新書，岩波書店，2018．

  認知症は認知機能低下による生活障害であり，それは周囲の環境の影響を強く受ける．だからこそ，社会が認知症フレンドリーに変わることが重要だと気づかせてくれる1冊．

- 久坂部 羊：老乱．朝日文庫，朝日新聞出版，2020．

  認知症の人が見て感じている世界，認知症が進行し自分が失われていく苦悩と，介護で疲労困憊の家族の不安や葛藤など，それぞれの立場での心の動きを細やかに描いた小説．

- 大田仁史（編著），鳥海房枝，他（著）：終末期介護への提言─「死の姿」から学ぶケア．中央法規，2010．

  「死の姿」からケアのありようを検証し，終末期のケアやリハビリテーションのあり方を学ぶ．高齢期に携わる人は読むべき1冊．

- 三好春樹：イラスト図解 いちばんわかりやすい介護術．永岡書店，2020．

  理学療法士でもある著者が，対象者の能力が引き出され，できることが増えていく介護方法を伝授．作業療法士も学ぶべき1冊．

ほかに，各出版社から刊行されている介護初任者研修テキストを活用して，標準となっている介護の方法について学んでおくと現場で役立つ．また，「シリーズ ケアをひらく」（医学書院）にはケアの概念にふれられる良書が多いのでおすすめ．

- 三好春樹：関係障害論─老人を縛らないために．シリーズ 考える杖，円窓社，2023．

  認知症や寝たきりを人間関係の障害として理論化した画期的な1冊．

- 三好春樹：ウンコ・シッコの介護学─排泄ケアこそ尊厳を守るケア．シリーズ 考える杖，円窓社，2023．

  単なる後始末ではない，生理学に基づく排泄ケアを提唱し，排泄ケアこそ尊厳を守るケアであることを教えてくれる1冊．

- くさか里樹：ヘルプマン！vol.3．イブニングKC, 講談社, 2005.
  高齢者介護を題材に，高齢社会の問題点を描いた全27巻の漫画の第3巻（介護虐待編）．家族が介護に疲れ心身ともに追い詰められ虐待に至りエスカレートしていく過程をリアルに描いている．他巻や続編，新編もおすすめ．

■動画資料

- HTB北海道テレビ放送：シリーズ 老いるショック．HTBホームページ, 2015〜2019.
  老いに伴い直面するあらゆる問題についてその現場を取材し報告しており，高齢者にかかわるさまざまな問題をわかりやすく学べる．
- 短編アニメーション映画「つみきのいえ」．2008.
  われわれは目の前の対象者の姿だけを見がちだが，改めて，目の前の対象者の歴史を知る大切さに気づかせてくれる映画．
- 映画「ぼけますから，よろしくお願いします．」．2018.
  テレビディレクターでもある娘が監督となり，実家で暮らす認知症の母と耳の遠い父を撮り続けたドキュメンタリー映画．老い，認知症，そして老老介護のリアルで厳しい現実と，互いを思いやる家族の愛情，深く優しい夫婦の絆を綴った記録．続編もぜひ観てほしい．
- 映画「ファーザー」．2020.
  観客は，認知症の人が見ている世界に否応なく引きずり込まれ，主人公の身に起こる不可思議な体験や混乱（周囲から見た事実ではなく，本人目線での真実）を一緒に体験する．老いによる喪失と親子の絆を，記憶と時間が混迷していく父親の視点から描き出す．
- 日本作業療法士協会：二本の傘．YouTube, 2014.
  認知症の人がおかれている状況を脳の障害による症状，物理的・人的な環境，個性・その人らしさの3つの要素に整理して解説し，作業療法士の役割の理解を促してくれるミニドラマ．
- MOJchannel：人権啓発ビデオ「虐待防止シリーズ」高齢者虐待．YouTube, 2013.
- kobecitychannel：神戸市高齢者虐待防止 介護従事者研修用映像「よりよい介護をめざして」．YouTube, 2014.
  虐待や不適切なケアについて考える際に活用できる．
- TBS NEWS DIG：「最期まで自宅で」「おうちにかえろう」を叶え… 在宅復帰率93%に "在宅医療のプロ" がつくった病院【報道特集】．YouTube, 2023.
- STVニュース北海道：【余命宣告】父親の最期に寄り添った娘 自宅で看取る 親子が過ごした3週間．YouTube, 2022.
  「最期まで自宅で暮らしたい」という願望に寄り添うこと，終末期について考えるのに活用してほしい．
- 日本医療研究開発機構：介護ロボットポータルサイト．
  介護現場で活用されるロボット介護機器のあり方が学べる．各種ロボット介護機器の説明や導入事例について動画で紹介している．
- 新潟県福祉保健部 高齢福祉保健課：1．外国人介護人材にかかる受入れの仕組み—入門編．YouTube, 2022.
- 新潟県福祉保健部 高齢福祉保健課：5．事例：介護現場に外国人介護人材を受け入れるということ．YouTube, 2022.
  外国人介護人材受け入れの仕組みの解説と，受け入れに関する具体的な事例を紹介する動画（日本介護福祉士会作成）．

知識（学び）は意識を高める．意識の高まりはさらなる知識（学び）を求め，互いに相互作用しながら高まって（深まって）いく．よき学びを，いつまでも．

巻末資料

【資料1】法制度関連資料 ………… 232
【資料2】年表 ………… 240

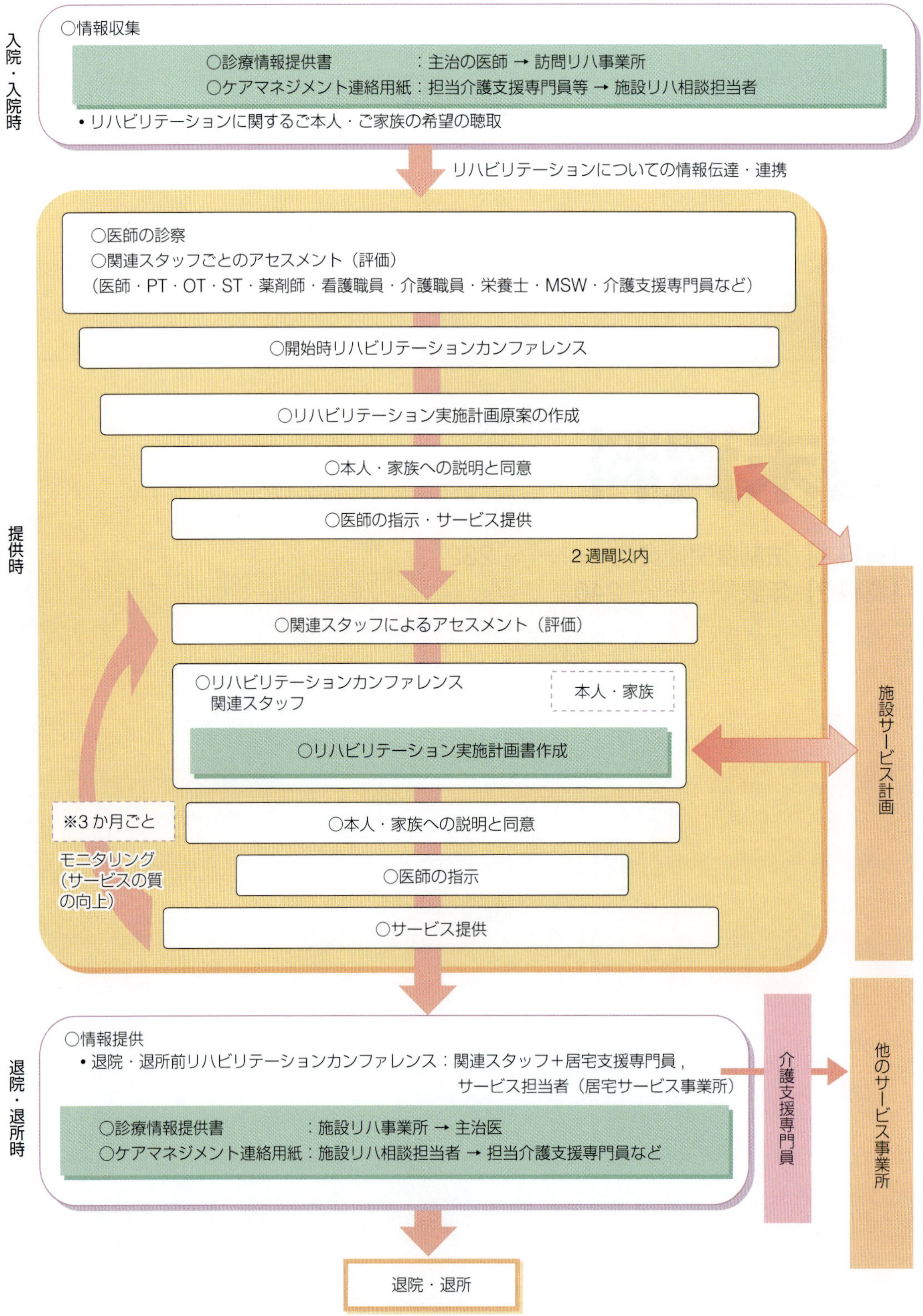

図1 施設版リハビリテーションマネジメントの流れ

入院・入所時
- ○情報収集
  - ○診療情報提供書　　　　　：主治の医師 → 訪問リハ事業所
  - ○ケアマネジメント連絡用紙：担当介護支援専門員等 → 施設リハ相談担当者
- ・リハビリテーションに関するご本人・ご家族の希望の聴取

↓ リハビリテーションについての情報伝達・連携

提供時
- ○医師の診察
- ○関連スタッフごとのアセスメント（評価）
  （医師・PT・OT・ST・薬剤師・看護職員・介護職員・栄養士・MSW・介護支援専門員など）
- ○開始時リハビリテーションカンファレンス
- ○リハビリテーション実施計画原案の作成
- ○本人・家族への説明と同意
- ○医師の指示・サービス提供　　　2週間以内
- ○関連スタッフによるアセスメント（評価）
- ○リハビリテーションカンファレンス　関連スタッフ　　本人・家族
  - ○リハビリテーション実施計画書作成
- ○本人・家族への説明と同意
- ○医師の指示
- ○サービス提供

※3か月ごと　モニタリング（サービスの質の向上）

施設サービス計画

退院・退所時
- ○情報提供
- ・退院・退所前リハビリテーションカンファレンス：関連スタッフ＋居宅支援専門員，サービス担当者（居宅サービス事業所）
- ○診療情報提供書　　　　　：施設リハ事業所 → 主治医
- ○ケアマネジメント連絡用紙：施設リハ相談担当者 → 担当介護支援専門員など

介護支援専門員 → 他のサービス事業所

↓

退院・退所

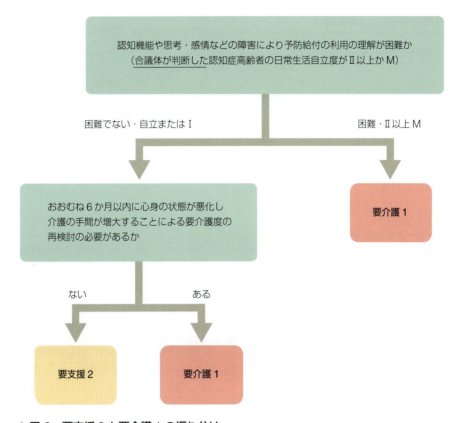

▶図2　要支援2と要介護1の振り分け
基本的には要支援2と要介護1は同じ状態区分にあり，ここに示すような振り分けによって「要支援2」
と認定されるか，「要介護1」と認定されるかが決まる．
〔厚生労働省：要介護認定 介護認定審査会委員テキスト 2009 改訂版. 2023 より〕

　リハビリテーション・個別機能訓練，栄養管理および口腔管理の一体的な実施に関する様式については，下記を参照．
- 「リハビリテーション・個別機能訓練，栄養管理及び口腔管理の実施に関する基本的な考え方並びに事務処理手順及び様式例の提示について」
  https://www.mhlw.go.jp/content/12404000/000755018.pdf

▶表1 リハビリテーション計画書

別紙様式2-2-1

リハビリテーション計画書 □入院 □外来／□訪問 □通所／□入所　評価日：西暦　　年　　月　　日

氏名：　　　　　　　　様　　性別：男・女　　生年月日：　　年　　月　　日（　　歳）　　□要支援　□要介護

リハビリテーション担当医　　　　　　　　担当　　　　　　　（□PT　□OT　□ST　□看護職員　□その他従事者（　　））

■本人・家族等の希望（本人のしたい又はできるようになりたい生活の希望、家族が支援できること等）

■健康状態、経過

原因疾病：　　　　　発症日・受傷日：　　年　　月　　日　　直近の入院日：　　年　　月　　日　　直近の退院日：　　年　　月　　日

治療経過（手術がある場合は手術日・術式等）：

合併症：
□脳血管疾患　□骨折　□誤嚥性肺炎　□うっ血性心不全　□尿路感染症　□糖尿病　□高血圧症　□骨粗しょう症　□関節リウマチ　□がん　□うつ病　□認知症　□褥瘡
※上記以外の疾患⇒ □神経疾患　□運動器疾患　□呼吸器疾患　□循環器疾患　□消化器疾患　□腎疾患　□内分泌疾患　□皮膚疾患　□精神疾患　□その他（　　）
コントロール状態：

これまでのリハビリテーションの実施状況（プログラムの実施内容、頻度、量等）：

目標設定等支援・管理シート：□あり □なし　障害高齢者の日常生活自立度：自立、J1、J2、A1、A2、B1、B2、C1、C2　認知症高齢者の日常生活自立度判定基準：自立、Ⅰ、Ⅱa、Ⅱb、Ⅲa、Ⅲb、Ⅳ、M

■心身機能・構造

項目	現在の状況	活動への支障	特記事項（改善の見込み含む）
筋力低下	あり	あり	
麻痺			
感覚機能障害	あり	あり	
関節可動域制限	あり	あり	
摂食嚥下障害	あり	あり	
失語症・構音障害	あり	あり	
見当識障害	あり	あり	
記憶障害	あり	あり	
高次脳機能障害（　）	あり	あり	
栄養障害	あり	あり	
疼痛	あり	あり	
精神行動障害（BPSD）	あり	あり	
□6分間歩行試験　□TUG Test			
服薬管理	自立		
□MMSE　□HDS-R			
コミュニケーションの状況			

■活動（基本動作）

項目	リハビリ開始時点	現在の状況	特記事項（改善の見込み含む）
寝返り	自立	自立	
起き上がり	自立	自立	
座位の保持	自立	自立	
立ち上がり	自立	自立	
立位の保持	自立	自立	

■活動（ADL）（※「している」状況について記載する）

項目	リハビリ開始時点	現在の状況	特記事項（改善の見込み含む）
食事	10（自立）	10（自立）	
イスとベッド間の移乗	15（自立）	15（自立）	
整容	5（自立）	5（自立）	
トイレ動作	10（自立）	10（自立）	
入浴	5（自立）	5（自立）	
平地歩行	15（自立）	15（自立）	
階段昇降	10（自立）	10（自立）	
更衣	10（自立）	10（自立）	
排便コントロール	10（自立）	10（自立）	
排尿コントロール	10（自立）	10（自立）	
合計点			

■リハビリテーションの短期目標（今後3ヶ月）
（心身機能）
（活動）
（参加）

■リハビリテーションの長期目標
（心身機能）
（活動）
（参加）

■リハビリテーションの方針（今後3ヶ月間）

■本人・家族への生活指導の内容（自主トレ指導含む）

■リハビリテーション実施上の留意点
（開始前・訓練中の留意事項、運動強度・負荷量等）

■リハビリテーションの見通し・継続理由

■リハビリテーションの終了目安
（終了の目安となる時期：　　ヶ月後　）

利用者・ご家族への説明：　西暦　　年　　月　　日

特記事項：

▶表1（つづき） リハビリテーション計画書

事業所番号＿＿＿＿＿＿＿＿＿

■活動（IADL）

アセスメント項目	開始時	現状	特記事項	評価内容の記載方法
食事の用意				0：していない　1：まれにしている
食事の片付け				2：週に1～2回　3：週に3回以上
洗濯				
掃除や整頓				
力仕事				
買物				0：していない
外出				1：まれにしている
屋外歩行				2：週に1回未満
趣味				3：週に1回以上
交通手段の利用				
旅行				
庭仕事				0：していない　1：時々 2 定期的にしている　3：植替等もしている
家や車の手入れ				0：していない 1：電球の取替、ねじ止め等 2：ペンキ塗り、模様替え、洗車 3：2に加え、家の修理、車の整備
読書				0：読んでいない　1：まれに 2：月1回程　3：月2回以上
仕事				0：していない　1：週1～9時間 2 週10～29時間　3 週30時間以上
合計点数				

■環境因子（現状について記載する）

家族	□独居　□同居（　　　　　　　　　　　　）
住環境	□一戸建　□集合住宅：居住階（　　階）□階段　□エレベーター □玄関前の段差　□手すり（設置場所：　　　　　　　　） 食事　：□座卓　□テーブル・いす　□その他 排せつ：□洋式トイレ　□和式トイレ　□ポータブルトイレ 睡眠　：□ベッド　□介護用ベッド　□布団　□その他 その他（　　　　　　　　　　　　　　　　　　　　　　）
自宅周辺	
外出手段	
他サービスの利用	
福祉用具の利用	□杖　□装具　□歩行器　□車椅子 □手すり　□介護用ベッド　□ポータブルトイレ　□シャワーチェア

■社会参加の状況（家庭内の役割、余暇活動、社会地域活動等）

■活動・参加に影響を及ぼす課題の要因分析
① 活動と参加において、重要度の高い課題（これまでの現状から抽出）

①の課題に影響を及ぼす機能障害（改善の可能性が高いものにチェック）
□
□
□
□

①の課題に影響を及ぼす機能障害以外の因子（調整を行うものにチェック）
□
□

■要因分析を踏まえた具体的なサービス内容
訪問・通所頻度（　　　　　　　）、利用時間（　　　　　）

No.	解決すべき課題	期間	具体的支援内容	頻度	時間
		/月		週　回	分/回
				週　回	分/回
				週　回	分/回
			※ 日常生活で本人、家族が実施すべきこと		
				週　回	分/回
				週　回	分/回
				週　回	分/回
			※ 日常生活で本人、家族が実施すべきこと		
				週　回	分/回
				週　回	分/回
				週　回	分/回
			※ 日常生活で本人、家族が実施すべきこと		
				週　回	分/回
				週　回	分/回
				週　回	分/回
			※ 日常生活で本人、家族が実施すべきこと		

□他事業所の担当者と共有すべき事項　　□介護支援専門員と共有すべき事項　　□その他、共有すべき事項（　　　　　　　　　）

※下記の☑の職種や支援機関にこの計画書を共有し、チームで支援をしていきます。
【情報提供先】　□介護支援専門員　□医師　□その他に利用している介護サービス（　　　　　　　　　）□（　　　）

■ リハビリテーション開始時から比較して、改善した・出来るようになった活動と参加（継続時に記載）

■ 診療未実施減算　※（介護予防）訪問リハビリテーションに限る
診療未実施減算の適用　□あり　□なし　　　　　（⇒ありの場合）情報提供を行った事業所外の医師の適切な研修　□修了済　□受講途中　□未受講

〔厚生労働省ホームページ：https://www.mhlw.go.jp/stf/newpage_38790.html より〕

▶表2-a　リハビリテーション・栄養・口腔に係る実施計画書（通所系）

リハビリテーション・栄養・口腔に係る実施計画書（通所系）

氏名：		殿	サービス開始日	年　月　日
			作成日 □初回 □変更	年　月　日

生年月日	年　月　日	性別	男・女
計画作成者	リハビリテーション（　　　　　）　栄養管理（　　　　　）　口腔管理（　　　　　）		
要介護度	□要支援（□1 □2）　□要介護（□1 □2 □3 □4 □5）		
日常生活自立度	障害高齢者：　　　　　認知症高齢者：		
本人の希望			

共通

身長：（　）cm　体重：（　）kg　BMI：（　）kg/m²
栄養補給法：□経口のみ　□一部経口　□経腸栄養　□静脈栄養、　食事の形態：（　　　）
とろみ：□なし　□薄い　□中間　□濃い

リハビリテーションが必要となった原因疾患：（　　　　　）　発症日・受傷日：（　）年（　）月
合併症：
□脳血管疾患　□骨折　□誤嚥性肺炎　□うっ血性心不全　□尿路感染症　□糖尿病　□高血圧症　□骨粗しょう症　□関節リウマチ
□がん　□うつ病　□認知症　□褥瘡
（※上記以外の）□神経疾患　□運動器疾患　□呼吸器疾患　□循環器疾患　□消化器疾患　□腎疾患　□内分泌疾患　□皮膚疾患
□精神疾患　□その他

症状：
□嘔気・嘔吐　□下痢　□便秘　□浮腫　□脱水　□発熱　□閉じこもり

現在の歯科受診について：かかりつけ歯科医　□あり　□なし　直近1年間の歯科受診：□あり（最終受診年月：　　年　　月）□なし
義歯の使用：□あり（□部分・□全部）　□なし

その他：

課題

（共通）

（リハビリテーション・栄養・口腔）

（上記に加えた課題）
□食事中に安定した正しい姿勢が自分で取れない　□食事に集中することができない　□食事中に傾眠や意識混濁がある
□歯（義歯）のない状態で食事をしている　□食べ物を口腔内にため込む　□固形の食物を咀しゃく中にむせる
□食後、頬の内側や口腔内に残渣がある　□水分でむせる　□食事中、食後に咳をすることがある
□その他（　　　　　　）

方針・目標

（共通）

（リハビリテーション・栄養・口腔）
短期目標：　　　　　　　　　　　　　　長期目標：

（上記に加えた方針・目標）
□歯科疾患（□重症化防止　□改善　□歯科受診）　　□口腔衛生（□維持　□改善（　　　））
□摂食嚥下等の口腔機能（□維持　□改善（　　　））　□食形態（□維持　□改善（　　　））
□栄養状態（□維持　□改善（　　　））　　　　　　□音声・言語機能（□維持　□改善（　　　））
□誤嚥性肺炎の予防　　　　　　　　　　　　　　　□その他（　　　　　）

実施上の注意事項	
生活指導	
見通し・継続理由	

▶表 2-a（つづき） リハビリテーション・栄養・口腔に係る実施計画書（通所系）

	リハビリテーション 評価日：　　年　　月　　日	栄養 評価日：　　年　　月　　日	口腔 評価日：　　年　　月　　日
評価時の状態	【心身機能・構造】 □ 筋力低下　□ 麻痺　□ 感覚機能障害 □ 関節可動域制限　□ 摂食嚥下障害 □ 失語症・構音障害　□ 見当識障害 □ 記憶障害　□ 高次脳機能障害 □ 疼痛　□ BPSD 歩行評価　□ 6 分間歩行　□ TUG test （　　　　　　　　　　） 認知機能評価　□ MMSE　□ HDS-R （　　　　　　　　　　） 【活動】※課題のあるものにチェック 基本動作： □ 寝返り　□ 起き上がり　□ 座位の保持 □ 立ち上がり　□ 立位の保持 ADL：BI（　）点 □ 食事　□ 移乗　□ 整容　□ トイレ動作 □ 入浴　□ 歩行　□ 階段昇降　□ 更衣 □ 排便コントロール　□ 排尿コントロール IADL：FAI（　）点 【参加】	低栄養リスク　□ 低　□ 中　□ 高 嚥下調整食の必要性　□ なし　□ あり □ 生活機能低下 3％以上の体重減少　□ 無　□ 有（　kg/　月） 【食生活状況】 食事摂取量（全体）　　　％ 食事摂取量（主食）　　　％ 食事摂取量（主菜/副菜）　　％/　　％ 補助食品など： 食事の留意事項　□ 無　□ 有（　　　　） 薬の影響による食欲不振　□ 無　□ 有 本人の意欲（　　　　　　　　） 食欲・食事の満足感（　　　　　　　） 食事に対する意識（　　　　　　　） 【栄養量（エネルギー / たんぱく質）】 摂取栄養量：（　　）kcal/kg、（　　）g/kg 提供栄養量：（　　）kcal/kg、（　　）g/kg 必要栄養量：（　　）kcal/kg、（　　）g/kg 【GLIM 基準による評価※】 □ 低栄養非該当　□ 低栄養（□ 中等度　□ 重度） ※医療機関から情報提供があった場合に記入する。	【誤嚥性肺炎の発症・既往】 □ あり（直近の発症年月：　年　月）　□ なし 【口腔衛生状態の問題】 □ 口臭　□ 歯の汚れ　□ 義歯の汚れ　□ 舌苔 【口腔機能の状態の問題】 □ 奥歯のかみ合わせがない　□ 食べこぼし □ むせ　□ 口腔乾燥　□ 舌の動きが悪い □ ぶくぶくうがいが困難※1 ※1 現在、歯磨き後のうがいをしている方に限り確認する。 【歯科受診の必要性】 □ あり　□ なし　□ 分からない 【特記事項】 □ 歯（う蝕、修復物脱離等）、義歯（義歯不適合等）、歯周病、口腔粘膜（潰瘍等）の疾患の可能性 □ 音声・言語機能に関する疾患の可能性 □ その他（　　　　　　　　　　） 記入者：□ 歯科衛生士　　□ 看護職員 　　　　□ 言語聴覚士
具体的支援内容	①課題： 介入方法 ・ ・ ・ 期間：　（月） 頻度：週　　回、時間：　　分/回 ②課題： 介入方法 ・ ・ ・ 期間：　（月） 頻度：週　　回、時間：　　分/回 ③課題 介入方法 ・ ・ ・ 期間：　（月） 頻度：週　　回、時間：　　分/回	□ 栄養食事相談 □ 食事提供量の増減（□ 増量　□ 減量） □ 食事形態の変更 　（□ 常食　□ 軟食　□ 嚥下調整食） □ 栄養補助食品の追加・変更 □ その他： 総合評価： □ 改善　□ 改善傾向　□ 維持 □ 改善が認められない 計画変更： □ なし　□ あり	サービス提供者： □ 歯科衛生士　□ 看護職員　□ 言語聴覚士 実施記録①：記入日（　　年　月　　日） □ 口腔清掃　　□ 口腔清掃に関する指導 □ 摂食嚥下等の口腔機能に関する指導 □ 音声・言語機能に関する指導 □ 誤嚥性肺炎の予防に関する指導 □ その他（　　　　　　　　　　） 実施記録②：記入日（　　年　月　　日） □ 口腔清掃　　□ 口腔清掃に関する指導 □ 摂食嚥下等の口腔機能に関する指導 □ 音声・言語機能に関する指導 □ 誤嚥性肺炎の予防に関する指導 □ その他（　　　　　　　　　　） 実施記録③：記入日（　　年　月　　日） □ 口腔清掃　　□ 口腔清掃に関する指導 □ 摂食嚥下等の口腔機能に関する指導 □ 音声・言語機能に関する指導 □ 誤嚥性肺炎の予防に関する指導 □ その他（　　　　　　　　　　）
特記事項			

〔厚生労働省ホームページ：https://www.mhlw.go.jp/stf/newpage_38790.html より〕

▶表2-b　リハビリテーション・栄養・口腔に係る実施計画書（施設系）

リハビリテーション・栄養・口腔に係る実施計画書（施設系）

氏名：		殿	入所（院）日	年　月　日
			作成日 □初回 □変更	年　月　日

生年月日	年　月　日	性別	男・女
計画作成者	リハビリテーション（　　　　）　栄養管理（　　　　）　口腔管理（　　　　）		
要介護度	□要支援（□1 □2）　□要介護（□1 □2 □3 □4 □5）		
日常生活自立度	障害高齢者：　　　　　認知症高齢者：		
本人の希望			

共通	身長：（　）cm　体重：（　）kg　BMI：（　）kg/m² 栄養補給法：□経口のみ　□一部経口　□経腸栄養　□静脈栄養、　食事の形態：（　　　） とろみ：□なし　□薄い　□中間　□濃い リハビリテーションが必要となった原因疾患：（　　　　）　発症日・受傷日：（　）年（　）月 合併症： □脳血管疾患　□骨折　□誤嚥性肺炎　□うっ血性心不全　□尿路感染症　□糖尿病　□高血圧症　□骨粗しょう症　□関節リウマチ □がん　□うつ病　□認知症　□褥瘡 （※上記以外の）□神経疾患　□運動器疾患　□呼吸器疾患　□循環器疾患　□消化器疾患　□腎疾患　□内分泌疾患　□皮膚疾患 　　□精神疾患　□その他 症状： □嘔気・嘔吐　□下痢　□便秘　□浮腫　□脱水　□発熱　□閉じこもり 現在の歯科受診について：かかりつけ歯科医　□あり　□なし　直近1年間の歯科受診：□あり（最終受診年月：　　年　　月）□なし 義歯の使用：□あり（□部分・□全部）　□なし その他：

課題	（共通） （リハビリテーション・栄養・口腔） （上記に加えた課題） □食事中に安定した正しい姿勢が自分で取れない　□食事に集中することができない　□食事中に傾眠や意識混濁がある □歯（義歯）のない状態で食事をしている　□食べ物を口腔内にため込む　□固形の食べ物を咀しゃく中にむせる □食後、頬の内側や口腔内に残渣がある　□水分でむせる　□食事中、食後に咳をすることがある □その他（　　　　　　）

方針・目標	（共通） （リハビリテーション・栄養・口腔） 短期目標：　　　　　　　　　　　　　　長期目標： （上記に加えた方針・目標） □歯科疾患（□重症化防止　□改善）　□口腔衛生（□自立　□介護者の口腔清掃の技術向上　□専門職の定期的な口腔清掃等） □摂食嚥下等の口腔機能（□維持　□改善）　□食形態（□維持　□改善）　□栄養状態（□維持　□改善） □誤嚥性肺炎の予防　□その他（　　　　　　　　）

実施上の注意事項	
生活指導	
見通し・継続理由	

▶表 2-b（つづき） リハビリテーション・栄養・口腔に係る実施計画書（施設系）

【資料1】法制度関連資料

	リハビリテーション 評価日：　　年　月　日	栄養 評価日：　　年　月　日	口腔 評価日：　　年　月　日
評価時の状態	【心身機能・構造】 □ 筋力低下　□ 麻痺　□ 感覚機能障害 □ 関節可動域制限　□ 摂食嚥下障害 □ 失語症・構音障害　□ 見当識障害 □ 記憶障害　□ 高次脳機能障害 □ 疼痛　□ BPSD 歩行評価　□ 6分間歩行　□ TUG test （　　　　　　　　　　） 認知機能評価　□ MMSE　□ HDS-R （　　　　　　　　　　） 【活動】※課題のあるものにチェック 基本動作： □ 寝返り　□ 起き上がり　□ 座位の保持 □ 立ち上がり　□ 立位の保持 ADL：BI（　）点 □ 食事　□ 移乗　□ 整容　□ トイレ動作 □ 入浴　□ 歩行　□ 階段昇降　□ 更衣 □ 排便コントロール　□ 排尿コントロール IADL：FAI（　）点 【参加】	低栄養リスク　□ 低　□ 中　□ 高 嚥下調整食の必要性　□ なし　□ あり □生活機能低下 3％以上の体重減少　□ 無　□ 有（　kg/　月） 【食生活状況】 食事摂取量（全体）　　　　％ 食事摂取量（主食）　　　　％ 食事摂取量（主菜/副菜）　　　％/　　％ 補助食品など： 食事の留意事項　□ 無　□ 有（　　　　） 薬の影響による食欲不振　□ 無　□ 有 本人の意欲（　　　　　　　　） 食欲・食事の満足感（　　　　　　　） 食事に対する意識（　　　　　　　　） 【栄養量（エネルギー/たんぱく質）】 摂取栄養量：（　）kcal/kg、（　）g/kg 提供栄養量：（　）kcal/kg、（　）g/kg 必要栄養量：（　）kcal/kg、（　）g/kg 【GLIM 基準による評価※】 □低栄養非該当　□ 低栄養（□ 中等度　□ 重度） ※医療機関から情報提供があった場合に記入する。	【誤嚥性肺炎の発症・既往】 □ あり（直近の発症年月：　年　月）　□ なし 【口腔衛生状態の問題】 □ 臭　□ 歯の汚れ　□ 義歯の汚れ　□ 舌苔 【口腔機能の状態の問題】 □ 奥歯のかみ合わせがない　□ 食べこぼし □ むせ　□ 口腔乾燥　□ 舌の動きが悪い □ ぶくぶくうがいが困難※1 ※1　現在、歯磨き後のうがいをしている方に限り確認する。 【歯数】（　）歯 【歯の問題】 □ う蝕　□ 歯の破折　□ 修復物脱離 □ 残根歯　□ その他（　　　　　　） 【義歯の問題】 □ 不適合　□ 破損　□ 必要だが使用してない □ その他（　　　　　　　　　　　） 【歯周組織、口腔粘膜の問題】 □ 歯周病　　□ 口腔粘膜疾患（潰瘍等） 記入者： 指示を行った歯科医師名：
具体的支援内容	①課題： 介入方法 ・ ・ ・ 期間：　（月） 頻度：週　回、時間：　分/回 ②課題： 介入方法 ・ ・ ・ 期間：　（月） 頻度：週　回、時間：　分/回 ③課題： 介入方法 ・ ・ ・ 期間：　（月） 頻度：週　回、時間：　分/回	□ 栄養食事相談 □ 食事提供量の増減（□ 増量　□ 減量） □ 食事形態の変更 　（□ 常食　□ 軟食　□ 嚥下調整食） □ 栄養補助食品の追加・変更 □ その他： 総合評価： □ 改善　□ 改善傾向　□ 維持 □ 改善が認められない 計画変更： □ なし　□ あり	実施日：　　年　月　日 記入者： 実施頻度： □ 月4回程度　□ 月3回程度 □ 月1回程度　□ その他（　　　　　） 歯科衛生士が実施した口腔衛生等の管理及び介護職員への技術的助言等の内容： 【口腔衛生等の管理】 □ 口腔清掃 □ 口腔清掃に関する指導 □ 義歯の清掃 □ 義歯の清掃に関する指導 □ 摂食嚥下等の口腔機能に関する指導 □ 誤嚥性肺炎の予防に関する指導 □ その他 【介護職員への技術的助言等の内容】 □ 入所者のリスクに応じた口腔清掃等の実施 □ 口腔清掃にかかる知識、技術の習得の必要性 □ 摂食嚥下等の口腔機能の改善のための取組の実施 □ 食事の状態の確認、食形態等の検討の必要性 □ 現在の取組の継続 □ その他（　　　　　　　　　　）
特記事項			

〔厚生労働省ホームページ：https://www.mhlw.go.jp/stf/newpage_38790.html より〕

資料2 年表

西暦	和暦	日本の出来事	主に流行した歌	流行った言葉・おもちゃ・国外のトピックスなど
1907	明治40年	帝国ホテル設立。小学校令改正(義務教育6年間)	「あるからない」、「デカンショ節」、「旅愁」、「故郷の廃家」	日本人移民200人サンフランシスコで上陸拒否される
1908	明治41年	外務省ハワイ移民停止を通告。巡査派出所を交番と改称。第1回ブラジル移民出発	「ハイカラソング」、「早稲田大学校歌」、「ジョー・ベールのセレナーデ」	ツェッペリン伯が空中飛行成功。伊シチリア島で大地震
1909	明治42年	浅間山噴火。伊藤博文ハルビンにて暗殺。「日本の戦ちゃん」尾上松之助デビュー	「間がらいソング」、「ローレライ」、「菩提樹」、「野ばら」	米探検家ピアリー北極点到達 仏ブレリオ単葉機ドーバー海峡横断
1910	明治43年	逗子開成中学生七鱗ケ浜で遭難。白瀬中尉南極探検隊出帆	「七里ケ浜の哀歌」、「ふるさとの」、「いなかの四季」	ロンドンで日英博覧会開幕。ハレー彗星、地球に大接近
1911	明治44年	普通選挙法。衆議院交通。中央線全通。上野広小路〜浅草間初のタクシー登場	「七里ケ浜哀歌」、「浦島歌太郎」、「春の小川」、「汽車」	ルーブル美術館のモナリザ盗難。ノルウェー・アムンゼン南極に到達
1912	明治45年	山梨県全通、夕張鉱業所ガス爆発、乃木大将単殉死 全国にコレラ発生	「奈良丸くずし」、「村の鍛冶屋」、「春の小川」、「汽車」	タイタニック号氷山に衝突沈没。アラスカで火山大噴火
1913	大正2年	桜島大噴火、坑夫ことに坑口を閉鎖。東海道本線全通神戸駅	「早春歌」、「城ケ島の雨」、「海」、「鯉のぼり」	米・ウィルソン、28代大統領に就任。米デキサス決次、500人死亡
1914	大正3年	東京駅開業。大隈内閣、大阪十島地地震次に改正。東京市で発疹チフス発生 全国に流行	「カチューシャの唄」、「おこさ節」、「膝月夜」	オーストリア皇子暗殺されるサラエボ事件。第1次世界大戦勃発
1915	大正4年	大正天皇京都御所に即位式。第1回全国中等学校優勝野球大会開催	「名宵晴れた日に(蝶々夫人)」、「コンドラの唄」、「目のない地蔵さん」	英・豪華客船ルシタニア号独潜水艦ドイツの撃沈。一般相対性理論完成
1916	大正5年	吉原開業。エイプリルフールの日本でも始める。チャプリン映画流行	「バミ節」、「交家節」、「センタルタイム」、「オーソレーミオ」	仏・独、対独戦戦地。米軍、毒ガス使用、独・ラスプーチン暗殺
1917	大正6年	甚廃機塞「輪」「本」号が他中海て独潜水艦と交戦。艦長以下多数戦死、横浜大本模完成	「浜辺の唄」、「さらひての唄」、「恋の唄」、「かなりや」	米・対独戦戦布告。米国一ヨーロッパに初上陸。米 NY 州で女性に投票権
1918	大正7年	ダイヤル電話試験。京阪神行政、全国に米騒動発生。神戸新聞社焼打ち	「宵待草」、「青年の唄」、「恋の唄」、「かなりや」	「デモクラシー」流行語使用。欧米でスペイン風邪流行
1919	大正8年	松隅、東急百貨店設立。中国の悟駒気一座来日。京劇ブーム	「琵琶湖周航の歌」、「兵十節」、「花」、「出船」、「佐渡おけさ」	スウェーデンで女性参政権実現。米電信電話会社初ダイヤル式電話機導入
1920	大正9年	日本最初のメーデー上野広小路 1万余人。ダンスブーム	「職場歌と」、「浜千鳥」、「聞き手万人への歌」	米・初のラジオ定時放送。カビネの小巾ペニシリン発見
1921	大正10年	丹那トンネルで前線崩事故(死者168人)原敬首相、東京駅構内で刺殺される	「七つの子」、「デカンショ節」、「浦島節」、「露と絞る」	ヒトラー、ナチス党首に就任。第1回アカデミー賞授賞式
1922	大正11年	北陸線親不知で落盤による列車脱線土砂災害。東京歌舞伎座で西洋武踊公演	「名月赤城山」、「池の花火く唄」、「波除けて」、「赤い靴」	米南京法第201の脱石落下、150mのガス噴火。ソ連邦成立
1923	大正12年	東京〜下関間初の三等特急列車運行。関東大震災(死者142,807人)	「船頭小唄」、「夕焼小焼」、「わが母人」、「西こすの唄」	米・初の三階式野球場ヤンキー・スタジアム開設。NY禁酒法を撤廃
1924	大正13年	バリ五輪オリンピックで道自動二段跳が六賞 甲子園野球場竣工	「ストトン節」、「すてたもの」、「復興節」、「困ったなあ」	RCA が ロンドンからニューヨークまで無線による写真電送実験に成功
1925	大正14年	不景気で大学卒退休出続。帝国議会開始。東京大学野球連盟誕生	「からたちの花」、「昆城の月」、「証城寺の狸囃子」、「雨後のお月」	「円タク」流行インド最初の電気機関車ボンベイ〜プーナ間に走る
1926	大正15年	ダイヤル電話開通。京浜電話直通。12月大正天皇崩御	「鉾もたらけ」、「闇の夜人」、「本島節」、「北原白秋」、「佐渡おけさ」	モボ・モガピンドイー、モダンガール(モガ)流行りにトーキー映画公開
1927	昭和2年	南京事件発生。芥川龍之介自殺。浅草〜上野野初の地下鉄開通	「赤蜻蛉」、「ちゃっきり節」、「モン・パリ」、「出船」、「草津節」	米・リンドバーグ NY〜パリ間の単独無着陸飛行に成功
1928	昭和3年	人員紹介400m世界新。アムステルダムオリンピックで日本大活躍	「君恋し」、「モン・パリ」、「出船」、「草津節」	米・初のテレビ定時放送
1929	昭和4年	上越線清水トンネル貫通。世界恐慌の始まり。大卒の就職難	「酒は涙か」、「葬歌電」、「祇園小唄」、「嘆きと銀座」	第1回アカデミー賞授賞式。米・ニューヨーク株式市場で株価大暴落
1930	昭和5年	北丹後地震、公衆電話式公話 丹後近江列車運行(死者272人、全壊2,165戸)	「すみれの花咲く頃」、「祇園小唄」、「嘆きと銀座」	「エロ・グロ・ナンセンス」の時代到来。失業者400万人を上回る
1931	昭和6年	東京・下関間に初の超特急列車運転。満州事変始まる	「酒場の町」、「能を越えて」、「悠を渡る鳥」、「片瀬波」	米・失業者800万人が街頭行進。ホワイトハウスに押しかける
1932	昭和7年	羽田の東京国際飛行場が開設 犬養毅首相射殺される(五・一五事件)	「鳥の人気者」、「銀座の柳」、「十九の春」、「悠を渡る鳥」、「片瀬波」	印・ガンジー、個人的不服従運動を提唱。新・ナチスの第1党となる
1933	昭和8年	三陸大地震、大津波、死者、行方不明者 3,064人。浜松飛行連隊でガス薬薬品大爆発	「島の娘」、「東京音頭」、「十九の春」、「男の純情」	日ソ不侵犯条約提唱。ギリシャ・国民投票で王制復活
1934	昭和9年	函館大火。室戸台風北海海来日。丹那トンネル開通、東北地方大凶作	「タイピー」、「赤城の子守唄」、「国境地切女」、「湖畔の乙女」	北インド一帯に大地震多発、独・ヒトラー総統就任
1935	昭和10年	「滿州国」墾部郵政来日。第五十六連合艦隊司令長官誕生	「二人は若い」、「野崎小唄」、「船頭可愛ひや」、「野麦山越え」	伊、ユダヤ人迫害顕在化。独、ニュルンベルク法でユダヤ人入籍
1936	昭和11年	二・二六事件。ベルリンオリンピックで田成秀子金メダル。阿部定事件	「夕日は落ちて」、「男の純情」、「船頭可愛ひや」、「若者よ」、「スキー」	独・ユダヤ人道害烈化。ベルリンオリンピック開催。日独防共協定成立
1937	昭和12年	不景気で大学生徒多数休退。日華事変始まる。全国的に中国貿相変化	「別れのブルース」、「人生劇場」、「男の純情」、「愛染かつ」、「かあちゃん水あたが」	知事任命制ピッツバーグ号米空母で爆撃発生。ドイツ大建設事件
1938	昭和13年	日本海軍徴召来日、慶軍爆撃、天皇が手放げにあう、全国に映画定着令	「旅の夜風」、「愛染かつ」、「からたの片時雨」、「かんな戦歩けしない」	国際連盟管理委員会が石油使用制限する決議案採択
1939	昭和14年	横綱旦枝山始く(69連勝)国民徹兵令公布	「港シャソ々ン」、「九段の母」、「湖畔の乙女」、「誰か故郷を思わざる」	独・ポーランドに侵攻。長谷部離任で自海軍からも国大戦開戦
1940	昭和15年	外国名をあびらずジャス全滅。北部インドシナに進駐を開始	「月月火水木金金」、「隣組」、「暁に祈る」	獨仏戦闘を結ぶ、1月。長谷原相で前から日米大戦開戦開始
1941	昭和16年	小学校「国民学校」に改称。日本軍ハワイ真珠湾攻撃。太平洋戦争始まる	「みんな仲良し」、「うさぎ」、「たえしのまま」、「月の砂漠」、「東京の花売娘」	アウシュヴィッツ収容所で最初のガス処刑。米・英・独に宣戦
1942	昭和17年	年齢別の動員計画の強化。食糧・たばこ統制。関門トンネル開通	「若鷲の歌」、「明日はお立ちか」、「白い花の咲く頃」、「湖畔の駅まで」	日本軍、シンガポール上陸。ミッドウェー・中島敗北。米日本占領
1943	昭和18年	ニューギニアで大地震。山本五十六連合艦隊司令長官戦死	「助け救え防空群」、「加藤連隊歌」、「若鷲の歌」、「スキー」	伊・連合軍に無条件降伏。ルーズベルト、チャーチル、蔣介石、カイロ会談
1944	昭和19年	北海道大地震、新山誕生(昭和新山)。B29による東京大空襲始まる	「ラバウル小唄」、「東京ラブソディ」、「大東の並木道」、「男の純情」、「あいと呼ばれない」	多国籍ノルマンディー上陸作戦史上最大の作戦 パリ市民が武装蜂起
1945	昭和20年	阿蘇山大噴火、新月誕生、沖縄上陸戦。広島、長崎に原爆、日本無条件降伏	「リンゴの唄」、「お山のかおる」、「和風新日撃隊の歌」、「かぁの水あとが」	ソ連軍、アウシュビッツ解放所解放。ソ連対日参戦。ヒトラー自殺
1946	昭和21年	沖縄休戦宣言。NHK相撲中継開始。天皇が人間宣言、警察官帯刀を廃止。映画振興に映画館応分かつ	「かえり船」、「リンゴ唄」、「東京の花売娘」、「みかんの花咲く丘」	米ンド戦、1号細菌兵器。仏・ベトナム大戦支配。第2次世界大戦終結
1947	昭和22年	箱根駅伝復活。国民祝日法公布、日本国憲法施行、第1次後編ブーム	「港の流れに」、「落くない鳩三人」、「欣慕のブルース」、「名月赤城山」	パリ平和条約調印 米各地に空飛ぶ円盤目撃相次ぐ
1948	昭和23年	帝銀事件。新制商業学校スタート。福井県に大地震。福井市全滅	「憧れのハワイ航路」、「異国の丘」、「湯の町エレジー」、「悲しき竹笛」	「贅沢は散りだ」が「贅沢にな散だ」に。米・対日宣戦布告。対日宣戦開始
1949	昭和24年	下山定「国鉄総裁」が死体で発見(他殺)。湯川秀樹にノーベル物理学賞	「青い山脈」、「長崎の鐘」、「銀座カンカン娘」、「悲しき口笛」	NATO設立 中華人民共和国建国 ドイツ民主共和国(東ドイツ)成立
1950	昭和25年	年齢の数え方が満年齢となる。朝鮮戦争(特需)レッドパージ 日本脳炎大流行	「星影のハワイ」、「水草のブルース」、「白い花の咲く頃」、「桑港のチャイナタウン」	日本、対日講和を巡り回線 朝鮮戦争勃発、北朝鮮軍38度線突破を実施
1951	昭和26年	ニューヨークで日本を経てサンフランシスコ平和条約調印 人身売買激化	「ひばりの花売り娘」、「上海帰りのリル」、「高原の駅よさようなら」	パキスタン首相サンフランシスコで49力国の対日講和会議本調印式
1952	昭和27年	NHK第1回紅白歌合戦。日本全国に狂犬病蔓延。人身売買。ロッカーのメーカー誕生	「ツーヤング」、「テネシー・ワルツ」、「ゲイシャ・ワルツ」、「りんご追分」	連合軍、ノルマンディー上陸作戦史上最大の作戦 パリ市民が武装蜂起確約
1953	昭和28年	ヘレン・ケラー来日、吉田茂首相放言、全国に騒動。街頭テレビ人気	「雪の降るまちを」、「君の名は」、「街のサンドイッチマン」	エベレストに英のヒラリー・ネパールのテンジンが初登頂。朝鮮戦争終結
1954	昭和29年	「ゴジラ」映画公開。NHK共同放送開始。三種の神器	「オー・マイ・パパ」、「岸壁の母」、「高原列車はゆく」、「お富さん」	「死の灰」アメリカでさらに大きなびっくり試。ソ連、シベリアで原子定期経結
1955	昭和30年	米のビキニ水爆実験て第5福竜丸大湯流炎。家庭電化時代。NHK「私の秘密」放送開始	「別れの一本杉」、「月がとっても青いから」、「哀愁列車」	ラジオ「おもちゃ・ブームが始まる」。ソ連、シベリアで水爆実験
1956	昭和31年	国際連合加盟。日本初のダイヤルに初の自動化。初の三国首相(1回)発行 ロックンロール大流行	「ここに幸あり」、「波止場だよおとうさん」、「哀愁列車」	ちはやぶる絵のおもちゃブームが始まる。ソ連、シベリアで水爆実験

[2] 資料　年表

西暦	和暦	日本の出来事	主に流行した歌	流行った言葉・おもちゃ国内外のトピックスなど	流行った外国曲
1957	昭和32年	トニー・ザイラー初来日、スキーブーム、五千円札、百円硬貨発行	俺は待ってるぜ、チャンチキおけさ、喧嘩十三番地	ソ連、史上初の人工衛星スプートニク1号打上げ成功	「バナナ・ボート」トリノアース、「砂に書いたラブレター」パット・ブーン
1958	昭和33年	台風22号伊豆などに大被害、一万円札発行、東京タワー完工式	有楽町で逢いましょう、星はなんでも知っている、嵐を呼ぶ男	フラフープ流行、TV「パパは何でも知っている」、事件記者、水爆実験、米航空宇宙局（NASA）設置	「ホワット・アイ・セイ」レイ・チャールズ、「トム・ドゥーリー」キングストン・トリオ
1959	昭和34年	皇太子（現上皇）御成婚式、マイカー元年、新宿駅（灯）等うたえ喫茶全盛	黒い花びら、月光仮面は誰でしょう、黄色いさくらんぼ、東京だよおっ母さん	「消費は美徳」、キューバ革命、チベット動乱、ダライ・ラマがインドに亡命	「グリーン・フィールズ」ブラザーズ・フォー、「ローハイド」TV番組主題歌
1960	昭和35年	全学連安保闘争、東大生樺美智子死亡、カラーテレビ本放送開始	アカシアの雨がやむとき、有難や節、誰よりも君を愛す、潮来笠	家付き、カー付き、ババ抜き、ダッコちゃん人形ブーム	「ブルー・ハワイ」エルヴィス・プレスリー、「ティアドロップス」ローハイド
1961	昭和36年	大鵬、柏戸が横綱昇進、柏鵬時代幕開け	王将、上を向いて歩こう、銀座の恋の物語、スーダラ節	TVシャボン玉ホリデー人気、カガリーン（地球は青かった）、レコード大賞	「この胸のときめきを」ブレンダ・リー、朝鮮をヘンリー・マンシーニ
1962	昭和37年	植木等主演映画「ニッポン無責任時代」大ヒット、堀江謙一ヨット太平洋横断	遠くへ行きたい、いつでも夢を、赤いハンカチ、可愛いベイビー	マリリン・モンロー死去、ザ・ビートルズ、レコードデビュー	「ムーン・リバー」アンディ・ウィリアムス、「花はどこへ行った」キングストン・トリオ
1963	昭和38年	アニメ「鉄腕アトム」TV放送開始、プロレスラー力道山、ナイトクラブで刺され死亡	高校三年生、こんにちは赤ちゃん、見上げてごらん夜の星を	「巨人、大鵬、卵焼き」、「カギっ子」、TV三匹の侍、ケネディ大統領暗殺	「悲しき雨音」カスケーズ、「風に吹かれて」ピーター・ポール・アンド・マリー・トリオ
1964	昭和39年	新潟中心に大地震、東海道新幹線開業、東京オリンピック大会開催	涙を抱いた渡り鳥、愛と死を見つめて、東京五輪音頭、学生時代	ウルトラC、TV「ひょっこりひょうたん島」、NYハーレムで黒人暴動	「シー・ラブス・ユー」ビートルズ、「明日のあたる家」アニマルズ
1965	昭和40年	朝永振一郎、ノーベル物理学賞、日本テレビ世論調査ショー「11PM」開始	さよならはダンスの後に、函館の女、君といつまでも、他人船	「イエスタディ」ビートルズ、「ストップ・イン・ザ・ネイム・オブ・ラブ」スプリームス	
1966	昭和41年	全日空機羽田空港沖に墜落、日本の人口1億人突破、ビートルズ来日	こまっちゃうナ、夕陽が泣いている、君といつまでも、他人船	TVおはよう君のQ太郎、マリナー4号火星に接近、写真電送	「ペット・サウンズ」ビーチ・ボーイズ、「この胸のときめきを」ザ・スプリームスフィールド
1967	昭和42年	外国人の観光客1,100万人突破、四日市喘息	ブルー・シャトウ、帰ってきたヨッパライ、夜霧よ今夜もありがとう	TVウルトラマン、月面人類初探測、月面軟着陸	「花のサンフランシスコ」スコット・マッケンジー、「愛こそはすべて」ビートルズ
1968	昭和43年	東大医学部学生ら安田講堂占拠、川端康成、ノーベル文学賞	帰ってきたヨッパライ、小さな日記、ブルー・ライトヨコハマ、星のフラメンコ	ボインチャン、TV意地悪ばあさん、ベトナム枯葉作戦展開始	「悠久色のボール・モール・オーケストラ」ミセス・ロビンソン、サイモン＆ガーファンクル
1969	昭和44年	東名高速道路開通、中央川「第1回日本フォーク・ジャンボリー開催、三島由紀夫自殺	長崎は今日も雨だった、白いブランコ、君は心の妻だから	「大きいことはいいことだ」「ハレンチ」パスイン、全員合唱、ペルー大地震、死者65万人	「ハム・トゥギャザー」サイモン＆ガーファンクル、「ホスキャンドリング」クリーデンス・クリアウォーター・リバイバル
1970	昭和45年	万国博覧会（大阪）開会、赤軍派日航機よど号ハイジャック発生、成田闘争	知床旅情、王者の歌三日三晩、ささやき座の女、私の城の別れ	「鼻血ブー」、TV巨人うって業繁記、米各地でウーマンリブ大学モラ進	「明日に架ける橋」サイモン＆ガーファンクル、カーペンターズ
1971	昭和46年	ドル・ショック、大阪初の光化学スモッグ注意報出発生、成田開港	知りたくないの、出発の歌、また逢う日まで、私のくらぶる、わ	米・アポロ14号、月の石採集、ミュンヘン五輪選手村をアラブゲリラ大学モラ進	「ピアノマン」ビリー・ジョエル、リング・ユー」シア・ハート・ブラック
1972	昭和47年	冬季五輪札幌大会、ジャンプで札幌爆発、日清食品カップヌードル発売	喝采、瀬戸の花嫁、今日でお別れ、女のみち	TVド根性ガエル、TV仮面ライダーのバンケルト・ヘ・ク・ラーム戦争終結	「レット・ミー・ビー・ゼアル」オリビア・ニュートン・ジョン、オペラ座の夜」クイーン
1973	昭和48年	銀座と新宿に土曜歩行者天国、オイル・ショック、第1次石油危機、山陽新幹線、大阪〜岡山開業	神田川、てんとう虫のサンバ、喝采、精霊流し、あの日に帰りたい	ちょっとだけよ、TV子連れ狼バンクー、ゴッドファーザー・ルーズ、連続成功	「ロックンロール・オール・ナイト」キッス
1974	昭和49年	ベトナム戦争終結、沖縄海洋汚染、レッドパージ事件の浸水けい	せんせい、二人でお酒を、くちなしの花、なみだの太陽	「落ちこぼれ」「米軍、TVチ連打狼」、米、フォード18号ビクトニュース第4次中東戦争始まる	「ブラック・サンチオニオ」シア・ブラッククイーン
1975	昭和50年	モントリオール五輪開催、アントニオ猪木対モハメド・アリの異種格闘技戦、ロッキード事件	精霊流し、あの日に帰りたい、「22歳の別れ」、北の宿から、木綿のハンカチーフ	「暖和ひとケタ、記憶にはございません」中国で毛沢東主席の死去、南北ベトナム統一	「ニューヨークシティ・セレナーデ」クリストファー・クロス
1976	昭和51年	王貞治がホームラン世界記録、日照テレビ放送禁止、日航ハイジャック事件発覚	青春時代、津軽海峡冬景色、勝手にしやがれ	「ダメだ、こりゃ！」カラオケブーム、ニューヨーク大停電、インド・ガンジー政権崩壊	「スカイ・ハイ」ジグソー、「ダンシング・クイーン」ABBA、「ホテル・カリフォルニア」イーグルス
1977	昭和52年	成田国際空港開港、日中平和友好条約調印	カナダからの手紙、青葉城恋唄、きみの朝、UFO	「暴走族」、原宿に竹の子族、キャンプデービット会談	「悲しき天使」メリー・ホプキン
1978	昭和53年	王貞治引退、モスクワ五輪に日本はボイコット、日本の自動車生産台数が世界第1位	関白宣言、君のひとみは10000ボルト、YOUNG MAN	ナウい、ウォークマン、イラン・イスラム共和国成立	「シティ・コネクション」エマニエル、「夢のカリフォルニア」ドゥービー、「ラヴ・イズ・オール」シーサンプーソン
1979	昭和54年	インベーダーゲーム大流行、第2次石油危機、ドラえもんテレビ放送開始	関白宣言、ガンダーラ、ダンシング・オールナイト、大都会、贈る言葉	カラオケ、ナウい、ウォークマン、イラン・イスラム共和国成立	「ストレンジャー」ビリー・ジョエル、「悲しき街角」ベンチャーズ
1980	昭和55年	王貞治が引退、モスクワ五輪ボイコット（日本はボイコット）、日本の自動車生産台数が世界第1位	ダンシング・オールナイト、大都会、贈る言葉	カラオケの勝手でしょ、ジョン・レノン銃殺事件	「ユー・メイ・ドリーム」シーナ&ロケッツ、「ダンシング・アメリカ」カシオペア
1981	昭和56年	マザー・テレサ来日、台湾で航空機が墜落、作家向田邦子ら死亡	ルビーの指輪、スニーカーぶるーす、長い夜	米スペースシャトル・コロンビア打上げ	「ディス・コネクション」エマニエル、「愛のコリーダ」クインシー・ジョーンズ、ダンシング・アメリカ・シスター・スレッジ

(長田暁二:歌でつづる20世紀、ヤマハミュージックメディア、2003／吉良健司（編）：はじめての訪問リハビリテーション、医学書院、2007／鈴木　創：音盤大全、洋泉社、2006より作成)

索引

*用語は五十音方式で配列した．
*数字で始まる用語は「数字・欧文索引」に掲載した．
*太字は主要説明箇所を，🔑はキーワードのページを示す．

和文

あ

悪性新生物　23
悪性の社会心理　86
アクティブ・エイジング　26
アセスメント（課題分析）　36
アセスメントツール　143
アドバンス・ケア・プランニング（ACP）　27, **111**, 224🔑
アパシー　149🔑
アプローチ，多側面からの　213
アルツハイマー型認知症（ATD）　**72**, 149, 153, 192, 196🔑, 207, 219

い

生きがい　17
移行先　116
　──，医療機関からの　116
　──，介護保険施設からの　117
　──，介護老人保健施設（老健）からの　117
　──，回復期リハビリテーション病棟からの　116
　──，急性期病院からの　116
　──，地域包括ケア病棟からの　117
　──，療養病床からの　117
維持期　102, 105
移乗　92
一次救命処置（BLS）　101
一次的要因（脳機能の低下），寝たきりの　212
一過性脳虚血発作（TIA）　59
溢流性尿失禁　45
移動　92
意味性認知症（SD）　75, 150
医療介護総合確保推進法　10, 31
医療機関からの移行先　116
医療療養病床　120
　──のリハビリテーション　121

う

うつ病　63
運動器（骨・骨格筋）疾患　60
運動器症候群　50
運動器の加齢変化　44
運動制限期間　171

え

エイジズム　26, 82
エリクソン　15
園芸グループ　199
嚥下障害　46
エンド・オブ・ライフ・ケア　110, 218

お

老い
　──の自覚　14
　──の普遍性　81
オレンジプラン　10, 12

か

介護医療院　118, 125
　──のリハビリテーション　126
介護家族への支援　151
介護サービス計画（ケアプラン）　36
介護支援専門員（ケアマネジャー）　**36**, 96, 163, 189
介護度　36
介護への抵抗　205
介護報酬　38
介護保険　134
　──による施設　122
　──のサービス　36
介護保険施設からの移行先　117
介護保険制度　11, 35, 132
介護保険法　29
介護予防　39, **132**, 159, 161
　──の変遷　134

インターライアセスメントシステム　37
インフォーマルサービス　149, 154

介護老人福祉施設　126
介護老人保健施設（老健）　**122**, 151, 173, 218
　──からの移行先　117
　──でのリハビリテーション　124
外出支援　181
改訂長谷川式簡易知能評価スケール（HDS-R）　143🔑
外泊練習　175
回復期　102, 104
回復期リハビリテーション病棟　119, 170
　──からの移行先　116
かくれ脱水　46
家族会　154
家族介護者　21
家族機能　20
家族構成　20
家族との関係　200
課題の焦点化　98
課題分析（アセスメント）　36
家庭復帰　88, 212
寡動　59
柄澤式老人知能の臨床的判定基準　196
加齢　41
加齢性白内障　65
加齢男性性腺機能低下症候群（LOH症候群）　43
加齢変化　42–44
　──，運動器の　44
　──，感覚機能の　44
　──，呼吸器系の　42
　──，循環機能の　42
　──，消化器系の　42
　──，腎機能の　42
　──，生殖器系の　43
　──，体温調節機能の　43
　──，内分泌系の　43
　──，脳・神経系の　44
　──，排泄機能の　42
　──，免疫機能の　43

243

癌　36
簡易フレイルインデックス　49
感覚機能の加齢変化　44
眼疾患　65
間質性肺炎　58
関節可動域運動　209
関節拘縮予防　223
関節リウマチ（RA）　36, 61
感染性呼吸器疾患　56
感染性皮膚疾患　64
緩和ケア　110

き

記憶　51
記憶障害　196, 201
気管支喘息　57
起居　92
帰宅要求　196, 199
機能訓練指導員　126
機能性尿失禁　45
基本チェックリスト　159
基本的人権　81
虐待　82
嗅覚　44
急性期　102
急性期病院からの移行先　116
狭心症　55
虚血性心疾患　55
虚弱高齢者　137
居宅サービス　180
筋萎縮性側索硬化症　36
筋固縮　59

く

くも膜下出血　59
グリーフ・ケア　112
グループ作業　199
グループホーム　116

け

ケアの技法　142
ケアプラン（介護サービス計画）　36
ケアマネジメント　131
ケアマネジャー（介護支援専門員）
　　　　36, 96, 163, 189
経済状況　17
軽度認知障害（MCI）　67, 144
軽度の認知症高齢者のケース　185
軽費老人ホーム　118
血圧異常　53

血管性認知症（VaD）　**75**, 150, 192
健康高齢者　136
　── のケース　158
健康寿命　41
健康増進　135
健康づくり対策　12
健康な高齢者　33
検査測定　98
見当識障害　156, 196, 201, 207
権利擁護　154

こ

更衣　94
高栄養流動食　206
後期アルツハイマー病　149
後期高齢者医療制度　31
口腔ケア　223
高血圧　**53**, 158, 170
後縦靱帯骨化症（OPLL）　36, 61
甲状腺機能亢進症　62
甲状腺機能低下症　62
甲状腺疾患　62
行動障害型前頭側頭型認知症
　　（bvFTD）　75, 150
行動・心理症状（BPSD）
　⇒ 認知症の行動・心理症状
　　（BPSD）
高齢化率　5
高齢期
　── の課題　14, 26
　── の精神的・心理的特徴　51
　── の特徴　14
　── のパーソナリティ特性　51
高齢期作業療法の目的　39
高齢者
　──, 健康な　33
　── と死　23
　── の就業　18
　── の人権　81
　── の身体障害　34
　── の精神障害　34
　── の定義　5
　── の悩み　24
　── への配慮　97
高齢者医療確保法　29
高齢者医療制度改革　11
高齢社会　5
高齢者虐待　83
高齢者虐待防止法　31
高齢者住まい法　31

高齢者福祉　8
高齢者保健医療福祉　28
高齢者保健福祉推進十か年戦略
　　（ゴールドプラン）　9
高齢者用多元観察尺度（MOSES）
　　　　146
誤嚥性肺炎　56
呼吸器系の加齢変化　42
呼吸器疾患　56
国際生活機能分類（ICF）　⇒ ICF
国民皆保険体制　9
国民年金法　9
骨・骨格筋疾患　60
骨折　47
骨粗鬆症　36, 60
個別リハ　123
ゴールドプラン　9
今後5か年間の高齢者保健福祉施策
　　の方向（ゴールドプラン21）　9

さ

再悪化の予防　200
在宅　128, 169
　── から地域へ　180
在宅生活支援施設　123
在宅生活を想定したリハビリテー
　　ション　124
在宅復帰　172
在宅復帰支援機能　118
在宅復帰施設　123
作業的存在　89
サクセスフル・エイジング　26
サービス付き高齢者住宅（サ高住）
　　　　116
サブアキュート機能　118
サルコペニア　49, 138
残存能力　202, 206
　── と問題点　214

し

死　23
死因順位　23
支援
　──, ADL　175
　──, 介護家族への　151
　──, 外出　181
　──, 住宅改修　123
　──, 自立　87, 134
　──, 調理　181
　──, 認知症の人の地域生活　216

──，認知症の人の服薬管理　156
支援相談員　97
視覚　44
嗜銀顆粒性認知症（AGD）　76
刺激材料　209
自己実現　38
脂質異常症　62
姿勢反射障害　59
している ADL　171
シーティング　92, 221
自発言語　210
社会活動　17
社会参加　19, 101
社会資源の活用　161
社会保障制度　28
就業　18
重症心身障害児（者）　35
住宅改修　130, 175
住宅改修支援　123
集団関係技能　197
重度認知症　146, 148
　　── から寝たきりに移行したケース　206
終末期　102, 109
終末期アルツハイマー病　149
終末期ケア　110
終末期リハビリテーション　112
手芸グループ　199
手段的日常生活活動（IADL）　94
出生率　6
循環器疾患　53
循環機能の加齢変化　42
消化器系の加齢変化　42
情報の収集　96
初期アルツハイマー病　149
食事　92
食事摂取量の維持　221
褥瘡　47
書道グループ　199
ショートステイ　9, 123
初老期認知症　36
自立支援　87, 134
自立支援型介護　108, 124
自立支援型ケア会議　140
新オレンジプラン　10, 13
腎機能の加齢変化　42
心筋梗塞　55
神経疾患　58
神経変性疾患　59
人権　81

進行性核上性麻痺（PSP）　36, 76
進行性非流暢性失語（PNFA）　75
新・高齢者保健福祉推進十か年戦略
　（新ゴールドプラン）　9
心疾患　23
人生会議　111
人生の最終段階　109
身体拘束　85
身体障害をもつ高齢者　34
新体力テスト　136
深部感覚　44
深部静脈血栓症（DVT）　170
心不全　55

す

スキンシップ　209
スピーチロック　86

せ

生活環境整備　130
生活期（維持期）　102, 105
生活期リハビリテーション　106
　　── の流れ　178
生活行為向上プログラム　165
生活行為向上マネジメント
　（MTDLP）　163
生活行為向上マネジメントシート
　　166
生活習慣病　41
生活不活発からの脱却　159
生活保護法　30
生活リハ　124
静止時振戦　59
生殖器系の加齢変化　43
精神疾患　63
精神障害をもつ高齢者　34
成年後見制度　31
整容　93, 223
脊髄小脳変性症　36
脊柱管狭窄症　36, 158
摂食・嚥下障害　46
切迫性尿失禁　45
セルフケア　91
センター方式　37
前頭側頭型認知症（FTD）
　　75, 150, 193
前頭側頭葉変性症（FTLD）　75
喘鳴　57
せん妄　63
全老健版ケアマネジメント方式　37

そ

早期リハビリテーション　172
喪失
　──，4つの　15, 17
　──，生きる目的の　15
　──，経済基盤の　15
　──，社会的つながりの　15
　──，心身の健康の　15
瘙痒　64
早老症　36
尊厳　81
尊厳保持　88

た

退院前訪問指導　171
体温調節機能の加齢変化　43
体性感覚　44
ダイナペニア　138
大脳皮質基底核変性症（CBD）
　　36, 76
多系統萎縮症　36
多職種協働　176
立ち上がりテスト　50
脱水症　46
短期集中リハ　123
短期入所療養介護　123
短期目標　99

ち

地域移行　101
地域ケア会議　140
地域資源の活用　154
地域包括ケアシステム　12, 133
地域包括ケア病棟　118
　　── からの移行先　117
　　── のリハビリテーション　120
地域リハビリテーション活動支援事業　134, 140
知的障害者　35
知能　51
チームアプローチ　204
チームオレンジ　216
チームリハビリテーション　124
中期アルツハイマー病　149
中等度認知症　146
　　── 高齢者のケース　195
聴覚　44
長期目標　99
調理支援　181

つ

通所リハビリテーション（デイケア）
　　　　　　　　　128, 151, 163, 176
つくられた寝たきり状態　213

て

低栄養　45
デイケア
　　　　　　⇒ 通所リハビリテーション
低血圧　54
できる ADL　171🔑
できることとできないこと　214
デスカンファレンス　112
手伝い作業　199, 201
手続き記憶　203
転倒　47
転倒予防　189

と

糖尿病（DM）　62
糖尿病性神経障害　36
糖尿病性腎症　36
糖尿病性網膜症　36, 65
特発性正常圧水頭症（iNPH）　76
特別養護老人ホーム（特養）
　　　　　　　　　　　　118, 126
閉じこもり　33🔑

な

内分泌系の加齢変化　43
内分泌代謝疾患　62

に

二次的要因（廃用状態），寝たきりの
　　　　　　　　　　　　　212
二者関係技能　197
日常生活自立度　137
日本語版 BEHAVE-AD　146
日本語版 MoCA　144
日本版 CHS 基準　49
入浴　93
尿失禁　45
人間らしくあること　113
認知機能障害　70
認知施策推進5か年計画　12
認知症　66, 141
　──，初老期　36
　──に対する作業療法の評価
　　　　　　　　　　　　143

　──に対する治療　142
　──の疫学　67
　──の行動・心理症状（BPSD）
　　　　70, 98, 149, 151, 200, 204
　──の作業療法　156
　──の症状　70
　──の診断基準　66
　──の定義　66
　──の人の視点　153
　──の人のためのケアマネジメントセンター方式　37
　──の人の地域生活支援　216
　──の人の服薬管理支援　156
　──の分類と治療　68
　──のリハビリテーション　141
　──への対策強化　12
認知症アセスメントシート
　　（DASC-21）　148
認知症カフェ　149, 154
認知症基本法　13
認知症共同生活介護　116🔑
認知症行動障害尺度（DBD）　146
認知症高齢者
　──のケース，軽度の　185
　──のケース，中等度の　195
　──の日常生活自立度　196
認知症施策　141
認知症施策推進5か年計画（オレンジプラン）　10
認知症疾患医療センター　151
認知症症状　197
認知症初期集中支援チーム　194
認知症短期集中リハ　123
認知症治療病棟　121, 151

ね

寝たきり　**47**, 206, 212🔑
　──，状態の要因　212

の

脳活性化リハ5原則　125🔑
脳機能
　──の低下（一次的要因）　212
　──の廃用防止　103
脳血管疾患　23, 36
脳血管障害（CVD）　58
脳梗塞　58
脳出血　58
脳・神経系の加齢変化　44

は

肺炎　23, 56
徘徊　63, 71, 196
　──への対応　200
徘徊行動　197
肺癌　57
肺結核　57
肺性心　55
排泄　93
排泄機能の加齢変化　42
肺線維症　58
廃用症候群　48, 209🔑
廃用状態（二次的要因）　212
ハイリスクアプローチ　135🔑
パーキンソン病（PD）　36, 59
バセドウ病　62
パーソン・センタード・ケア　86🔑
発達課題　15
発達障害　35

ひ

ピアサポート　154, 179🔑, 180
ピアサポート活動支援事業　216
被害妄想　196
皮膚疾患　64
被保険者　36
評価のまとめ　98
表在感覚　44

ふ

不安感の解消　201
不穏興奮状態　196
腹圧性尿失禁　45
福祉人材確保法　9
福祉八法　9
福祉用具導入　123, 130
不整脈　54
不適切なケア　84🔑
不眠　45
ブルンストローム・ステージ（BRS）
　　　　　　　　　　　　170🔑
フレイル　48, 162
プログラム立案　99

へ

平均寿命　6
閉塞性動脈硬化症　36
ヘルスプロモーション　135
変形性関節症（OA）　36, 60

変形性股関節症　60
変形性脊椎症　60
変形性膝関節症　60

ほ
包括的ケアサービス　176
包括的ケアサービス施設　122
訪問作業療法　151
訪問リハビリテーション　129, 180
保健事業　138
保険者　36
ポジショニング　211, 222
ポストアキュート機能　118
ホスピスケア　110
ポピュレーションアプローチ
　　　　　　　　　　　135

ま
マズロー　38
慢性硬膜下血腫　76, 219
慢性閉塞性肺疾患（COPD）　36, 57

み
味覚　44
看取り　223

む
昔取った杵柄　201, 214
無動　59

め
メルゼブルグの3主徴　62
免疫機能の加齢変化　43
面接　97

も
目標設定　99
物盗られ妄想　149
物忘れ　207

や・ゆ
薬剤情報　96
有料老人ホーム　116

よ
要介護　36
要介護1　233
養介護施設従事者等　82
要介護者のケース　169
養護者　82
要支援　36
要支援2　233
要支援者のケース　163
余暇活動　95
余暇時間　95
予防
　──，介護　39, **132**, 159, 161
　──，関節拘縮　223
　──，再悪化の　200
　──，転倒　189
予防期　102

ら
ライフスタイル　91
ラポール　112

り
離園　195
離床　221
リスクに対する備え　100
リハビリテーション
　──，医療療養病床の　121
　──，介護医療院の　126
　──，介護老人保健施設（老健）での
　　　　　　　　　　　124
　──，終末期　112
　──，生活期　106
　──，早期　172
　──，地域包括ケア病棟の　120
　──，チーム　124
　──，通所（デイケア）
　　　　　　128, 151, 163, 176
　──，認知症の　141
　──，訪問　129, 180
リハビリテーション計画書
　　　　　　　　　　100, 234

リハビリテーション施設　122
リハビリテーション・栄養・口腔に
　係る実施計画書　**100**, 236, 238
リハビリテーションマネジメント
　　　　　　　108, 128, 176, 232
利用者負担　37
利用前訪問　176
療養型病院　120
療養病床　120
　──からの移行先　117
料理グループ　199
緑内障　65
臨床的認知症尺度（CDR）　146

れ
レスパイト　176
レスパイトケア　119
レビー小体型認知症（DLB）
　　　　　　74, 150, 186, 192

ろ
老化　41
老健　⇒　介護老人保健施設
老人医療費　10
老人短期入所生活介護　9
老人福祉法　8, 28
老衰　23
老年期うつの検査-15-日本版
　（GDS-15-J）　67
老年期うつ病　63
老年症候群　45
弄便　204
老老介護　21
ロコモ25　50
ロコモティブシンドローム
　　　　　　　　　　50, 138
ロコモ度テスト　50

わ
ワーキングメモリ　51

数字・欧文

数字

2ステップテスト　50
16特定疾病，介護保険法による　36

A

ACP（advance care planning；アドバンス・ケア・プランニング）　27, 111, 224
active aging　26
ADAS（Alzheimer's Disease Assessment Scale）　145
ADL　91
──拡大の時期　171
──支援　175
AGD（argyrophilic grain dementia；嗜銀顆粒性認知症）　76
aging　41
apathy　149
ATD（Alzheimer-type dementia；アルツハイマー型認知症）　72, 149, 153, 192, 196, 207, 219

B

Basedow病　62
BHEAVE-AD（Behavioral Pathology in Alzheimer's Disease）　146
BLS（basic life support；一次救命処置）　101
BPSD（behavioral and psychological symptoms of dementia；認知症の行動・心理症状）　70, 98, 149, 151
──に対するケア　204
──の発生原因　200
BRS（Brunnstrom Recovery Stage；ブルンストローム・ステージ）　170
bvFTD（behavioral variant frontotemporal dementia；行動障害型前頭側頭型認知症）　75, 150

C

CBD（corticobasal degeneration；大脳皮質基底核変性症）　36, 76
CDR（clinical dementia rating；臨床的認知症尺度）　146
CHS（cardiovascular health study）基準　49
COPD（chronic obstructive pulmonary disease；慢性閉塞性肺疾患）　36, 57
CVD（cerebrovascular disease；脳血管障害）　58

D

DASC-21（Dementia Assessment Sheet for Community-based Integrated Care System–21 items）　148
DBD（Dementia Behavior Disturbance Scale；認知症行動障害尺度）　146
delirium　63
dementia　63
depression　63
DLB（dementia with Lewy bodies；レビー小体型認知症）　74, 150, 186, 192
DM（diabetes mellitus；糖尿病）　62
DSM-5-TR　66
DVT（deep vein thrombosis；深部静脈血栓症）　170

E・F

Erikson　15
FAST（Functional Assessment Staging of Alzheimer's disease）　73, 146
FIM（機能的自立度評価法）　170
frailty　48
FTD（frontotemporal dementia；前頭側頭型認知症）　75, 150, 193
FTLD（frontotemporal lobar degeneration；前頭側頭葉変性症）　75

G・H

GDS-15-J（老年期うつの検査-15-日本版）　67
HDS-R（改訂長谷川式簡易知能評価スケール）　143

I

IADL（instrumental activities of daily living；手段的日常生活動作）　94
ICD-11　66
ICF（International Classification of Functioning, Disability and Health；国際生活機能分類）　39, 188
──構成要素上の課題解決イメージ　183
──に基づく評価　159
ICF評価表
──，在宅復帰時の　177
──，入所時の　174
iNPH（idiopathic normal pressure hydrocephalus；特発性正常圧水頭症）　76
interRAI方式　37

J・L

Japanese version of Montreal Cognitive Assessment（日本語版MoCA）　144
locomotive syndrome　50
LOH症候群（late-onset hypogonadism；加齢男性性腺機能低下症候群）　43

M

Maslow　38
MCI（mild cognitive impairment；軽度認知障害）　67, 144
Merseburgの3主徴　62
MMSE（Mini-Mental State Examination）　144
MOSES（Multidimensional Observation Scale for Elderly Subjects；高齢者用多元観察尺度）　146
MTDLP（生活行為向上マネジメント）　163

N

N式老年者用精神状態尺度（NMスケール） 196, 208, 215
N式老年者用日常生活活動能力評価尺度（N-ADL） 208, 215
NPI（Neuropsychiatric Inventory） 146

O

OA（osteoarthritis；変形性関節症） 36, 60
occupational being 89
OPLL（ossification of posterior longitudinal ligament；後縦靱帯骨化症） 36, 61

P

PD（Parkinson's disease；パーキンソン病） 36, 59
peer support 179
PNFA（progressive non-fluent aphasia；進行性非流暢性失語） 75
POC（Point of Care）リハビリテーション 120
post-acute 機能 118
PSP（progressive supranuclear palsy；進行性核上性麻痺） 36, 76

Q・R

QOD（quality of death） 114
R4システム 37
RA（rheumatoid arthritis；関節リウマチ） 36, 61

S

sarcopenia 49
SD（semantic dementia；意味性認知症） 75, 150
senescence 41
SPDCAサイクル 30, 128
sub-acute 機能 118
successful aging 26

T・V・Z

TIA（transient ischemic attack；一過性脳虚血発作） 59
VaD（vascular dementia；血管性認知症） **75**, 150, 192
ZBI（the Zarit Caregiver Burden Interview；Zarit介護負担尺度） 148